PÉRISCOPE ROUGE

Richard Rohmer

Traduit de l'anglais

Domino

Maquette et illustration de la couverture : Tibo

LES ÉDITIONS DOMINO LTÉE
(Division de Sogides Ltée)
955, rue Amherst, Montréal
H2L 3K4
tél. : (514) 523-1182

Distributeur exclusif pour le Canada :
AGENCE DE DISTRIBUTION POPULAIRE INC.
(Filiale de Sogides Ltée)
955, rue Amherst, Montréal
H2L 3K4
tél. : (514) 523-1182

Copyright 1980, Richard Rohmer
L'édition originale de cet ouvrage
a été publiée sous le titre *Periscope Red*

Copyright 1981, Les Éditions Domino Ltée
pour l'édition en langue française
Dépôt légal, 1er trimestre 1981
Bibliothèque nationale du Québec

ISBN 2-89029-011-5

1

9 mars, 7h 30
Beyrouth, Liban

Au cours de la nuit, un épais brouillard avait recouvert le pont silencieux et la ville mutilée, enveloppant de son linceul bâtiments en ruine et rues éventrées. Mais avec les premières lueurs de l'aube, le brouillard se levait maintenant sur les décombres — briques, béton et vitre — qui s'écoulaient des tours saccagées. Une brume légère tourbillonnait encore sur la mer ondoyante. Accroupi à la proue d'une longue embarcation étroite qui avait dû servir de chaloupe de sauvetage plusieurs dizaines d'années plus tôt sur quelque vaisseau depuis longtemps disparu, Saïd pouvait apercevoir à travers cette brume la silhouette de Beyrouth. Et tandis que l'embarcation s'éloignait lentement de la côte, il frissonna dans le froid pénétrant de l'atmosphère humide qui l'étreignait de même que ses compagnons. Le mince tissu de sa longue robe noire, l'*aba*, le protégeait bien peu de cette température inhabituelle.

Pendant que les silhouettes des bâtiments noircis et désolés émergeaient de la pénombre brumeuse en faisant surgir des entrailles de la terre leurs formes rectangulaires, Saïd se reporta à son plan. Ce plan, c'était le sien dans les moindres détails, de l'entraînement aux intrigues, des aménagements aux négociations, sans oublier l'objectif. Le but même était sien. S'il réussissait, lui, Saïd — et il ne doutait pas le moindrement de sa réussite — il assenerait le coup le plus puissant, le plus énorme, en faveur de ses frères palestiniens opprimés qui traînaient encore dans les camps de réfugiés du Liban, ces enclos putrides et cancéreux où des centaines de milliers d'Arabes palestiniens apatrides avaient croupi depuis tant et tant de décennies.

Il remercia Allah de lui avoir inspiré l'idée géniale, de même que la responsabilité d'amorcer et de mener à terme cette si grande victoire révolutionnaire, une victoire qui abasourdirait l'univers et fixerait l'attention partout sur la planète sur le sort des Palestiniens. Son plan forcerait ces sangsues sanguinaires, et au premier chef les Juifs américains de même que ce pays abhorré qu'ils contrôlaient, à s'ouvrir les yeux ; il les obligerait à reconnaître enfin, une fois pour toutes, la nation palestinienne. Les Juifs américains, ces impérialistes, n'auraient pas le choix. Pas le moindre. De concert avec leurs camarades oppresseurs d'Europe de l'Ouest, ils devraient forcer les Israéliens à rendre chaque hectare de terre, chaque bâtiment, chaque ville, chaque port, tout ce qu'ils avaient volé aux Arabes palestiniens en 1948, l'année où il était né, lui, Saïd Kassem, à Haïfa. Une semaine jour pour jour après sa naissance, il en avait été chassé en même temps que sa mère et ses grands-parents par les Israéliens que soutenaient les Britanniques.

Le regard fixe de Saïd s'arrêta sur la veste de laine noire de l'homme qui ramait. Son dos bougeait régulièrement tandis qu'il soulevait avec adresse les rames, les ramenait derrière lui, et les plongeait de nouveau dans la mer, menant son petit esquif décrépit à travers l'eau noire et agitée vers une destination toujours invisible.

En se rendant louer une embarcation l'après-midi de la veille à l'extrémité du port, il avait découvert ce marin noiraud, courtaud, et aussi peu soigné que l'embarcation où, assis, il attendait qu'une occasion se présente. Saïd avait indiqué d'un regard vif et pénétrant quelque vague caboteur qui mouillait à environ un mille de la côte. Le loup de mer le connaissait bien. Il était armé par un groupe d'Arabes palestiniens qui habitaient Beyrouth depuis plusieurs années. Contrairement à lui-même, ceux-ci avaient prospéré. Natif du Liban et Arabe chrétien, il avait pour sa part vécu sur l'embarcation de son père avant qu'elle ne lui appartienne en propre, et navigué tant au large de Beyrouth qu'aux environs du port. Après un coup d'oeil au cargo ancré, il dit à Saïd qu'il pourrait l'y mener les yeux fermés, que le brouillard importait peu.

Trois autres passagers se trouvaient devant le rameur indifférent. Ils étaient vêtus comme Saïd d'amples robes noires. L'un de ces passagers occupait la banquette qui se trouvait juste devant le rameur et lui tournait le dos. Hassan courbait lui aussi les épaules, les mains enfoncées dans les pans de sa robe, pour tenter de retenir la chaleur de son corps.

Les deux autres se collaient l'un à l'autre sur la banquette de poupe. Leurs jambes et leurs bras entremêlés tentaient de capter quelque chaleur, frigorifiés qu'ils étaient ; leurs mains se terraient dans les pans de leurs robes. Ils maudissaient le froid et l'inconfort qui étaient leur lot.

Le plus costaud des deux hommes qui se trouvaient à l'autre extrémité de l'embarcation alluma une cigarette. L'éclat inattendu de la flamme jaune jaillit dans le champ de vision de Saïd comme un feu de joie dans la pénombre qui s'éclaircissait et ramena ses pensées à son entourage. Tandis que la flamme jouait dans le visage anguleux et sombre de cette pièce d'homme aux sourcils broussailleux, Saïd se demanda pour la millième fois comment Ahmed et, tout compte fait, les deux autres, Hassan et Maan, le gai luron qui se collait contre Ahmed, se comporteraient sous l'épouvantable pression des dangers énormes qui ne tarderaient plus et des risques qu'ils auraient à courir, il le leur avait promis, au nom de la révolution et de l'Organisation de Libération de la Palestine. Ils étaient des membres de l'OLP, des combattants arabes pour la liberté. La mission qu'ils allaient entreprendre leur avait été confiée par l'OLP, conçue qu'elle avait été par le cerveau fertile d'un membre du Comité exécutif, Saïd en personne, bras droit du chef de l'Organisation. La rumeur voulait que Saïd succède à son chef, qu'Allah le protège, si jamais la cause de la libération venait à le perdre.

Saïd avait entraîné ces hommes au cours des trois mois précédents. Il leur avait inculqué toutes ses connaissances. Il leur avait imposé une discipline ainsi que des exercices physiques quotidiens et pénibles, tant sur terre que sur mer où se déroulerait la dernière étape de son plan.

C'est au camp principal de l'OLP, au sud de Beyrouth et à une dizaine de milles au nord des terres palestiniennes occupées par Israël, que Saïd avait supervisé l'entraînement de ses recrues à qui il avait enseigné tout ce qu'il savait du maniement tant des armes automatiques que des armes blanches de même que de nombreuses façons de tuer par surprise un ennemi au corps à corps et sans bruit. Les anciennes techniques raffinées des commandos, qu'il s'agisse du garrot à main ou de toute autre façon de tuer en silence, avaient été améliorées. Au cours de ces quatre-vingt-dix jours d'entraînement, Saïd leur avait fait courir d'innombrables milles, subir des heures et des heures un entraînement de base et imposé un régime alimentaire sévère. Chacun de ses hommes en était sorti sans une trace de graisse et musclé. Maan lui-même, le boute-en-train du trio, avait perdu toute sa graisse ; et il était en pleine forme et n'avait rien perdu de sa bonne humeur en cours de route.

Ils avaient étudié de façon exhaustive le maniement des explosifs et des différents détonateurs. Le plastic n'avait plus de secret pour eux, non plus que le mécanisme spécial, incroyablement puissant et sensible, dont ils se serviraient contre leurs cibles. Il n'avait pas été possible de leur enseigner plus que les rudiments du système de télécommande électronique qui alimenterait le détonateur de leurs explosifs sophistiqués. Ce n'était d'ailleurs pas nécessaire. Hassan était un expert. Il avait été choisi comme membre du commando parce qu'il était un spécialiste des communications, diplômé en électronique du Massachusetts Institute of Technology. Par mesure de prudence, toutefois, Saïd avait enseigné aux deux autres membres du commando les rudiments du système de télécommande qui servirait le moment venu à faire sauter les explosifs pour le cas où Hassan serait neutralisé au cours de l'opération.

L'entraînement sous-marin avait d'abord causé les plus grandes difficultés aux recrues. Mais après de longues heures passées dans l'océan, une fois acquise la confiance en leurs attirails spécifiques, ils s'étaient beaucoup amusés de cette habilité nouvelle. Jour après jour, ils avaient étudié le maniement des bouteilles d'oxygène, des masques et de tout ce qui sert à la plongée sous-marine, bien que leur tâche ait été facilitée de savoir qu'au cours de l'opération ils n'auraient pas à descendre à plus de cent pieds. Une fois terminées les sessions théoriques, ils embarquaient leurs attirails ainsi que leur canot à moteur gonflable dans l'énorme fourgonnette qui leur avait été fournie pour la durée de leur entraînement. Ils s'élançaient ensuite sur les routes inégales vers l'ouest jusqu'aux rives hivernales de la Méditerranée.

Au cours de leurs mois d'entraînement, du début de décembre à la fin de février, cette mer dont l'histoire remonte à l'Antiquité devait s'offrir à leurs yeux sous différentes couleurs : parfois bleu azur, parfois turquoise, ou grise ou, par temps d'orage, gris-noir avec d'énormes vagues dont la crête d'écume blanche se fracassait dans un bruit de tonnerre au fond de l'anse sablonneuse que Saïd utilisait comme base de lancement. Les conditions atmosphériques et la surface de la mer avaient varié tout autant que la couleur de l'océan. Au cours des deux premières semaines, les conditions avaient été idéales. La Méditerranée roulait une surface calme sous un ciel bleu quelquefois tacheté d'agrégats de cumulus blancs. Les vents étaient légers et la température se maintenait dans les soixante degrés, des conditions idéales pour initier trois hommes, excellents nageurs au demeurant, au défi exigeant de la vie sous-marine où la préparation, les vérifications sécuritaires, un équipement de premier ordre et un entretien rigoureux peuvent signifier la différence entre une opération menée en toute sécurité et la mort, et où la marge de manoeuvre est minimisée par la manipulation d'explosifs sophistiqués et de détonateurs électroniques délicats.

Les vents d'hiver et les orages ayant rafraîchi l'air et alourdi la mer, Saïd suspendit tout entraînement sous-marin ultérieur, expliquant à ses élèves qu'ils n'affronteraient ni froid ni hautes vagues là où ils mèneraient à bien leur opération. Il ne servirait à rien de prendre des risques inutiles.

Aucun d'eux ne souleva d'objection. En fait, aucun membre du trio ne discutait jamais avec Saïd. Intelligents et bien éduqués, ils avaient tous trois rapidement jaugé l'homme qui les avait choisis parmi plus de deux cents volontaires. Chacun savait qu'avec Saïd il se trouvait en compagnie d'un homme qu'il suivrait naturellement. Saïd, dont ils présumaient qu'il devait être âgé d'à peine plus de trente ans tandis qu'ils étaient eux-mêmes âgés de vingt-deux à vingt-cinq ans, gagna rapidement leur confiance et leur respect les plus entiers grâce à son impressionnant éventail d'expériences et de connaissances dans son domaine. Ils s'étaient interrogés sur sa naissance et son passé, mais il ne leur avait jamais fourni aucun indice et ils l'avaient accepté tel qu'il était : obstiné, intelligent et articulé ; il avait l'esprit vif, inventif, et il s'impatientait si l'on ne parvenait pas à saisir ce qui lui semblait un exposé clair et aisément compréhensible.

Saïd était dans une excellente forme physique. Il fallait qu'il le soit pour diriger leurs exercices de base rigoureux ou les mener durant de longues périodes de temps sur terre aussi bien que dans la mer. Sa dévotion à la cause révolutionnaire de la libération de la nation palestinienne, à sa reconnaissance par les grandes puissances et à la récupération de son sol était absolument et totalement inébranlable, comme l'était son engagement à mener à terme l'opération dont il était aussi certain qu'il est possible de l'être qu'elle transformerait en réalité les rêves et atteindrait tous les objectifs de l'OLP en vue de la libération du peuple arabe de Palestine.

Tandis que la petite embarcation les transportait silencieusement à travers la brume du petit matin de Beyrouth pour entreprendre la première étape de leur opération, ses trois compagnons en savaient à peine plus long sur le passé de Saïd que lorsqu'ils l'avaient rencontré pour la première fois. À leurs yeux, il représentait une énigme. Ils n'avaient pu glaner qu'un seul indice un soir, après le souper, où Saïd s'était détendu au point d'abaisser sa garde alors qu'ils se réchauffaient autour d'un feu de camp. On avait beaucoup parlé de toutes sortes de sujets : la famille, l'avenir de la Palestine, les injustices du passé et les femmes. Ils étaient tous quatre célibataires. Saïd n'aurait jamais accepté un homme marié dans son équipe. Au cours de leur conversation de ce soir-là, les opinions frondeuses de Maan avaient provoqué une explosion d'arguments amicaux. Saïd n'avait dit mot jusqu'à ce que Hassan parle de sa vie d'universitaire aux États-Unis et explique à quel point le fait de vivre parmi de riches Américains avait modifié sa perspective. Il avait été choqué par leur gaspillage éhonté et par leur façon de ne considérer les autres, et particulièrement les Arabes et les Noirs, que comme des êtres inférieurs et inintelligents. L'histoire de Hassan avait touché une corde sensible chez Saïd qui avoua s'être heurté à de telles attitudes en Angleterre lorsqu'il étudiait à la London School of Economics. Ses trois compagnons n'avaient rien appris d'autre de son intervention que le fait qu'il avait étudié à l'Université. Ils ignoraient la nature de ses études ou s'il avait obtenu un diplôme. Aucun d'eux n'osa poser de questions.

L'une de celles qu'ils brûlaient de poser concernait l'apparence de Saïd. Son visage d'Arabe, brun et hâlé, souligné par une épaisse moustache noire, des sourcils broussailleux et des cheveux ondulés noir jais parsemés de gris, encadrait une paire d'yeux d'une stupéfiante incongruité qui le mettait à part de ses frères palestiniens. Ces yeux en effet étaient bleus, non pas d'une nuance habituelle de bleu, mais pâles et brillants, quelquefois de la couleur du ciel en plein jour, quelquefois de la couleur turquoise cristalline des glaces de l'Arctique. Ces yeux provenaient de quelque race nordique, peut-être scandinave, peut-être anglaise. Pouvaient-ils être d'ascendance russe ? Hassan, Ahmed et Maan avaient émis toutes sortes d'hypothèses à propos de leur origine depuis qu'ils les avaient vus, lorsque Saïd avait abandonné pour la première fois la protection de ses verres fumés pour mettre son masque de plongée sous-marine. Saïd les savait sidérés par ce qu'ils venaient de voir. Il s'y attendait. Ça allait de soi. Mais il ne leur avait pas fourni d'explications, pas plus d'ailleurs qu'en aucun cas il ne l'avait fait. Et personne jamais ne lui avait posé de questions.

Les yeux de Saïd lui venaient de son père. Il connaissait bien son père ; il le respectait, l'aimait et l'admirait. Au cours de son enfance il avait passé en sa compagnie plusieurs étés chez lui, dans un autre port de mer très au nord, dans un pays où la géographie était constituée d'immenses montagnes dont les cimes étaient couvertes de neiges éternelles, d'une forêt de grands arbres toujours verts, de neige, de glace, de roc et de longs estuaires escarpés dont les falaises plongeaient dans la mer limitrophe. C'était un pays âpre qui engendrait des êtres intrépides, endurants, intelligents et industrieux, des gens aux yeux bleus, turquoise comme la glace qui brillait l'hiver au large des côtes.

Malgré son ascendance nordique, Saïd était un Palestinien jusqu'au bout des doigts. Son héritage arabe s'était nourri d'avoir été élevé dans la pauvreté et les privations d'un camp de réfugiés palestiniens. Il y baignait dans la vie quotidienne, la langue, la culture et la société de sa mère et de ses grands-parents dont il avait, pour autant qu'il s'en souvienne, toujours partagé la tente. Il portait le patronyme de sa mère, qui était une Kassem. Dans une telle atmosphère, son esprit s'était formé au contact des discours pétris d'amertume d'énergumènes et des invectives d'une race subjuguée et oubliée, dans un camp qui regorgeait de personnes improductives, tout entières obsédées par les injustices dont elles étaient victimes et qui aspiraient à la liberté et à recouvrer leurs terres et leur dignité.

Ainsi Saïd était-il un Arabe palestinien, bien que portant dans ses gènes une ascendance inhabituelle dont ses yeux bleus témoignaient. Cette ambivalence le mettait à part et lui permettait de prendre des initiatives particulières. Il partageait les opinions de ses congénères arabes mais, contrairement à ceux-ci, il ne se contentait pas de tonitruer, de divaguer ou, simplement, de parler. Il avait la capacité d'agir. Sa réserve innée, doublée du besoin compulsif d'accomplir, de faire, d'exécuter, faisait que Saïd se trouvait dans cette embarcation qui se dirigeait à force de bras vers nulle part, semblait-il ; ses yeux et son esprit se concentraient sur l'immense visage brun d'Ahmed qui baignait dans l'éclat jaune de la flamme protégée du vent par sa main recourbée tandis que le colosse allumait sa cigarette. Puis la flamme disparut et le visage d'Ahmed ne servit plus que de fond de scène sombre à l'extrémité brillante de la cigarette lorsqu'il aspirait.

Ahmed sera comme un roc, pensa Saïd. Je souhaiterais seulement qu'il ne fume pas ces maudites cigarettes. C'est un vrai poison. Malgré tout, il est aussi nerveux que moi, ce qui n'est pas un tort en soi. Si nous nous heurtons à quelque difficulté, à une fusillade ou à un problème sous l'eau, s'il m'arrivait quelque chose — mais bien sûr il ne m'arrivera jamais rien—, Ahmed gardera son calme et trouvera la solution. Il ne s'inquiète pas, peut-être encore moins que moi. Je lui envie sa force. Et ce chien-chien de Maan, si brillant, si comique. Il a légèrement tendance à paniquer quand les choses ne vont pas tel que prévu. Ainsi, cette fois où son débit d'oxygène s'est interrompu. Heureusement, nous n'étions qu'à une vingtaine de pieds de profondeur et j'étais là, près de lui, à le surveiller. J'ai veillé à ce qu'il s'en tire, et rapidement. Mais ses mouvements désordonnés et ses yeux exorbités derrière son masque témoignaient de sa panique. Je devrai donc veiller sur lui. À ce défaut près, il est bon. Très bon. Et j'imagine que son métier de professeur l'aide à apprendre. En fait, il est presque aussi brillant que Hassan.

Saïd déplaça son regard du visage estompé de Maan à l'arrière de la tête de Hassan, qu'il apercevait au-dessus de l'épaule droite du rameur éprouvé. Il doit être l'un des cerveaux les plus brillants que j'aie rencontrés, pensa-t-il. Il contempla le corps athlétique long et mince qui lui faisait parfois penser à un crabe allongé, surtout sous l'eau lorsque ses énormes palmes le propulsaient. Quel que soit le problème, je suis certain que Hassan y fera face. Avec lui, il n'y a pas à craindre. Physiquement, il n'a pas notre force mais il ne devrait avoir aucune difficulté à mener sa tâche à bien quand nous aurons atteint notre objectif. La nuit dernière, il a insisté pour que je lui dévoile le plan : où allons-nous et qu'allons-nous y faire ? Son agacement sautait aux yeux quand j'ai refusé de répondre. Ont-ils le droit de savoir ? Hassan croit que si et je le crois aussi. Mais Yasser croit que non. Il est le chef et on ne discute pas. Nous allons naviguer un bon bout de temps et tant de choses peuvent mal tourner. Si l'un d'entre eux tombait entre les mains de puissances hostiles, toute l'opération pourrait en être compromise. Je ne veux pas mettre en doute la façon de penser d'Arafat, mais il reste que de ne pas connaître le plan rend la tâche encore plus difficile à mon équipe. De toute façon, ils sauront bien assez vite.

Son flot de pensées fut interrompu par le rameur qui s'appuya sur ses rames et se tourna vers sa droite de façon à voir au delà de Saïd vers l'avant. Il fouilla la brume à la recherche du navire ancré qui ne devait pas être tellement plus loin. La clarté augmentait tout aussi rapidement que la brume se dissipait.

« Le voilà, droit devant ! » lança-t-il triomphalement.

Leurs yeux à tous louchèrent tandis qu'ils scrutaient le bâtiment qui s'apprêtait à les recevoir. Il mouillait à une centaine de verges, la proue vers le large, face au roulement des vagues.

Son nom s'inscrivait sur la largeur de la poupe, juste sous le niveau du pont, en lettres blanches écaillées et sales sur un fond noir, tavelé de pustules de rouille, dont on avait enduit les trois cents pieds de coque longtemps auparavant. Il s'appelait *La Mecque.* Son nom était peint en anglais et en arabe, comme il était d'usage pour un navire sans port d'attache qui parcourait la Méditerranée en long et en large et accostait aussi bien dans les petits ports que dans les grands, mais surtout dans les villages de pêcheurs et les ports dont les hauts-fonds interdisaient l'accès aux navires de plus fort tonnage.

Lorsqu'on avait mis Saïd au courant des détails de transport de son équipe, de leurs armes et de leur équipement, on avait précisé que des arrangements avaient été pris avec les armateurs de *La Mecque,* tous des Arabes palestiniens dévoués à la cause, à l'exception d'un partenaire égyptien qui ne s'y trouvait que pour la forme. On chargerait entièrement le vieux navire au Pirée, le grand port mouvementé à proximité d'Athènes. Sa charge comprendrait une variété de denrées alimentaires, des sacs de grain, six véhicules à quatre roues motrices, de l'équipement de forage de puits de pétrole et dix gros compresseurs, chacun dans sa caisse, destinés à une nouvelle exploitation de gaz naturel qu'on construisait au Koweït.

Après son départ du Pirée, la première escale de *La Mecque* devait avoir lieu à Beyrouth où il déchargerait deux des véhicules dans une barge en se servant de sa propre grue puisque le navire mouillerait au large. Puis il prendrait à son bord quatre grandes caisses de bois qui seraient commodément entreposées près des compresseurs d'origine allemande.

Le navire parviendrait au large de Beyrouth à environ 15h le 8 mars et procéderait aussitôt au déchargement. Son capitaine quitterait son bord et rencontrerait les autorités portuaires avec qui il accomplirait son travail bureaucratique, puis il contacterait l'agent de la Lloyd's de Londres et confirmerait auprès de lui son itinéraire. Ceci fait, il rentrerait à bord de son navire le plus tôt possible.

Dans le bon vieux temps, le capitaine Rashid aimait Beyrouth. Il effectuait sans se faire prier des détours de centaines de milles pour plonger son ancre au large de ses côtes escarpées et passer la nuit au fabuleux casino qui surplombait la Méditerranée du haut de la falaise, à quelques milles à l'extérieur de la ville. Il jurait que le casino de Beyrouth présentait les divertissements les plus spectaculaires de la planète avec, sur scène, les plus belles Européennes et leurs longues jambes, leurs seins nus. À cette époque, il n'oubliait jamais de passer sous la douche avant de mettre pied à terre puisqu'il parvenait la plupart du temps à fixer un rendez-vous particulier après le spectacle à l'une des superbes créatures du casino ; il était en effet un client régulier et connu, tout à fait capable de verser les honoraires substantiels qu'on lui réclamait.

Mais cette époque était révolue depuis belle lurette et Beyrouth, complètement ravagé de l'intérieur. Les factions religieuses continuaient à s'y battre et à s'y entretuer. La perspective de servir de cible ne souriait guère au capitaine Rashid qui estimait plus que tout sa propre peau. Sans compter que le casino ensorceleur était mort comme le centre de la ville dont il était un satellite. Ses machines gobe-sous et ses salles de jeux restaient silencieuses et ses beautés hautaines, triées sur le volet en Europe, étaient depuis longtemps rentrées qui à Hambourg, qui à Paris, qui à Londres. Quelle tristesse !

Le capitaine Rashid se trouvait donc à son bord plutôt qu'en fête à Beyrouth lorsque l'embarcation, avec ses passagers revêtus de leurs robes noires et portant leurs bagages légers, aborda le flanc de la coque délabrée de *La Mecque* peu après 7h 20 le matin du 8 mars. En fait, le capitaine attendait ses passagers sur le pont. Levé peu après six heures, il avait déjeuné sans se presser et procédé à ses ablutions matinales, qu'il avait terminées en peignant soigneusement sa barbiche grise et blanche d'homme qui avait vécu intensément ses soixante-cinq ans. Dans la chambre à coucher de la cabine principale, lambrissée de bois d'acajou égratigné, qui faisait sous le pont presque toute la largeur du navire, il s'était vêtu comme à l'accoutumée d'un col roulé de laine sale, de pantalons épais et chiffonnés bleu marine et d'une veste du même tissu. Puis il s'était couvert de sa vieille casquette plate de capitaine, dont la visière arborait une tresse dorée dépenaillée et ternie par le sel. La casquette reposait à plat sur sa tête dégarnie dont les cheveux blancs étaient coupés au niveau du col. Le capitaine Rashid était satisfait de l'image que lui renvoyait son miroir. Il retapa le dessous de sa barbe du revers de la main. Souriant de ses dents mouchetées d'or, il repoussa les mèches de cheveux que sa casquette avait ramenées devant ses oreilles. Content, il sortit de la cabine et se rendit à tribord sur la passerelle un moment avant que l'embarcation de Saïd ne heurte la plate-forme de débarquement.

Accoudé au bastingage, Rashid regarda manoeuvrer l'embarcation dix pieds plus bas. Il ne prononça pas le moindre mot de bienvenue en examinant dans la lumière matinale les visages bizarres qui le regardaient. Il attendait de voir qui bougerait le premier ou qui donnerait un ordre. Cet homme serait le chef du groupe. Aucun ordre ne fut donné.

Le marin se souleva de son siège de façon à saisir la plate-forme de débarquement et à s'y retenir en appuyant son embarcation contre celle-ci. Saïd se leva sans un mot de son siège à la proue et saisit à ses pieds son sac de marin. Il le balança sur son épaule gauche et, d'un pas léger, enjamba le bras horizontal du marin qui surplombait de peu la plate-forme. Après avoir lancé à celui-ci un signe d'appréciation, il souleva le bord de sa robe pour éviter de s'accrocher et grimpa trois à trois les marches de la passerelle.

Le capitaine Rashid l'accueillit sur le pont avec un sourire de bienvenue.

« Allah vous protège !

— Vous de même, capitaine. Je suis...

— Oui, je sais. Vous êtes Saïd. Vous êtes le chef. »

C'était une affirmation plutôt qu'une question. Les deux hommes se serrèrent brièvement la main tandis que le capitaine poursuivait:

« Bienvenue à bord. Je vous souhaite un voyage agréable, à vous et à vos compagnons. Vous serez avec nous...

— Oui, approuva Saïd, nous serons avec vous un bon bout de temps. Trop long, je le crains. »

Il apercevait du coin de l'oeil l'embarcation qui s'éloignait et sentait le poids de ses trois associés sur la passerelle derrière lui. S'étant écarté pour leur laisser le passage, il présenta chaque homme au moment où il mettait le pied à bord. Puis, ayant signifié au groupe de le suivre, le capitaine se dirigea vers l'arrière.

« Vous logerez à la poupe, dans les quartiers de l'équipage, sur le deuxième pont » dit-il en indiquant la poupe du navire.

Des écoutilles qui donnaient sur la cale et son chargement ouvraient sur le pont où ils se trouvaient. De chaque côté des écoutilles, tant à l'avant qu'à l'arrière du pont, d'énormes caisses couvertes d'inscriptions allemandes étaient amarrées au pont. Elles contenaient des compresseurs. Six d'entre elles étaient amarrées entre la passerelle de commandement et les quartiers de l'équipage. Les quatre autres l'étaient entre la passerelle de commandement et le gaillard d'avant. Quatre caisses plus petites, embarquées la veille, étaient aussi amarrées sur le pont entre les compresseurs et la passerelle de commandement. Tout cela correspondait au plan. Saïd constata avec plaisir que jusque-là tout se déroulait conformément aux arrangements pris. D'après ce qu'on lui avait dit, le capitaine Rashid n'avait pas été informé du véritable contenu des caisses chargées à Beyrouth. D'après le connaissement, elles contenaient chacune cent émetteurs-récepteurs électroniques souterrains à très haute fréquence. Toujours d'après le connaissement, les appareils électroniques avaient été, de même que les compresseurs, fabriqués en Allemagne d'où ils avaient été expédiés. Il y était aussi indiqué qu'ayant été chargés à Naples, ils étaient parvenus à Beyrouth une semaine plus tôt à bord d'un autre cargo avant d'être transférés à bord de *La Mecque* et acheminés vers leur destination finale, le Koweït. Le destinataire des appareils de communication électronique était le même que celui des compresseurs : la Compagnie nationale de pétrole du Koweït.

Saïd était content. L'emplacement des caisses les plus petites convenait parfaitement à un transfert rapide de leur contenu le cas échéant dans les caisses des compresseurs.

Le capitaine Rashid parlait tout en se dirigeant vers les marches qui menaient du pont à l'étage des cabines.

« Il n'est malheureusement pas possible de vous donner des cabines individuelles. Nous n'avons à bord que huit membres d'équipage en plus de moi-même et de mon second, dont la cabine se trouve aussi à l'arrière, mais ce navire n'a pas été construit pour le confort de passagers. Le mieux que je puisse faire, c'est de vous installer deux par cabine. »

Il s'en excusa d'un haussement d'épaules en ouvrant les mains.

« Où est l'équipage ? » demanda Ahmed.

À l'exception du capitaine, il n'avait encore vu personne.

« Les matelots dorment. Ils ont passé la nuit à Beyrouth, avec ma bénédiction bien entendu, bien que pour ma part j'évite d'y descendre. Ils se reposent et mon second de même. Il a une, comment dire, une amie à Beyrouth. Il s'occupe de ses affaires. Il est inutile que je vous fasse un dessin. Chaque fois qu'il passe dans les parages — les sourcils du capitaine formèrent un arc et sa bouche se tordit légèrement en un rictus narquois —, il faut qu'ils se rencontrent pour discuter de leur association. »

« Et ça dure toute la nuit ?

— Mais bien sûr. Pourquoi pas ? Nabil — c'est mon second — est de toute façon déjà de retour. Il est rentré quelques minutes avant votre arrivée. Mes deux soutiers sont à pied d'oeuvre et préparent notre départ.

— À quelle heure comptez-vous lever l'ancre, capitaine ?

— Dans une heure, à 8h 30. Mon équipage aura eu le temps de se remettre d'aplomb. »

Parvenu à l'escalier, le capitaine sembla rajeunir. Il s'élança sur les marches presque verticales qu'il gravit jusqu'à l'étage des cabines avec l'agilité d'un vieux loup de mer.

Saïd évalua la situation en bas des marches. Il lui était presque impossible de relever le bord de sa tunique d'une main, de porter sur son épaule son énorme sac de marin de l'autre et de gravir les dix ou douze marches qu'il compta d'un coup d'oeil. Sans un mot, il déposa son sac sur le pont, déboutonna le devant de sa robe et découvrit ses épaules. Il fit glisser d'un mouvement rapide le vêtement jusqu'à ses pieds et s'en dégagea, transformé instantanément en militaire. Sous sa robe, il portait une chemise légère vert olive à manches courtes dont le col était ouvert et les épaulettes, boutonnées sur chaque épaule, ainsi que des pantalons de la même couleur en tissu léger d'une coupe impeccable dont le bas s'enfonçait dans des bottes de combat brunes qui lui allaient aux mollets. Sa chemise ne portait ni inscription ni insigne d'aucune sorte. Coiffé à l'instar de son chef d'un pan de tissu que retenait de guingois un cordon, Saïd ressemblait néanmoins, mince et musclé, à un soldat bien entraîné, ce qu'il était en réalité. Les hommes de Saïd suivirent son exemple. En quelques secondes, ils s'étaient dépouillés de leurs robes, révélant qu'ils portaient tous l'uniforme de l'Organisation de Libération de la Palestine.

De surprise, la mâchoire barbue du capitaine Rashid s'affaissa tandis qu'il était témoin du déshabillage silencieux qu'il surplombait. Il savait que les hommes qui monteraient à son bord étaient des soldats de l'OLP. Au Pirée, le représentant des armateurs avait été parfaitement clair sur ce point. Leur présence à bord l'importunait d'autant moins qu'il était lui-même un Arabe palestinien, un de ceux qui, heureusement pour lui, s'étaient libérés des contraintes des camps de réfugiés pour vivre au grand jour. Rashid éprouvait pourtant quelque appréhension à propos de ces hommes. Pire, il détestait le genre de verres fumés à miroirs que portait Saïd ; quand on ne peut voir le regard d'un homme, on ne peut ni savoir qui il est ni connaître ses réactions à ce que vous dites ou faites. Il n'avait par ailleurs aucune raison de croire que Saïd serait autre qu'amical et coopératif. Ils défendaient après tout la même cause, eux, des Palestiniens qui appuyaient l'OLP et revendiquaient tant la liberté du peuple palestinien que la récupération de leurs terres. Non... il n'y avait pas de quoi s'en faire.

Pourtant, la sonnette d'alarme s'était fait entendre dans la tête du capitaine Rashid. Il lui était arrivé maintes fois d'accueillir à son bord des passagers bizarres, voire mystérieux, que les armateurs lui avaient imposés ou qu'il avait fait embarquer secrètement contre la somme appropriée.

Dans le fond, je n'ai rien à craindre de ces hommes, pensa le capitaine en regardant les quatre hommes bondir agilement dans l'échelle. Même si je dois les prendre avec des pincettes. Vaut mieux prévenir. Et ces caisses qui ont été chargées hier. Je me demande...

Le capitaine précéda le groupe dans le passage ouvert à tribord jusqu'à la première cabine dont il ouvrit la porte mais où il n'entra pas. Poursuivant son chemin, il ouvrit de la même façon une deuxième porte. Puis il se retourna face à Saïd :

« Vous y voilà ! dit-il en indiquant du bras gauche les deux cabines ouvertes où il les invitait à entrer. Nos meilleures chambres. »

Saïd, son sac de marin toujours à l'épaule gauche, passa la tête dans l'entrée de la cabine et jeta un coup d'oeil à l'étroit compartiment. Il y aperçut deux couchettes, chacune avec son matelas mais sans draps ni oreillers, deux tables sous le hublot, une lampe au-dessus de chaque couchette, des murs gris et sales. Un tapis écoeurant, d'un vert passé, se trouvait sur le plancher. Quelques cafards y coururent. La place exhalait la puanteur de cent corps qui avaient déjà vécu dans cet étroit compartiment et des milliers de cigarettes arabes âcres qu'ils y avaient fumées. Saïd comprit immédiatement qu'il en sortirait les matelas, qu'il laverait la pièce à grande eau et que, d'une façon ou d'une autre, il la désinfecterait.

Il fit un pas en arrière. Il dit à mi-voix au capitaine en le regardant :

« Ça va. Nous allons les nettoyer. Nous ne nous servirons pas des matelas. Voulez-vous les entreposer ou devons-nous simplement les jeter par-dessus bord ? »

Rashid sourit en branlant du chef.

« Jeune homme, je me fais un devoir de conserver tout ce que je peux... — et il ne put s'empêcher de lancer une flèche — même ma patience avec les membres de l'OLP. »

Il attendit un instant que Saïd réagisse mais son attente fut déçue. Il ne pouvait apercevoir les yeux qui se cachaient derrière leurs miroirs. Le visage de Saïd demeura sans expression.

« Vous pouvez sortir les matelas et les entreposer dans le placard à peinture qui se trouve à l'arrière près du haut de l'escalier. Un de mes hommes vous indiquera l'endroit tout à l'heure. »

Il amorça sa sortie en lançant à Saïd et à ses hommes :

« Maintenant, si vous n'y voyez pas d'inconvénient, je dois veiller à l'appareillage de ce navire. »

Il voulut se diriger vers l'escalier mais Saïd ne broncha pas. Il ne fit pas le moindre mouvement qui puisse permettre au maître à bord de passer. Sa voix était glaciale et il débitait ses mots d'un ton monocorde.

« Nous ne sommes pas à bord de votre navire pour mettre votre patience à l'épreuve, capitaine. Nous sommes à bord parce que nous n'avons pas le choix. Nous devons accomplir une mission pour la cause révolutionnaire du peuple palestinien. La seule façon d'atteindre notre objectif, c'est à bord de ce navire puant et dégueulasse. Vous avez été grassement payé pour nous transporter et cela inclut le prix de votre patience. Faites appareiller votre navire, capitaine, et je vous rencontrerai à dix heures dans votre cabine. Nous devons mettre au point certains détails, vous et moi. »

Furieux, le capitaine se dressa sur ses ergots, la barbiche tremblotante :

« Vous ne pouvez pas me donner d'ordres à bord de mon navire », s'exclama-t-il.

« Je ne vous donne pas d'ordres, capitaine. Du moins pas pour l'instant. Je vous retrouverai dans votre cabine à dix heures. »

Ayant prononcé ces mots, Saïd se retourna brusquement et pénétra dans la première cabine tandis que son équipe, adossée au bastingage, laissait le passage au capitaine indigné qui se dirigea vers la cabine de son second à bâbord du même pont.

Au cours de la demi-heure qui suivit, le navire s'anima. Furieux, Rashid jeta son second, Nabil, encore à moitié ivre, en bas de sa couchette en lui hurlant de rassembler l'équipage d'abrutis sur le pont et de faire appareiller le navire. Nabil, le neveu du copropriétaire égyptien de *La Mecque*, était un être décharné de vingt-neuf ans avec des yeux globuleux, des cheveux noirs secs et hirsutes, une moustache aussi mince qu'un trait de crayon, et d'énormes oreilles qu'il parvenait à cacher partiellement en les recouvrant de mèches de cheveux sales. Le capitaine avait dû le prendre, bon gré mal gré. Au début, le jeune débraillé pouvait à peine différencier la proue du navire de sa poupe, mais au cours des trois derniers mois il avait fait de rapides progrès sous la tutelle criante et hargneuse de l'habituellement calme Rashid.

Arraché à son sommeil d'ivrogne par son capitaine courroucé, le second vacilla dans sa chambre tout en s'habillant, s'empêtrant dans ses vêtements tachés, tentant de se reprendre en main puis s'affalant à moitié en quittant sa cabine. Ses yeux injectés de sang reçurent comme une blessure la lumière violente du soleil. S'étant raffermi sur ses jambes, il se dirigea vers la toilette commune qui se trouvait à l'arrière du navire, en haut de l'escalier. Ensuite, il se dirigea en chancelant dans le passage de tribord vers l'escalier qu'avaient gravi Saïd et ses hommes quelques instants plus tôt. Il fut surpris et déconcerté de découvrir quatre étrangers, tête, torse et pieds nus dans leurs pantalons de toile bleue délavée, qui arrosaient à grande eau avec le boyau de bâbord une cabine et récuraient les murs, le plafond et le plancher d'une autre avec de vieilles brosses.

Les yeux du second s'agrandirent encore plus qu'à l'accoutumée quand il les posa sur l'énorme pièce d'homme qui tenait le boyau. Ahmed le tenait en effet par la lance avec ses deux mains, les jambes grandes ouvertes, juste à l'extrémité de la deuxième cabine. Son plaisir se traduisait en un large sourire qui lui fendait la face d'une oreille à l'autre tandis que la lance crachait son eau en hurlant contre les couches de crasse dont les murs étaient incrustés. Voulant s'assurer de la participation de ses camarades à cette tâche, il les avait tous trois arrosés en feignant un accident mais en visant le derrière qu'ils lui présentaient tout en brossant la première cabine inondée. En hurlant de rire, ils blasphémaient et lui montraient le poing. À douze pas de cette scène sauvage, le second saisit rapidement la situation et prit la décision qui s'imposait. Il retourna sur ses pas et se dirigea vers l'escalier de bâbord. Il se souvint tout à coup de ce que le capitaine lui avait ordonné de faire avant de se rendre à la passerelle de commandement. Deux minutes plus tard, il avait ouvert les portes de toutes les cabines et crié aux matelots abrutis de se rendre à leurs postes sur-le-champ pour le départ.

Une demi-heure plus tard, le capitaine Rashid lança depuis l'aile de tribord de sa passerelle de commandement l'ordre de lever l'ancre aux trois matelots agglutinés sur le gaillard d'avant. S'étant tourné vers la gauche, il grogna à l'intention du second qui se tenait près du timonier, au centre du poste de pilotage :

« En avant lentement pour tendre la chaîne.

— À vos ordres, capitaine. »

Le second poussa lentement les leviers de commande. Il savait que dans les entrailles de la chambre des machines, à l'arrière du bâtiment, le soi-disant ingénieur-chef entendrait le signal et manipulerait les leviers des deux diesels pour la marche au ralenti. Puis il attendrait que vienne le signal d'arrêter. C'était la procédure habituelle de la levée de l'ancre. Une procédure relativement simple par mer calme, mais beaucoup plus complexe par temps lourd.

Sur le gaillard d'avant, les trois matelots, toujours fatigués de leur virée de la veille, grincèrent des dents et, penchés au-dessus du cabestan, commencèrent à remonter la chaîne de l'ancre comme s'il s'agissait d'une gigantesque bobine qui ramassait du fil.

Dès les premiers tours d'hélice, le navire s'étant déplacé quelque peu, le capitaine ordonna de couper les moteurs. La Mecque glissa d'elle-même vers l'ancre tandis que les matelots formaient cercle et relevaient le plus vite possible la chaîne détendue ; ils ralentirent au moment où la proue du navire passait au-dessus de l'ancre, la chaîne s'étant tendue et pesant de tout son poids jusqu'aux fonds rocheux de cent pieds de profondeur. Quinze minutes plus tard, après d'innombrables révolutions de cabestan, l'ancre de La Mecque se trouvait sur le gaillard d'avant.

« En avant, toute ! » ordonna le capitaine dès que l'ancre fut en toute sécurité à bord et *La Mecque* commença à s'éloigner de Beyrouth.

Ses diesels vétustes tournaient dans la caverne chaude et enfumée de la chambre des machines tandis que sa cheminée fuselée qui transperçait le centre des quartiers de l'équipage vomissait une fumée noire. Le battement rassurant de l'arbre de transmission et de l'énorme hélice qui propulsait *La Mecque* sur les eaux calmes et bleues de la Méditerranée orientale sous un ciel sans nuages avait commencé à se faire entendre avec l'apparition de la fumée.

Sa décision prise de récurer les cabines, Saïd et ses hommes se dépouillèrent rapidement de leurs uniformes vert olive et enfilèrent des pantalons de toile bleue défraîchie. Ahmed découvrit le boyau et Maan, quatre brosses qui n'avaient pas servi depuis longtemps de même qu'une moppe en bon état, un seau et du savon entreposés dans un coin du placard à peinture dont les murs étaient nus. Ces objets avaient depuis des années perdu tout usage à bord de *La Mecque*. Ils impliquaient en effet une tâche que n'importe quel membre d'équipage le moindrement sensé évitait comme la peste à bord d'un caboteur décrépit du Proche-Orient.

À dix heures, ils avaient terminé leur ménage. Les matelas souillés et puants avaient été entassés dans le placard à peinture. Chaque pouce des petits compartiments avait été arrosé, savonné et brossé, puis arrosé de nouveau. Les couchettes en bois, les tables et les chaises avaient reçu le même traitement. Une fois nettoyées, elles avaient été disposées à l'avant du pont des cabines pour sécher dans le soleil levant et la brise légère qui flottait sur *La Mecque*. Ils avaient déposé leurs sacs de marin dans le passage découvert, à bonne distance du boyau d'arrosage.

Saïd et ses hommes revêtirent leurs uniformes vert olive, leurs coiffes arabes et leurs bottines de combat. Saïd avait décidé de se vêtir convenablement pour sa confrontation avec le vieil homme. Il voulait user de la manière douce avec Rashid, du moins jusqu'à ce que la première phase de leur mission soit terminée. Si Allah veillait sur eux, elle le serait dans quinze jours exactement.

Saïd avait beaucoup réfléchi à cette éventuelle rencontre avec le capitaine, un homme qui par certains côtés l'intimidait. Il n'arriverait à rien s'il se présentait à lui pour leur première discussion officielle en pantalons de travail défraîchis puisqu'ils devaient parvenir à s'entendre d'égal à égal. Cette égalité, elle était nécessaire, que le capitaine le veuille ou pas et malgré la différence d'âge substantielle qui les séparait. Saïd avait compris depuis plusieurs années que la structure sociale de chaque pays de la planète, quelles que soient son idéologie ou sa race, reposait sur un ordre de préséance rigoureusement déterminé, même chez les classes les plus défavorisées. Et que les relations hiérarchisées, qu'elles soient de nature commerciale, gouvernementale, diplomatique, académique ou autre, nécessitaient certaines manifestations extérieures dont le but était de souligner, quelquefois directement, quelquefois subtilement, la position de telle personne dans l'ordre de préséance. Le choix des vêtements, leur style, revêtaient en ce sens une importance capitale et tout particulièrement au cours de la première ronde, celle où l'on épie son adversaire, un étranger avec qui il faut traiter des affaires, amorcer des négociations ou procéder à des ententes d'égal à égal.

Il était particulièrement difficile d'atteindre à l'égalité lorsque la jeunesse et, par conséquent, l'apparente inexpérience du cadet sont soulignées par l'ignorance où se trouve son aîné de son passé et de son inexpérience, de son autorité et de son intelligence. Saïd reconnaissait qu'à prime abord il était naturellement désavantagé dans ce genre de rencontre. Son handicap serait augmenté s'il négligeait de se présenter au capitaine dans son uniforme de l'OLP. Celui-ci l'auréolait de dignité et de prestige, le transformait en une manifestation visible du pouvoir et de l'autorité de l'armée de l'OLP, de son chef et du peuple palestinien.

Saïd se rasa avant de revêtir son uniforme. Les cabines qui leur avaient été assignées ne comportaient pas de lavabo et il dut se laver dans les toilettes de l'étage des cabines, situées à l'arrière, près de la poupe. Elles étaient aussi crasseuses et puaient autant que le reste du navire. Il faudrait aussi les récurer. Suffoquant presque de cette odeur infecte, il se rasa aussi rapidement que la noirceur de sa barbe de trois jours le lui permettait. De retour à sa cabine presque sèche, il revêtit son uniforme. Il était prêt à affronter le capitaine Rashid. Tout en se dirigeant vers les marches qui menaient au pont de chargement et à la cabine du capitaine, il transmit ses instructions à ses trois compagnons. Obéissant à ses ordres, ils se dispersèrent pendant que Saïd descendait d'un pas alerte les marches raides qui ne lui étaient pas encore familières.

Rashid l'épiait depuis l'aile de tribord de sa passerelle de commandement. Pour rien au monde le capitaine se serait-il contenté d'attendre à dix heures dans sa cabine. Il eût ainsi reconnu l'autorité de Saïd. Il attendrait plutôt sa venue puis quitterait sa passerelle et descendrait à sa cabine lorsque Saïd se présenterait à sa porte.

« Continuez droit devant », lança-t-il pour la forme à son second souffrant dont les yeux rougis et globuleux parvenaient à peine à se fixer sur la proue de *La Mecque*, qui poursuivait régulièrement sa route à sa vitesse de croisière de douze noeuds, avant de descendre à sa cabine par l'escalier qui y menait directement depuis la passerelle de commandement.

En ouvrant la porte pour permettre à Saïd d'entrer, il remarqua que le jeune homme était fraîchement rasé et soigneusement vêtu. Souriant cordialement, il lui indiqua un siège à la longue table grêlée où il travaillait et mangeait. Feuilles de papier, cartes géographiques et cartes marines s'y empilaient en désordre à chaque extrémité mais le milieu de la table, consacré au travail, demeurait libre à l'exception d'un pot de café d'Arabie et de deux tasses qu'avait apportés le cuisinier du navire quelques minutes auparavant. Les tasses étaient petites, le café, épais et corsé. Le capitaine s'assit dans sa propre chaise, face à Saïd, offrit le café, qui fut accepté, puis une cigarette, qui fut refusée. Une fois sa cigarette allumée, le capitaine enleva son éternelle casquette et la lança sur la pile de papier la plus proche, prit sa tasse et se renversa profondément dans le haut dossier de sa chaise rembourrée et élimée. Il était prêt.

« Eh bien, comment m'est-il permis de vous appeler ?
— Saïd.

— Aucun grade ? »

Saïd fit non de la tête.

« On m'a affirmé que vous étiez lieutenant-colonel de l'armée de l'OLP. »

Il voulait faire croire au jeune homme qu'il en savait long sur son compte bien qu'en réalité il n'en ait à peu près rien su.

« Mon grade n'a pas d'importance. À bord de ce navire, je veux qu'on me connaisse simplement sous le nom de Saïd.

— Très bien, dit le capitaine en haussant les épaules. Venons-en donc à l'objet de notre rencontre.

— J'ignore ce qu'on a bien pu vous dire à notre sujet.

— Pas grand-chose. Que vous êtes tous quatre membres de l'armée de l'OLP et que je dois vous transporter au Koweït. Je ne sais rien de plus sinon que votre présence à bord comporte des risques. »

Saïd ne crut pas que le capitaine n'en savait pas davantage. Il était certain par ailleurs que celui-ci ne savait rien de l'opération qui devait être menée à son terme et dans laquelle *La Mecque*, son capitaine et son équipement auraient leur fonction.

« Quels risques ? Nous sommes inscrits sur le rôle de l'équipage du navire. Nos papiers sont en ordre. Quels risques pourriez-vous courir ? »

Rashid inspira profondément la fumée de sa cigarette et but une gorgée de son puissant café.

« Vous savez aussi bien que moi, Saïd, qu'en Égypte — et nous devons traverser le canal de Suez — on accueille l'OLP avec autant d'égards qu'un serpent dans le lit d'une putain. À Aden, ce n'est peut-être pas aussi terrible, mais au Koweït, l'accueil est le même qu'en Égypte. Ils ont une peur mortelle de l'OLP. Après tout, la population y est très majoritairement palestinienne et sert de main-d'oeuvre. Pour les habitants du Koweït, vous les gens de l'OLP et particulièrement l'aile révolutionnaire, *vous* êtes des ennemis indésirables de l'État... même s'ils appuient le droit des Palestiniens à un territoire qui leur appartienne. Dans ce cas, oui, pour autant que je sois concerné, je puis vous dire que vous avoir à mon bord comporte des risques. Je ne voudrais pour rien au monde que mon navire soit saisi ou avoir des problèmes de quelque sorte que ce soit avec les autorités portuaires. En ce moment, où que ce navire se dirige, je suis bien reçu.

— Je puis vous assurer que je ne voudrais pour rien au monde vous causer quelque problème que ce soit. Nous voulons tout autant nous rendre au Koweït que vous voulez éviter les problèmes. Je suis venu vous dire, capitaine, que mon équipe et moi sommes prêts à collaborer avec vous de la façon la plus entière. Nous sommes après tout censés faire partie de l'équipage. »

Rashid se pencha vers Saïd, soulignant du visage et des yeux la dureté de sa voix.

« Dans ce cas, vous feriez mieux de commencer par comprendre que je suis le capitaine de ce navire, et non pas vous ; qu'inscrits comme matelots vous et vos hommes devriez commencer à vous comporter comme des matelots. C'est ce que j'ai dit à mon équipage que vous étiez. Et qu'est-ce que vous faites aussitôt que vous mettez le pied sur mon navire ? Vous vous exhibez avec vos uniformes. Je me trouvais heureusement seul sur le pont mais voilà que vous recommencez. Mon équipage en entier a pu voir vos couleurs. Il est possible qu'ils ignorent la signification de cet uniforme, mais aussi bien vous dire, Saïd, qu'ils se poseront des questions avant longtemps. »

Saïd ne réagit pas.

« Je ne veux plus voir ces uniformes. Avant que vous ne quittiez cette cabine, j'enverrai un de vos hommes chercher vos bleus de travail et vous vous changerez. Et vos armes, vos fusils, vos poignards ? demanda le capitaine sans laisser à Saïd le temps de répondre. J'imagine que vous les transportez dans vos sacs ? »

Saïd se retourna et saisit la cafetière. Il n'attendrait pas que le capitaine lui offre d'autre café. Les paroles de Rashid étaient conformes à ce qu'attendait Saïd. Le temps était venu de répondre.

« Vous vous en faites beaucoup trop avec les uniformes, capitaine. Qu'on nous voie les porter n'a à mes yeux pas la moindre importance. Combien êtes-vous à bord de ce navire à part vous ? Neuf ? »

Rashid répondit d'un signe de tête par l'affirmative.

« J'imagine que vous n'avez pas la moindre confiance en ces hommes sur le plan personnel, non ?

— Non », répondit le capitaine avec dédain.

Saïd hésita :

« Alors voici la situation, capitaine : vous n'avez pas confiance en votre équipage et moi non plus. Je ne les connais seulement pas. J'ajouterai que je n'ai pas la moindre raison de vous faire confiance. Je suis à peu près certain que si vous pensiez que c'était à votre avantage vous nous vendriez au plus offrant. »

Le capitaine voulut protester mais Saïd l'arrêta d'un geste.

« Ne le prenez pas comme une injure, je vous en prie. Dans ma profession, pour survivre, je ne peux avoir confiance en personne sauf en mes propres hommes. Vous vous inquiétez de fusils, d'armes. Bien sûr que nous en possédons. Vous ne voudriez quand même pas que nous montions désarmés à bord de votre navire. En ce moment même, un de mes hommes fait le guet sur votre passerelle de commandement et un second monte la garde à la porte de votre cabine. »

Il indiqua de la main droite l'entrée de la cabine par où il avait passé quelques minutes auparavant.

« Le troisième, pour sa part, se trouve à l'étage des cabines d'où il peut apercevoir n'importe quel membre de votre équipage qui passe dans les parages de votre cabine. Mes hommes portent leur uniforme, capitaine, que vous le vouliez ou non. Ils sont aussi armés jusqu'aux dents. Chaque homme est muni d'une arme automatique et chaque homme est un tireur d'élite. Chaque homme porte un pistolet et chaque homme en tire avec autant de précision. Ils portent aussi des poignards dont ils peuvent vous transpercer le coeur à trente pieds. »

Le visage du capitaine Rashid avait blanchi sous le choc. Il saisit de ses mains veinées les bras de sa chaise. Le mot « piraterie ! » s'échappa de ses lèvres.

Saïd bougea la tête une fois de plus.

« Non, capitaine, non. Je ne m'empare pas de votre navire, pas du tout. J'agis de cette façon — comment dire ? — pour des raisons de sécurité et pour assurer en fin de compte le succès de notre opération. Pour assurer la sécurité de votre propre équipage, nous allons lui imposer une discipline militaire — ou peut-être devrais-je dire navale. Mais vous en serez exempté. »

Il eut un geste conciliant en ébauchant un sourire.

« C'est très chic de votre part », dit Rashid d'un ton sarcastique.

« C'est votre navire, capitaine. Vous savez le faire fonctionner, naviguer, manoeuvrer...

— Et je sais manoeuvrer mon équipage.

— Avec des gants de chevreau. Il est évident que vous ne les contrôlez pas plus qu'un vieux chien une troupe de chameaux assoiffés. Vous leur permettez de s'amuser toute la nuit à Beyrouth... Et votre navire est crasseux, mal entretenu. »

Le leader de l'OLP repoussa ses verres fumés qui avaient glissé sur l'arête de son nez. Rashid crut un instant qu'il allait les enlever. Il pourrait enfin voir ces yeux qui se dérobaient. Saïd n'en avait pas l'intention. Il poursuivit :

« À compter de maintenant, mes hommes prennent en main ce navire. Par ailleurs, et autant que je sache, vous le commanderez avec compétence et je respecterai les instructions que vous avez reçues des armateurs en n'intervenant pas dans sa manoeuvre. Je veux que la vie à bord se déroule normalement. Je veux aussi que l'équipage comprenne clairement qu'il doit nous obéir à tous deux. Mes ordres porteront uniquement sur leur comportement lors de nos escales et lors de notre arrivée au Koweït. Le navire chargera et déchargera sa cargaison. Vous vaquerez à vos occupations et nous naviguerons aussi rapidement que possible. Aussitôt que vous et moi aurons terminé cette conversation, je confisquerai toutes les armes que vous et votre équipage avez en votre possession. Ceci fait, je veux que tout le monde se rassemble sur l'arrière-pont. Je dis bien : tout le monde. Y compris ceux qui travaillent dans la chambre des machines. Je veux leur parler et leur expliquer ce qui se passe. »

Pendant que Saïd parlait, le rusé capitaine évaluait sa propre situation de même que celle de son navire. L'équipage, il s'en battait les flancs. À ses yeux, ce n'était qu'une bande d'animaux, la lie des ports méditerranéens. Il n'éprouvait aucun sentiment de loyauté envers son équipage qui le lui rendait bien. La seule chose qui comptait, c'était de préserver son navire. *La Mecque* représentait toute sa vie. Il ne pouvait réfuter la description qu'en faisait le jeune Palestinien. Peut-être Saïd et ses hommes parviendraient-ils à forcer ses paresseux à travailler. Tout en ruminant ces pensées, il prêtait une oreille attentive aux propos de Saïd.

« Je vous le répète, capitaine : je ne souhaite en rien intervenir dans la gouverne de votre navire. De mon côté, je peux peut-être vous être utile. Tout dépend de vous. Mais notre objectif importe beaucoup plus que ce navire putride ou son équipage.

— Y compris moi ?

— Oui, y compris vous et, en fait, y compris moi. »

Le capitaine écrasa sa cigarette.

« Si vous cherchez à obtenir ma collaboration, vous faites certainement fausse route. Et ces caisses ? demanda-t-il sans laisser à Saïd le temps de répondre.

— Quelles caisses ? »

Saïd semblait mystifié.

« On les a chargées la nuit dernière. Elles sont amarrées sur le pont. Vous les avez vues: ce sont les plus petites. Il y en a quatre. Vous n'avez pas pu ne pas les voir.

— Et que dit le connaissement ? Vous l'avez en votre possession. Comment pourrais-je savoir ? »

Le capitaine se pencha vers sa droite et fouilla dans la pile de feuilles de papier. Il en tira une qu'il posa devant lui. Il la lut à haute voix :

« Cargaison : quatre caisses contenant chacune cent émetteurs-récepteurs électroniques souterrains. L'expéditeur est une compagnie allemande dont je n'arrive pas à prononcer le nom. Le destinataire est la Compagnie nationale de pétrole du Koweït.

— Le même destinataire que pour les grandes caisses, celles des compresseurs, ajouta Saïd.

— Comment le savez-vous ? »

Le capitaine était sidéré.

Le Palestinien sourit.

« C'est inscrit sur les caisses et le hasard veut que je parle couramment l'allemand. »

Le capitaine remit le document sur la pile dont il l'avait tiré. Il insista :

« Donc, vous ignorez le contenu de ces caisses ? »

Saïd fit semblant de ne pas saisir la pointe d'incrédulité qui perçait dans cette question :

« Écoutez, si vraiment vous voulez connaître le contenu de ces caisses, pourquoi ne les ouvrez-vous pas ? »

Il ne s'attendait pas à la réaction du capitaine :

« Je ne tiens peut-être pas vraiment à le savoir.

— Pourquoi pas ? »

Le capitaine alluma rapidement une autre cigarette et souffla un nuage de fumée vers le plafond de la cabine.

« Ou bien vous ne voulez pas, ou bien vous ne pouvez pas me répondre. Je m'en tiendrai à ça. Mais il ne saurait être question de les ouvrir.

— Pourquoi pas ?

— Les douaniers ont des yeux d'aigle, surtout à Port-Saïd. Lorsqu'une cargaison transite comme celle-ci — et il indiqua d'un geste vague de la main droite le connaissement qu'il avait déposé sur la pile —, ils saisissent immédiatement le moindre indice qu'elle ait pu être ouverte. Alors les problèmes commencent. Aussi ils exigent de l'ouvrir eux-mêmes pour vérifier si le contenu correspond réellement à la description du connaissement. S'il fallait qu'ils y découvrent ce que je crois qu'ils découvriraient, cher ami, je serais en sérieuse difficulté. On pourrait saisir mon navire. Je pourrais être mis à l'amende, emprisonné même, si ces caisses contenaient ce que je pense qu'elles contiennent. »

Il haussa les épaules, aspira sa cigarette et poursuivit :

« D'un autre côté, si ces caisses demeurent intactes et si les douaniers décident tout de même de les ouvrir, je puis me défendre. Je ne sais rien d'autre à leur sujet que ce que m'en dit le connaissement. »

Il écrasa sa cigarette dans un petit cendrier de fer-blanc.

« Alors je n'y pense pas, Saïd, je n'y pense pas. Vous ne voulez pas me révéler le contenu de ces caisses ? Vous ne le savez peut-être pas ? Fort bien. Mais les ouvrir ? Jamais. Vous m'avez demandé de collaborer avec vous. Avant de vous répondre, permettez-moi de vous poser une question. C'est

34

une question que je pose souvent. J'y gagne quoi ? Vous me comprenez, n'est-ce pas, jeune homme ? »

Le sens de cette question apparaissait clairement aux deux Arabes palestiniens dont les ancêtres avaient été des trafiquants depuis des temps immémoriaux. Saïd s'attendait à cette question. Il s'arrangerait pour récompenser plus qu'adéquatement le capitaine Rashid. Il le paierait en espèces dont il lui tendit la moitié sur-le-champ. On remettrait la seconde moitié du paiement lorsque *La Mecque* jetterait de nouveau l'ancre au large de Beyrouth dans un futur plus ou moins proche.

2

**9 mars
Océan Atlantique,
au large de l'Espagne**

« Levez le périscope », ordonna le capitaine.

Lorsque les lentilles arrivèrent à la hauteur de son visage, il dit :

« Bien. »

L'arbre du périscope cessa sur-le-champ son ascension. Leach abaissa les poignées, colla ses yeux contre les lentilles et, tournant lentement le périscope, fouilla vers l'est la surface houleuse de l'Atlantique, en quête de la lumière familière du cap Finisterre dans le soir sombre. Un jour il se rendrait en Espagne visiter le Finisterre et grimperait les marches raides et circulaires jusqu'au sommet de l'ancien phare. Il toucherait le grand cône de verre qui éjectait ses signaux lumineux, visibles à très grande distance sur l'Atlantique. À l'extérieur, la mer était fouettée par des vents de quinze noeuds et des rafales de pluie lourde sous un plafond bas de nuages noirs et fuyants. Mais dans le poste de commandement du sous-marin nucléaire H.M.S. *Splendid* de la Marine royale, qui filait bon train sans en être le moindrement perturbé, avec sa tour qui se trouvait à cinquante pieds sous la surface bouillonnante, la température ne représentait rien d'autre qu'une statistique.

« Prêt pour les relevés, sir », lança le messager de quart, le matelot de deuxième classe Tom Smith, qui se plaça derrière le capitaine, prêt à lire les relevés du compas du périscope qui se trouvait sur l'arbre, au-dessus de la tête nue de Leach.

Celui-ci continuait à manoeuvrer lentement le périscope et à fouiller intensément la nuit sombre en se concentrant sur la région située exactement à l'est, à bâbord du

Splendid. Le sous-marin croisait vers le sud depuis son port d'attache de Faslane, dans l'estuaire de la Clyde. D'après le navigateur, il se trouvait vis-à-vis du phare du Finisterre à 26,2 milles exactement à l'ouest de celui-ci. Il n'était pas vraiment nécessaire de vérifier avec le périscope si le phare du Finisterre se trouvait bien là où il le devait puisque le vaste éventail d'ordinateurs et d'appareillage électronique du sous-marin, de même que son système de navigation, identique à celui qui guidait avec une infaillible précision les avions à réaction d'un continent à l'autre, permettait au navigateur, au pilote comme le voulait l'appellation traditionnelle, de connaître l'emplacement exact du vaisseau.

Le plus ancien des capitaines de sous-marins n'avait pas navigué en mer depuis six mois, sinon lors des essais du *Splendid*, et Leach affectionnait cet oeil qui perçait la surface d'autant plus qu'il s'agissait là du seul contact qu'aurait le vaisseau avec le monde extérieur au cours des huit semaines — et peut-être davantage — de son immersion.

Il avait reçu l'ordre de diriger le *Splendid* dans l'océan Atlantique et, traversant le tropique du Cancer, d'atteindre la limite méridionale que s'était imposée l'Organisation du Traité de l'Atlantique Nord en passant sous les routes maritimes des immenses superpétroliers qui croisaient entre le golfe Persique et l'Europe de l'Ouest, puis de contourner le Cap et le cap de Bonne-Espérance, à l'extrémité sud de l'Afrique. De là, il remonterait vers le nord dans l'océan Indien en passant à l'est de Madagascar puis au nord des Seychelles, et rejoindrait dans la mer d'Arabie la Seconde Escadrille britannique qui patrouillait ces eaux dans une démonstration conjointe de forces avec la Cinquième Flotte américaine. Pour se rendre à destination, le *Splendid* devrait parcourir 12 000 milles en seize jours.

Une lumière clignota au loin dans la noirceur. Leach immobilisa le périscope.

« Le relevé dit...

— Zéro, huit, neuf, sir, lut Smith sur le compas.

— Vous êtes tombé pile, pilote.

— Oui, sir », répondit le navigateur avec fierté.

Leach éloigna son visage des lentilles et remonta sèchement les poignées en ordonnant d'abaisser le périscope. L'appareil commença à se mouvoir silencieusement dans son puits.

« Descendez à deux cents pieds », lança-t-il.

Le timonier obéit en poussant sur la barre de contrôle du vaisseau qui amorça sa descente vers la profondeur requise.

Leach passa un moment à regarder le poste de commandement, baigné dans ses veilleuses mates et rouges. Le navigateur était occupé aux cartes marines. Peter Pritchard, l'officier torpilleur responsable du sonar qui se trouvait de quart, était perché sur son siège derrière l'équipe de deux hommes qui pilotaient le sous-marin avec des commandes qui semblaient provenir d'un avion. Qu'on la pousse ou qu'on la tire, la roue manoeuvrait les barres de plongée de la poupe et de la proue et le vaisseau plongeait ou remontait. Tournée, la roue ferait que le sous-marin s'incline ou vire. On surveillait avec intensité les instruments de « vol aveugle » avec leurs indicateurs électroniques d'altitude inerte qui se trouvaient en face des deux hommes. L'homme de quart chargé du radar était à son poste. Tout semblait en ordre et fonctionnait à merveille.

En quelques pas, le capitaine se dirigea vers la petite pièce qui abritait le sonar et qui donnait sur le poste de commandement. L'énorme écran électronique se trouvait au fond de la pièce, et des points de lumière y montraient les sons captés depuis plusieurs milles autour du sous-marin et dessinaient des motifs assez semblables à ceux d'une carte géographique. Au centre de l'écran, un point brillant indiquait la position du *Splendid* longeant la côte espagnole à une vitesse de croisière confortable de trente noeuds.

Passant la tête dans la porte, il fit un signe de tête au lieutenant Pritchard, son officier de communications, mais posa sa question à l'homme qui était de quart au sonar, le sous-officier Pratt :

« Vous vous amusez ?

— Oui, sir. Je m'apprêtais justement à faire rapport. Vous pouvez l'apercevoir au bord de l'écran. »

Il s'y trouvait bien, en effet, un point au bord de l'écran, en haut, à droite.

« Vert quatre, zéro, à 11 000 verges. D'après la signature sonore de l'ordinateur, il s'agit d'un pétrolier à une seule hélice, un superpétrolier si j'en juge par la cavitation. »

L'ordinateur avait vérifié le bruit des moteurs du vaisseau, et celui de l'eau rejetée par l'hélice qu'on appelle cavitation. Bien que ne possédant pas dans sa mémoire la signature sonore des flottes marchandes du monde entier, l'ordinateur n'en connaissait pas moins la signature de chaque catégorie de vaisseau de chaque marine et, plus important que tout, celle de chaque catégorie de vaisseau des marines américaine, soviétique et britannique.

« J'ai jeté un coup d'oeil sur la feuille de route de l'OTAN, dit le capitaine à l'homme de quart chargé du sonar. Un nombre inhabituel de sous-marins soviétiques croisent dans l'Atlantique en ce moment. Les gens du quartier général de l'OTAN marchent sur des épines. Mais les Russes agissent toujours de même quand une crise mondiale se dessine comme en ce moment. Il semble qu'il y ait plus d'une centaine de ces bandits entre la péninsule de Kola et la mer Baltique et ils appartiennent à toutes les catégories. Ils ont sorti tout ce qu'ils avaient, des SSBN aux SS. »

En jargon naval, les SSBN sont des sous-marins nucléaires porteurs de missiles balistiques et les SS, des sous-marins patrouilleurs à moteurs diesels. La feuille de route de l'OTAN confirmait aussi que la flotte opérationnelle de la Marine rouge comprenait 421 sous-marins tandis qu'on en construisait dix autres. La feuille de route comportait une séquence de signes qui représentaient l'estimation faite par l'Amirauté de la localisation et du nombre de vaisseaux de guerre soviétiques sur la planète. Pour les régions qui intéressaient Leach, l'Atlantique et l'océan Indien, on établissait ce nombre à plus de deux cents, dont deux porte-avions, le *Kiev* et le *Minsk*, et deux croiseurs porte-hélicoptères, le *Moskva* et le *Leningrad*. Un nombre important de ces vaisseaux manoeuvrait dans la mer d'Arabie où, selon les ordres, le *Splendid* se joindrait à la flottille britannique formée d'un croiseur porte-hélicoptères, le H.M.S. *Tiger,* d'une frégate anti-sous-marins de catégorie Rothesay, le H.M.S. *Rhyl,* ainsi que de leur escadre de soutien et de ravitaillement.

La feuille de route de l'OTAN évaluait superficiellement la situation militaire stratégique telle qu'elle se développait au Proche-Orient. Les Soviétiques continuaient à renforcer leur armée de terre en Afghanistan et on les avait observés par satellite qui massaient au moins dix divisions d'hommes, de tanks et d'artillerie, de même que leurs escadrilles aériennes de soutien, en plusieurs points névralgiques le long de la frontière montagneuse du nord de l'Iran, tant à l'ouest qu'à l'est de la mer Caspienne.

Les Soviétiques avaient l'intention de procéder à leurs manoeuvres maritimes et aériennes quinquennales, coordonnées et dirigées depuis Moscou, sous le nom de code OKEAN, à compter du 1er avril. Les manoeuvres dureraient un mois, au cours duquel se déploieraient leurs forces navales défensives et offensives dans les océans Atlantique, Indien et Pacifique. Il y avait longtemps qu'on se préparait à l'opération OKEAN.

Le capitaine ne fournit aucune de ces explications à l'homme de quart. Il le prévenait tout simplement :

« Gardez l'oeil ouvert, soyez vigilant, exceptionnellement vigilant. Non seulement les Soviétiques sont-ils en force, mais les Américains ont déployé dans l'Atlantique presque tous leurs sous-marins offensifs et à peu près tout ce qu'ils ont pu mettre à contribution.

— À combien estimez-vous leur nombre, sir ?

— Dans l'Atlantique ? À environ cinquante-cinq.

— Jésus-Christ ! » murmura le jeune sous-officier avec un mouvement incrédule de la tête.

S'étant tourné vers Pritchard, qui se trouvait juste devant l'écran du sonar et l'examinait tout en écoutant leur conversation, le capitaine ajouta :

« Je veux donc que vous gardiez tous vos hommes de quart sur un pied d'alerte, Peter. Je ne veux pas qu'un de ces damnés Russes, ni même qu'un de ces damnés Américains, se faufile derrière nous et nous encercle ! »

3

9 mars en soirée
Mer Méditerranée,
au large de Haïfa

Saïd se tenait près du bastingage, à l'extérieur de la cuisine où lui et ses hommes venaient tout juste de souper pour la première fois à bord de *La Mecque.* Il regardait en direction de l'est le lointain paysage qui se confondait avec l'horizon, cette terre où lui-même et tous les Arabes palestiniens languissaient de vivre, leur propre terre qu'on appelait maintenant Israël. Était-ce Haïfa ? Il voyait à peine au loin les collines et les bâtiments élevés de sa ville natale, ce lieu où il avait juré de retourner. Il se souvenait de la maison de ses grands-parents où il était né, cette maison qui leur avait été volée par les Israéliens. Il ne l'avait vue qu'en photographie, mais un jour l'armée de libération de la Palestine remporterait la victoire et Haïfa appartiendrait de nouveau à son peuple.

Tandis qu'il contemplait la côte tout en curant ses dents brillantes de blancheur des débris de poisson qui s'y étaient logés, ses yeux perçurent la balafre d'écume d'un vaisseau rapide sur la mer calme qui s'assombrissait. Derrière lui, à l'ouest, le soleil surplombait toujours un horizon sans nuages. Ajustant sa vue, Saïd eut rapidement la confirmation de son soupçon. Appelant à grands cris son équipe qui se trouvait à quelques pas seulement derrière lui, Ahmed fumant sa cigarette d'après le repas, Saïd pointa vers l'embarcation qui se rapprochait.

« C'est une patrouille israélienne. À vos postes ! »

La proue effilée de la vedette était maintenant visible. Elle se trouvait à environ trois milles et approchait rapidement, à près de vingt-cinq noeuds. Tout en se précipitant sur la passerelle de commandement pour prévenir le capitaine,

Saïd examinait le vaisseau de guerre. Long d'environ quatre-vingts pieds, il était équipé de deux tubes lance-torpilles et de deux lance-missiles. Saïd ne pouvait encore distinguer d'armes légères, mais il était vraisemblablement armé de deux canons de vingt millimètres, de quelques mitrailleuses d'un demi-pouce et d'explosifs sous-marins. La vedette rapide se trouvait encore trop éloignée pour lui permettre d'apercevoir les membres de l'équipage sur le pont, derrière la vitrine de la timo-nerie ou contre la toile de la passerelle volante. Saïd escalada les marches deux par deux jusqu'à la passerelle de comman-dement de *La Mecque*. Il y trouva le capitaine, jumelles à la main, qui guettait calmement l'approche rapide de la canon-nière israélienne.

Rashid aperçut Saïd du coin de l'oeil. Il ne parla pas tout de suite mais, en ayant passé la courroie au-dessus de sa tête, tendit les puissantes jumelles à Saïd.

« Ça arrive souvent », dit-il alors.

Tournant un instant le dos à Rashid, Saïd enleva ses lunettes et porta les jumelles à ses yeux.

« Comment se fait-il ? Nous sommes dans les eaux inter-nationales.

— Pas aux yeux des Israéliens. Ils croient que cette partie de la Méditerranée leur appartient et se fichent des fron-tières. Ils craignent vos attaques de commandos. »

Saïd accusa le coup d'un brusque mouvement de la tête.

« Ils confisquent toutes les munitions, toutes les armes, les obus, les fusées ou les véhicules dont ils croient que les pays auxquels ils sont destinés risquent de les utiliser contre eux.

— C'est de la piraterie, objecta Saïd.

— Pas aux yeux des Israéliens. Ils sont en guerre avec la totalité du monde arabe à l'exception de l'Égypte. Et Allah seul sait combien de temps cette paix-là va durer. Quand vous faites la guerre, vous avez le droit de capturer, de saisir — peu importe comment vous appelez ça — le ravitaillement de vos ennemis. »

Le navire de guerre israélien se trouvait à moins d'un mille et se rapprochait toujours rapidement. Le capitaine pensa appeler Nabil sur la passerelle, mais l'Égyptien n'était pas de quart et dormait. Rashid décida de ne pas le déranger.

Saïd pouvait distinguer, grâce aux puissantes jumelles, chaque détail du vaisseau de guerre surbaissé et meurtrier : les tubes lance-torpilles jumeaux de 17,7 pouces qui chevauchaient la timonerie, la masse grise des lance-fusées sol-sol sur le pont avant, près de la proue. Face aux vitrines étincelantes de la timonerie, des canons jumeaux de vingt millimètres, armés par deux matelots en uniforme blanc, visaient le pont de *La Mecque*. Il ne pouvait toujours pas apercevoir l'intérieur de la timonerie vitrée, mais au-dessus de celle-ci, derrière l'écran de toile de la passerelle volante, il distinguait une demi-douzaine d'hommes coiffés de blanc. Celui qui braquait ses jumelles sur lui portait sur la visière de sa casquette une tresse dorée. Pendant que Saïd veillait au grain, deux hommes d'équipage se dirigèrent rapidement à leur poste près des tubes lance-torpilles de chaque côté du vaisseau. Celui-ci était paré pour l'attaque.

Saïd détourna la tête pour éviter que le capitaine ne voie ses yeux, lui rendit ses jumelles et remit ses lunettes.

Rashid passa la courroie autour de son cou mais ne se servit plus de ses jumelles. Ses yeux étaient rivés au vaisseau gris et luisant qui modifiait sa trajectoire de façon à naviguer parallèlement à *La Mecque* à une centaine de mètres à bâbord. Le rugissement infernal de ses moteurs, qu'on entendait distinctement sur le plus gros bâtiment, tomba tout à coup. Sa vitesse diminua pour atteindre celle du vieux bâtiment poussif.

Sans le regarder, le capitaine dit à Saïd :

« Je crois que vous devriez quitter la passerelle de commandement. Ils risquent d'être soupçonneux et de se demander ce que vous faites ici. Heureusement que vous ne portez pas vos damnés uniformes. Où sont vos hommes ?

— L'un deux se trouve près de la proue, l'autre sous la passerelle et le troisième à l'arrière. Comme n'importe quel bon matelot, ils sont accoudés au bastingage et examinent la situation.

— Armés ?

— Bien sûr que non.

— Qu'est-ce que vous avez fait de vos armes et de tout ce que vous avez apporté à bord ?

— Nous les avons cachés sous les saloperies du placard à peinture. »

Le capitaine était soulagé. La dernière fois qu'il avait jeté un coup d'oeil dans le placard à peinture, environ six semaines plus tôt, il avait été renversé par la quantité d'objets qui traînaient pêle-mêle dans le petit compartiment : des moppes, des brosses, des boîtes de peinture, de la corde, des seaux, de lourds agrès et des torchons souillés. C'était dans un tel désordre qu'il n'avait touché à rien. Si les gens de l'OLP y avaient caché leurs armes, les Israéliens ne les trouveraient jamais.

Mais Saïd mentait. Après sa rencontre avec le capitaine, lui et ses hommes s'étaient entretenus avec chaque membre de l'équipage. Entourés à tour de rôle par les quatre hommes, les matelots s'étaient sentis intimidés pendant que Saïd leur révélait leur appartenance à l'armée de l'OLP et leur expliquait qu'en mission spéciale ils voyageraient en qualité de matelots avec les autres membres de l'équipage, qu'ils ne courraient pas au-devant des problèmes mais qu'ils régleraient son compte à quiconque leur chercherait querelle ou dénoncerait leur présence à bord aux autorités portuaires. Il fallait absolument que chaque homme se sente personnellement menacé. Ces merdeux de matelots ne comprendraient pas d'autre langage. Chacun à sa façon, ils affirmèrent à Saïd qu'il n'avait pas à se faire de bile à leur sujet.

Cette corvée terminée, les hommes de l'OLP avaient enlevé leurs uniformes et revêtu leurs bleus de travail défraîchis, puis entrepris une fouille minutieuse de l'une à l'autre extrémité du navire puant et crasseux. Saïd voulait découvrir s'il existait dans le gaillard d'avant ou, à l'arrière, sous les cabines un compartiment qu'ils pourraient nettoyer et dont ils pourraient disposer en toute sécurité au cours des deux derniers jours du voyage, lorsque le temps serait venu de se livrer aux ultimes préparatifs de leur opération. Saïd n'avait demandé au capitaine ni la permission de circuler sur son navire ni s'il s'y trouvait un espace acceptable et disponible. Il avait l'intention d'effectuer ses propres fouilles.

Il n'existait pas d'espace disponible dans le gaillard d'avant. La cale était occupée à pleine capacité par diverses marchandises dans des sacs. Mais Maan avait découvert dans le compartiment du mécanicien un espace assez vaste où l'on réparait et entretenait les vieux moteurs diesels fatigués qui propulsaient *La Mecque*. Le compartiment se trouvait juste à l'avant de la salle des machines, au niveau du pont inférieur, et le bruit des machines laborieuses n'y était qu'à peine assourdi par une épaisse cloison. Une porte donnait sur la salle des machines. Une deuxième donnait sur un couloir et les marches qui menaient au pont au niveau des cabines. Deux hublots étaient percés près du plafond de cette pièce de dix pieds par vingt. Ouverts, ils laissaient s'échapper par le flanc du navire une partie de la chaleur et les vapeurs suffocantes de la salle des machines de *La Mecque*. Saïd était ravi de la découverte de Maan. Le moment venu, il proposerait un marché au chef mécanicien.

Au cours de leur inspection, ils avaient aussi cherché pour leurs armes automatiques des caches sur le pont supérieur où elles seraient à portée de la main. Ils devaient découvrir trois de ces endroits. En cas d'alerte, chacune de ces caches se transformait en un poste de combat. Ahmed couvrirait l'arrière du navire, Maan le centre à bâbord et Hassan, le gaillard d'avant. Leurs armes automatiques à leur portée, les trois hommes auraient la capacité de les saisir en quelques secondes et d'arroser le pont du navire d'une pluie foudroyante de projectiles. Ils pourraient ainsi repousser un abordage ou attaquer un navire suffisamment rapproché. Hassan, sur la proue, avait caché son arme sous une boucle de gros câble. Maan avait couvert son fusil d'un pan de la toile qui abritait la cargaison. Ahmed, pour sa part, avait déposé son arme automatique sous la bâche protectrice de la chaloupe de sauvetage de tribord à l'arrière du navire. Selon les ordres de Saïd, Ahmed déménagerait son arme vers la chaloupe de sauvetage de bâbord si la menace venait de ce côté, tandis que si elle venait de tribord, Maan se déplacerait avec son arme.

Au moment où la canonnière israélienne réduisait sa vitesse pour voguer parallèlement à *La Mecque*, Saïd dissimulait son pistolet automatique entre son ventre plat et la ceinture de ses pantalons sous les pans libres de sa chemise de toile bleue. Il s'accouda au bastingage de bâbord en compagnie de Maan. Ahmed et Hassan étaient à leur poste, le premier à l'arrière, près de la chaloupe de sauvetage, le second sur le gaillard d'avant. Les quatre soldats de l'OLP pouvaient ainsi passer aux yeux du monde entier pour des matelots arabes simples et débraillés, paresseux et inoffensifs.

La tresse dorée de la visière de sa casquette blanche étincelant dans le soleil vespéral, le capitaine israélien se dirigea à tribord de sa passerelle de commandement. Il cria dans son porte-voix en direction de la passerelle de commandement de la lourde et vieille coque rouillée.

« Quelle est votre destination, *La Mecque* ? »

Il avait parlé en anglais.

Rashid, qui n'en était pas à ses premières armes, s'était muni de son propre porte-voix :

« Port-Saïd et le Koweït.

— Qu'est-ce que vous transportez dans ces caisses ?

— Dans les plus grosses, des compresseurs de gaz naturel ; dans les plus petites, des appareils électroniques, des émetteurs. »

Les explications de Rashid ne suffisaient pas au capitaine israélien qui discutait avec un de ses hommes sur la passerelle volante. Il éleva de nouveau son porte-voix. Les mots étaient clairs. Saïd et Hassan, les deux seuls membres de l'équipe de l'OLP qui comprenaient l'anglais, les saisirent parfaitement. En les entendant, Saïd sentit un influx d'adrénaline dans son corps.

« Mettez-vous en panne, *La Mecque* ! Préparez-vous à nous laisser monter à bord pour les vérifications.

— Je vais faire abaisser la passerelle de service de tribord, répondit Rashid depuis l'aile de bâbord de sa passerelle de commandement. Vous pouvez vous rapprocher bord à bord. »

S'étant tourné vers Nabil, il lui ordonna d'une voix calme de stopper les moteurs. L'Égyptien plaça rapidement la manette du transmetteur d'ordres à la position requise. La sonnerie inattendue de la cloche prit le chef mécanicien par surprise dans les entrailles de la salle des machines. Il obéit aussitôt puis appela la passerelle de commandement par le système de communication du navire et demanda ce qui se passait. La brève explication de Nabil lui suffit.

Le capitaine du navire de guerre déclina l'invitation de Rashid. Se ranger contre un navire inconnu serait d'une imprudence catastrophique. Il se rendrait vulnérable et s'exposerait à subir une attaque depuis le pont qui le surplomberait.

Le vieux caboteur décrépit semblait pourtant inoffensif. L'Israélien pesa le pour et le contre. Il espérait rentrer à Haïfa le plus rapidement possible. Il avait rendez-vous avec une femme qui lui était tombée dans l'oeil depuis plusieurs semaines. Secrétaire du commandant du port de Haïfa, cette superbe créature s'appelait Rachel. La femme du capitaine séjournait chez ses parents à Tel-Aviv. Il devait rencontrer Rachel à vingt heures à son appartement pour l'apéritif et l'emmener souper. Avec un peu de veine, il retournerait chez elle. Il était certain qu'elle ne le refuserait pas. Les perches qu'elle lui avait tendues lors de sa dernière visite au bureau du commandant du port le lui laissaient entendre. Il regarda sa montre ; il était 18h 35. S'il procédait rapidement à cet arraisonnement, il serait de retour à Haïfa juste à temps pour être à l'heure à son rendez-vous. Au pire, il arriverait avec cinq ou dix minutes de retard. Par contre, s'il envoyait ses hommes à bord de *La Mecque* avec le petit canot de son vaisseau, il arriverait avec près d'une heure de retard et elle pourrait ne pas l'attendre. Sa décision était prise. Il oublierait la sécurité et gagnerait du temps. Il sentait déjà dans ses mains les gros seins fermes de Rachel.

« À bâbord toute, et réduisez la vitesse, ordonna le capitaine israélien par-dessus son épaule gauche au timonier. Passez derrière la poupe et rangez-vous à tribord. Nous verrons à quoi ressemble sa passerelle de service une fois rendus là. »

Puis, tandis que ses diesels jumeaux rugissaient à moitié, il éleva de nouveau son porte-voix vers *La Mecque* :

« Abaissez votre passerelle, *La Mecque*. Nous nous rangeons bord à bord. Préparez vos documents pour l'inspection !

— Marche avec moi lentement jusqu'à notre cabine sans poser de questions, dit Saïd en se tournant vers Maan qui se tenait à sa gauche. Viens. »

Une occasion en or s'offrait à Saïd ; il se devait de la saisir.

Le patrouilleur israélien vira brusquement sur sa gauche et forma un arc serré d'écume blanche derrière *La Mecque* qui dérivait toujours lentement. Filant au quart de sa puissance, l'arête de sa proue n'émergeait plus.

Saïd calcula qu'il faudrait à la canonnière quatre minutes pour atteindre la plate-forme de la passerelle abaissée de *La Mecque*. Maan, qui n'avait rien compris des ordres du capitaine israélien, fut étonné de l'ordre inattendu de Saïd mais obéit sur-le-champ. Ils trottèrent tous les deux vers la poupe et escaladèrent une volée de marches. Le patrouilleur avait contourné la poupe de *La Mecque* et quitté leur champ de vision lorsqu'ils atteignirent l'étage des cabines. Avec Maan toujours à ses trousses, Saïd se précipita dans le passage de bâbord et s'enfonça vers sa gauche dans le couloir où se trouvait le placard à peinture. Il en ouvrit rapidement la porte.

« Vite, l'équipement de plongée », cria-t-il à Maan.

Maan alluma la faible lumière et repoussa fébrilement balais et seaux, boîtes et brosses. En quelques secondes, il avait déniché deux palmes, une bouteille d'oxygène avec son attelage et ses tubes de même qu'un embout et un masque. Il passa l'attirail derrière lui à Saïd qui parlait rapidement.

« Trouve-moi la mine pendant que je me prépare », lança-t-il.

Maan fouilla de nouveau sous le tas de cochonneries. Ses mains sensibles découvrirent rapidement la texture lisse du paquet blanc de plastique étanche. Celui-ci renfermait une mine bourrée d'explosifs et télécommandée. Saïd avait pensé l'utiliser au cours d'un exercice qui aiderait à les maintenir en forme au cours de ce long voyage de trois semaines vers leur destination finale.

Saïd enleva sa chemise et fourra ses verres miroitants dans la poche de son pantalon. Maan avait à peine eu le temps de dénicher la mine sous le tas de cochonneries et de sortir du placard que Saïd avait attaché son attelage et abaissé son masque. Ses yeux bleus, pénétrants et froids jaillissaient de son masque tandis qu'il hurlait à Maan de l'extraire de son empaquetage et de la régler sur la troisième fréquence.

Maan déposa le paquet sur le pont. Il avait environ un pied de côté et neuf pouces d'épaisseur. Il souleva précautionneusement la partie supérieure du contenant de plastique. Il aperçut l'objet de métal brillant et gris, épais et circulaire qui logeait dans son alvéole protectrice de styro-mousse blanc comme une huître abritée dans un fond sablonneux. Au milieu de l'objet, un cadran indiquait une séquence de chiffres de 1 à 10 comme s'il s'agissait d'un cadenas à combinaison. Les doigts agiles de Maan tournèrent la roulette jusqu'à ce que la ligne rouge soit vis-à-vis du numéro 3. Avant d'extraire la mine de son enveloppe protectrice, il leva les yeux vers Saïd.

« Veux-tu que je l'arme ? demanda-t-il.

— Non, répondit Saïd en remuant la tête. Je le ferai sous l'eau. »

Ayant refermé la porte du placard à peinture, les deux hommes se précipitèrent dans le couloir à bâbord du navire. Parvenus au bastingage, ils jetèrent un rapide coup d'oeil aux alentours, puis Saïd enfila ses palmes et, balançant ses jambes vers le large, il cala ses pieds contre le rebord du pont. Agrippé de la main gauche au bastingage, il activa de la droite sa bouteille d'oxygène, se fourra l'embout dans la bouche et fit signe à Maan, qui lui tendit délicatement la mine magnétique meurtrière. Saïd sauta en l'enserrant contre sa poitrine de toute la force de ses bras puissants. Trente pieds plus bas, il heurta la surface de l'eau. L'impact lui arracha l'embout de la bouche mais, ralenti dans sa descente par l'élément liquide, il le reprit presque aussitôt. L'eau salée diminua le poids de la mine mais il la tenait toujours avec autant de fermeté. Pour s'orienter, il regarda vers le haut dans l'eau claire et bleue. La partie inférieure de la poupe de la vieille *Mecque*, son hélice immobile, baignait dans la mer comme une baleine noire couverte de mouettes. Saïd nagea, poussé par ses pieds munis de palmes, vers l'extrémité arrondie de la coque du cargo, juste devant l'arbre de l'hélice ; il plongea sous l'arête vive de la quille et passa à tribord. Le patrouilleur israélien nichait au-dessus de lui contre la lourde masse de *La Mecque* et ses brillantes hélices jumelles tournaient au ralenti. Saïd pouvait entendre ses moteurs gargouiller doucement et le bruit sec des tuyaux d'échappement, situés à l'arrière de la puissante embarcation.

Il s'attaquerait au blindage de la poupe, près de la surface. Le métal permettrait au mécanisme magnétique de la mine d'adhérer solidement à la coque. Le blindage de la coque constituait une cible idéale parce qu'il se trouvait en dehors du tirant d'eau principal. Placée au-dessus de la coque d'une embarcation filant à vingt-cinq ou trente milles à l'heure, la mine pouvait être arrachée par la force de l'eau torrentielle même si elle était fabriquée de façon à pouvoir coller comme une sangsue à la surface d'un navire.

Pour éviter d'être repéré par un membre de l'équipage du vaisseau de garde qui pourrait apercevoir les bulles de son système respiratoire, Saïd nagea rapidement de la coque du cargo à une position située exactement à dix pieds sous les hélices du vaisseau israélien qui tournaient au ralenti. À cet endroit, les bulles d'oxygène se perdraient dans la turbulence causée par le murmure des hélices et les tuyaux d'échappement. Il s'arrêta pour examiner la situation avant de passer à l'attaque.

Trente pieds au-dessus de lui, sur le pont de *La Mecque*, le jeune capitaine du patrouilleur israélien, un capitaine de corvette, se tenait près des grandes caisses qui contenaient, comme l'attestait le connaissement, des compresseurs de gaz naturel. Il était tourné vers la poupe et deux de ses matelots se trouvaient derrière lui, vêtus comme leur capitaine de blanc immaculé de la casquette aux chaussures. Chacun portait une courte arme automatique, le cran d'arrêt levé. Près du haut de la passerelle de service, l'un des jeunes et solides matelots israéliens surveillait l'avant du navire, à l'affût du moindre mouvement suspect ou hostile.

Au-dessus de lui, sur la passerelle, il pouvait apercevoir le visage émacié d'un Arabe sous une casquette d'officier qui examinait la situation sans le moindre geste. Sur le gaillard d'avant, un matelot s'était installé sur le cabestan, un Arabe à en juger par sa tenue débraillée et sa chéchia. Il ne pouvait apercevoir qui que ce soit d'autre. Le deuxième matelot couvrait de son champ de vision son capitaine, la cargaison de *La*

Mecque et le pont des cabines, situé à l'arrière. Il pouvait y apercevoir un matelot arabe énorme et apparemment sale — ne l'étaient-ils pas tous ? — qui s'appuyait, mine de rien, à la chaloupe de sauvetage de bâbord en tétant sa cigarette. Il semblait plutôt inoffensif. Entre la passerelle de commandement et les plus petites caisses, qui étaient amarrées juste derrière celle-ci, il pouvait apercevoir un autre matelot arabe accroupi sur le pont. Le dos appuyé au bastingage, les bras croisés, il essayait apparemment de rester hors de cette histoire tout en surveillant son déroulement.

Le capitaine israélien tenait à la main la liasse de connaissements que Rashid lui avait tendue au moment où il mettait le pied à bord. Les premiers connaissements concernaient les compresseurs de gaz naturel destinés au Koweït. L'Israélien compara de son oeil aguerri les informations contenues dans le document aux inscriptions faites au pochoir sur les caisses. Il fut soulagé de voir qu'elles correspondaient. Puis il chercha dans la liasse les connaissements des petites caisses. Les informations qu'il y lut lui donnèrent de nouveau satisfaction. Il était néanmoins de sa responsabilité d'ouvrir une des caisses et d'en vérifier de ses propres yeux le contenu. Rashid surveillait attentivement de son regard expérimenté le capitaine du patrouilleur. Il savait qu'un examen du contenu faisait partie de la routine. Le capitaine de *La Mecque* ignorait ce qu'on trouverait dans les petites caisses, mais il s'attendait au pire.

Ahmed lança sa cigarette par-dessus bord au moment où l'Israélien se dirigeait à tribord vers la petite caisse la plus proche. Mine de rien, il quitta son poste avantageux et se rapprocha de la chaloupe de sauvetage où il avait caché son arme automatique. Il ne lui faudrait que quelques secondes pour s'en saisir. Sur le gaillard d'avant, Hassan se laissa choir au bas du cabestan et s'assit sur la boucle du gros câble tordu sur le pont. Sa main droite n'avait qu'à se tendre pour tirer son arme de sa cachette. Maan, au centre du navire, ne bougea pas. Il ne voyait pas ce qui se passait de l'autre côté du navire. Tout déplacement de sa part risquerait d'éveiller les soupçons. Il demeura assis, le regard rivé sur Hassan.

Le capitaine du patrouilleur, vérifiant toujours les inscriptions de la petite caisse, se tourna vers Rashid.

« Une pince, capitaine », lança-t-il.

Sans un mot, Rashid s'éloigna de l'Israélien et de ses deux sentinelles et se dirigea vers l'avant du navire où étaient rangés les pinces et les autres outils susceptibles d'être utilisés sur le pont. Pendant ce temps, le capitaine de la canonnière jeta un coup d'oeil à sa montre.

« Laissez faire, dit-il. Je n'ai pas le temps. »

Rachel occupait le centre de ses préoccupations. S'il ouvrait cette caisse, il perdrait encore une dizaine de minutes et il avait déjà suffisamment de retard. De toute façon, les connaissements et les inscriptions correspondaient. Les véhicules amarrés sur le pont ne seraient de toute évidence d'aucune utilité d'ordre militaire.

Soulagé, Rashid s'arrêta et se retourna vers l'Israélien.

« Qu'est-ce que vous transportez dans la cale ? lui demanda celui-ci.

— Différentes marchandises. Du grain. Du ciment. Vous avez les connaissements en main. Si vous voulez jeter un coup d'oeil... »

L'Israélien hocha la tête. Il était évident qu'il voulait débarquer de *La Mecque* et rentrer.

« Non, ça ne sera pas nécessaire, dit-il en lançant la liasse de documents dans les mains de Rashid. Vous pouvez poursuivre, capitaine », ajouta-t-il.

Il salua rapidement Rashid qui, étonné, lui rendit son salut. Le trio israélien dévala quatre à quatre la passerelle jusqu'au vaisseau qui les attendait, ses moteurs gargouillant toujours au ralenti. Escaladant l'escalier jusqu'à sa passerelle, le capitaine israélien hurla de se mettre en marche. Les amarres furent immédiatement larguées, les moteurs du vaisseau de guerre tournèrent à plein régime, et celui-ci s'éloigna rapidement de *La Mecque* en soulevant sur sa trajectoire une crête d'écume blanche. Sa proue fine se dressait hors de l'eau et sa coque planait sur la surface lisse de la Méditerranée vers Haïfa où — du moins le capitaine israélien l'espérait-il avec quelque fébrilité — attendaient les seins et les cuisses ouvertes de Rachel.

Dès le départ des Israéliens, Maan saisit la longueur de corde qu'il avait dénichée dans le placard à peinture en se rendant à son poste après le plongeon de Saïd. Il en attacha solidement une extrémité au bastingage et lança l'autre par-dessus bord. Scrutant au delà du bastingage, il fut soulagé d'apercevoir la tête masquée de Saïd à quelques mètres seulement derrière. Celui-ci cracha son embout, son visage se fendit en un large sourire triomphal, et il sortit les bras de l'eau, poings fermés, les pouces pointant vers le ciel. Il avait réussi !

Saïd nagea avec aisance vers la corde et grimpa à la force des poignets jusqu'au niveau du pont où Ahmed, flanqué de Maan et de Hassan, se pencha au-dessus du bastingage et le saisit par les aisselles. Ils manifestèrent leur joie en criant tandis que le colosse soulevait leur chef aussi aisément qu'un enfant et le déposait délicatement sur le pont. Ils se donnèrent des claques dans le dos, rirent et crièrent, tandis que Saïd, encore trop excité pour penser à enlever sa bouteille d'oxygène, ses palmes ou son masque, décrivait par le menu les détails de son action. La mine, amorcée, était solidement fixée au blindage de la poupe du patrouilleur israélien, quelques pouces au-dessus du gouvernail, à environ deux pieds sous la ligne de flottaison. L'antenne coulissante de la télé-commande, complètement déployée, n'attendait plus que le signal du détonateur.

Dans l'euphorie du moment, aucun d'entre eux ne s'était aperçu du départ de *La Mecque*, survenu lorsque Ahmed avait soulevé Saïd par-dessus le bastingage. Ils en prirent cependant conscience lorsque la voix tonitruante du capitaine Rashid encore incrédule fondit sur eux depuis la passerelle de commandement qui se trouvait juste au-dessus de leurs têtes.

« Saïd ! »

Au son de la voix impérieuse du capitaine, ils se tournèrent tous quatre vers la passerelle. Rashid fut un instant déconcerté : il venait d'apercevoir le bleu cristallin des yeux qui brillaient dans sa direction à travers la vitre du masque de plongée. Aucun Arabe ne pouvait avoir de tels yeux ! Nul pourtant n'était plus Arabe que ce jeune homme.

« Saïd ! Au nom d'Allah, qu'est-ce qui se passe ? »

Saïd comprit à l'étonnement dont témoignait le visage du capitaine que le vieil homme avait vu ses yeux. Lentement et délibérément, il enleva son masque et saisit dans la poche de son pantalon mouillé ses verres fumés miroitants qu'il essuya sur la queue de chemise de Rashid avant de les mettre. Il regarda une seconde fois Rashid qui se sentait inexplicablement soulagé de ne pas avoir à affronter de nouveau ces étonnants yeux bleus.

« Mon cher capitaine, nous venons de procéder à certains exercices. Nous n'avons rien fait d'autre que des exercices. »

Les trois têtes qui l'entouraient, bouches fendues jusqu'aux oreilles, signifièrent vigoureusement leur approbation.

Le capitaine ne pouvait contenir davantage sa curiosité mais il ne voulait pas risquer qu'un membre de l'équipage entende l'explication s'il allait effectivement en recevoir une. Son visage disparut de la passerelle. Chacun pouvait l'entendre dévaler bruyamment les marches métalliques. En un rien de temps, le souffle court, il se retrouva nez à nez avec Saïd. Pendant ce temps, le leader de l'OLP avait enlevé sa bouteille d'oxygène qu'Ahmed protégeait de son bras musclé.

« Qu'est-ce que vous avez fait ? demanda Rashid. Je suis le capitaine de ce navire et j'ai le droit de savoir. »

Le sourire disparut du visage de Saïd qui le remplaça par un air de satisfaction sinistre.

« Le patrouilleur israélien...

— Oui ?

— Je lui ai mis au cul un magnifique mécanisme qui s'y cramponne comme une sangsue, mon cher capitaine, et bourré d'assez d'explosifs puissants pour le réduire, ainsi que tout ce qui se trouve dans son voisinage, en mille miettes.

— Une mine ! dit le vieil homme en suçant l'air avec ses dents.

— Une mine. »

Les yeux de Rashid s'agrandirent d'étonnement et de peur.

« Vous êtes fou ! Quand cette chose-là va sauter, les Israéliens vont nous poursuivre comme une meute de chiens.

— Mais non. Je puis vous garantir, capitaine, qu'ils ne nous poursuivront pas. Dans le cas contraire, je n'aurais pas agi de cette façon. Je ne veux compromettre ni notre opération principale ni ce navire. »

Le capitaine était insensible à ces arguments. Son bras droit pointé vers Haïfa, au delà de l'épaule de Saïd, il reprit :

« Et moi je vous dis que si cette chose saute entre ici et Haïfa, nous allons avoir toute la marine israélienne à nos trousses!

— Elle ne risque pas le moindrement de sauter entre ici et Haïfa. Elle ne peut sauter que si je la fais sauter moi-même.

— Et comment ferez-vous ? demanda le capitaine avec une pointe d'incrédulité dans la voix.

— Avec un signal radio. »

Interloqué, Rashid évalua les conséquences de cette information et sa signification commença à lui apparaître. Sa voix s'éleva en un sifflement de protestation :

« Vous n'êtes quand même pas... Vous ne pouvez pas faire ça. Au nom d'Allah, non !

— Non seulement je puis, mais je vais le faire. Ils ne découvriront jamais ce qui les a frappés. Ne vous faites pas de bile. Rien ne permettra de relier cette vieille coque rouillée à ce qui va arriver.

— Parce que ça arrivera en plein dans le port de Haïfa, ajouta Hassan, l'expert en communications, avant de reprendre les mots de Saïd. Ils ne découvriront jamais ce qui les a frappés.

— Et avec un peu de chance, poursuivit Saïd, nous détruirons tous les vaisseaux qui se trouveront dans les parages. »

L'explication venait de prendre fin. Le temps était venu de poursuivre le premier exercice opérationnel. Saïd se pencha pour enlever ses palmes. En se redressant, il demanda au capitaine bouleversé de lui fournir une estimation la plus rigoureuse possible du temps qu'il faudrait au vaisseau de guerre pour réintégrer le port de Haïfa et y accoster :

« Et n'oubliez pas, capitaine, qu'il est autant dans votre intérêt que dans le nôtre qu'il se trouve entré profondément dans le port. »

Rashid consulta sa montre.

« J'ai vérifié notre position sur la carte juste avant qu'ils ne montent à bord. Nous venons à peine de repartir. Nous nous trouvons à environ trente-six milles au large de Haïfa et il est maintenant 18h 50. Ils devraient rentrer dans le port à 20h 5, 20h 10 tout au plus. »

Saïd se tourna vers Hassan.

« Sors l'émetteur. Assure-toi qu'il fonctionne. Nous attendrons 20h 15.

— Mais l'équipage sera encore à bord », protesta le capitaine.

S'il avait pu apercevoir les yeux de Saïd à travers les verres fumés, Rashid eût perçu leur froide détermination.

« Précisément. La destruction doit être à son taux maximum. Les Israéliens sont nos ennemis mortels. »

La discussion avec Rashid venait de prendre fin. Ayant demandé à Maan et Hassan d'emporter son équipement de plongée, Saïd se dirigea à pas de loup, ses pieds nus contre le pont métallique, vers l'arrière du bâtiment. Son esprit se réjouissait de son succès, mais il attendait avec impatience l'étape suivante. La mine répondrait-elle au signal radio ? L'explosion du mécanisme meurtrier fixé à la queue du patrouilleur israélien augurerait des chances de succès de leur opération principale.

À vingt heures, Hassan avait terminé son examen méticuleux de l'émetteur-récepteur. Il était satisfait. L'appareil portatif, qui fonctionnait sur piles, était d'une grande puissance et ses ondes de haute fréquence pouvaient atteindre 4000 milles. Grâce à la miniaturisation ingénieuse des Japonais, il pesait moins de trois livres et sa boîte noire était des plus sophistiquées. Hassan croyait en son efficacité.

Il avait posé l'appareil sur une table de bois qu'Ahmed s'était procurée à la cuisine malgré les protestations du cuisinier et qu'il avait placée à bâbord de *La Mecque*. De cet endroit, ils voyaient clairement la ligne d'horizon au delà de laquelle ils estimaient que se trouvait Haïfa. La mer était toujours calme, malgré un léger roulis d'ouest auquel le navire s'adaptait en avançant péniblement. La table sur laquelle reposait l'appareil était solide et stable et pouvait être utilisée aussi bien par les instruments servant à le tester qu'à la trousse d'outils de Hassan. Ils ne pouvaient rien faire d'autre qu'attendre dans la noirceur qui s'épaississait. Le soleil s'était couché à 19h 15. À vingt heures, l'obscurité était presque totale. Le ciel était clair comme du cristal. La demi-lune qui se levait découpait l'horizon au sud-est. Les feux de position d'aucun autre navire ne répondaient à ceux de *La Mecque* tandis que le vieux cargo poursuivait sourdement sa trajectoire solitaire vers Port-Saïd en s'éloignant toujours davantage de la menace de Haïfa.

À 20h 10, les quatre soldats de l'OLP étaient rassemblés près du précieux appareil. Ahmed et Maan s'étaient accroupis quelques pieds devant lui dans le corridor et parlaient, le premier suçant une cigarette. Hassan était assis à la table sur une chaise qu'il avait apportée de sa cabine. Il portait des écouteurs et tournait le bouton du récepteur de l'appareil dans l'espoir futile de saisir quelque message du patrouilleur israélien tandis qu'il s'approchait et pénétrait dans le port de Haïfa. Cet espoir était doublement futile : même s'il avait pu tomber sur leur fréquence opérationnelle, il ne comprenait pas la langue. Il existait malgré tout un faible espoir.

À 20h 2, le vaisseau israélien se présentait à l'entrée du port de Haïfa et dépassait rapidement Bat Galim. Les lumières papillotantes de la ville brillaient tout près à tribord et s'élevaient derrière sur les hauteurs du mont Carmel, à 600 pieds au-dessus du niveau de la mer. Sa vitesse réduite, le vaisseau contourna la longue jetée qui s'étendait sur presque un mille et protégeait le port principal des fureurs de la Méditerranée. L'anxieux capitaine israélien se dirigea parmi les bateaux ancrés dans le port principal à une allure de tortue de huit noeuds, donnant un coup de barre en repérant les lumières qui indiquaient l'entrée étroite du Kishon, le port intérieur qui servait de base à son vaisseau de même qu'aux cinq autres patrouilleurs de l'escadrille.

À 20h 10, il réduisit encore davantage sa vitesse dans la pénombre. Ayant allumé ses projecteurs, le capitaine donna l'ordre de contourner à tribord l'extrémité nord de la jetée ouest qui formait le port de Kishon. Il pouvait apercevoir devant lui les longues silhouettes des cinq autres patrouilleurs de son escadrille qui s'entassaient le long du quai en forme de fer à cheval. L'emplacement de son vaisseau se trouvait au milieu, tout au fond du fer. D'énormes projecteurs en baignaient le périmètre d'une lumière blanche éblouissante. Dans quelques minutes, il accosterait. Puis il remettrait son vaisseau à son second et celui-ci le mettrait en sécurité pour la nuit. Son rapport sur l'arraisonnement de *La Mecque* attendrait au lendemain. À 20h 12, le patrouilleur heurta doucement par tribord les pare-chocs de caoutchouc qui étaient alignés contre le mur du quai. Le renversement des moteurs stoppa tout à fait le vaisseau. Le capitaine donna ses instructions à son premier lieutenant tandis que des hommes de bord assuraient les filins d'amarrage à l'avant comme à l'arrière. Il essaya de maîtriser son impatience, mais le désir de se rendre auprès de Rachel le submergeait. Il avait déjà dix minutes de retard. En comptant le temps qu'il lui faudrait pour atteindre sa voiture stationnée à l'autre extrémité du port, il mettrait encore quinze minutes à se rendre à son appartement situé dans le sud de la ville, à Kiryat Hatechnion.

À 20h 15, le capitaine du patrouilleur mit le pied sur le quai. Il se dirigea rapidement vers le sud et sa voiture, tout en regardant avec autant de plaisir que de fierté son magnifique vaisseau. À cet instant, le capitaine israélien, son magnifique vaisseau et son équipage n'existèrent plus. Ils disparurent, désintégrés dans le tourbillon de la formidable explosion de flammes tandis que son onde de choc se propageait dans toutes les directions et remplissait l'espace. Une masse grondante de feu et de fumée, de morceaux de métal, de plastique, de vitre et de chair humaine, tordus, déchiquetés, disloqués, sautèrent et se répandirent en une boule noire, rouge et blanche, mêlée à l'eau réchauffée du port qu'elle avait sucée là même où le patrouilleur baignait une seconde auparavant.

Dans l'espace clos du petit bassin naval, les ondes réverbérantes heurtèrent de plein fouet l'eau salée fétide et la projetèrent par-dessus les quais qui la contenaient et soulevèrent les cinq autres patrouilleurs par la puissance de l'explosion. Ceux-ci se brisèrent comme des jouets en heurtant l'inamovible béton du quai. Des explosions secondaires se produisirent dans leurs réservoirs de carburant éventrés d'où s'écoulaient des milliers de gallons volatils d'huile diesel dans l'enfer rugissant.

Loin au large, en direction du sud-ouest, sur un vieux navire fatigué et laissé à lui-même, quatre jeunes Arabes veillaient dans l'obscurité avec un sentiment de terreur respectueuse tandis qu'à l'est le sommet d'une gigantesque boule de feu orange montait à l'horizon comme un nouveau soleil. Une pression de l'index de Hassan sur le détonateur orange et circulaire comme la boule de feu qui s'en était suivie avait suffi pour porter la mort et la destruction dans le port de la ville natale de Saïd.

Aucun d'eux ne manifesta sa joie ni ne montra quelque signe d'une émotion triomphale. Ils évaluaient plutôt sobrement l'ampleur de la puissance qui reposait entre leurs mains. C'était une puissance colossale. Brutale. Instantanée. Un pouvoir de destruction massive qui pouvait anéantir une cible à cent milles, à des centaines de milles, ou même à des millions de milles de distance. Il suffisait de la pression d'un seul doigt sur le petit bouton orange d'une boîte noire.

À Haïfa, la dénommée Rachel ignorerait toujours qu'elle avait infléchi le cours d'événements qui bouleverseraient bientôt l'équilibre du monde.

4

9 mars, 10h
Salle du Conseil, Maison Blanche

« En résumé, monsieur le Président, les principaux points de l'exposé... »

John Hansen, le quarante et unième président des États-Unis d'Amérique, détourna son regard de l'officier du Pentagone qui avait lu son exposé au lutrin situé sur la droite de l'extrémité de la table de conférence de la salle du Conseil. Il regarda son secrétaire à la Défense, Robert Levy, de l'autre côté de la table. Le chef d'état-major interarmées Glen Young, un général d'aviation à cinq étoiles, trônait à la droite de Levy. John Eaton, le secrétaire d'État, flanquait le président sur sa gauche, tandis que le vice-président Mark James se trouvait à sa droite, à côté de Walter Kruger, son conseiller spécial auprès du Conseil national de sécurité. Ces hommes formaient le comité exécutif du Conseil national de sécurité. C'est auprès de ces hommes que le président cherchait aide et conseils en cas de crise à l'étranger.

Avant d'être assermenté deux mois plus tôt, le sénateur John Hansen, comme on l'appelait alors, évaluait mal la quantité de temps et d'attention que le président devait consacrer aux affaires extérieures. Il lui semblait qu'il passait au moins la moitié de son temps à chercher des solutions aux problèmes de l'Amérique du Sud et de Cuba, aux intrusions des Cubains en Afrique avec leurs mentors soviétiques, à se demander comment conjurer la susceptibilité des Européens de l'Ouest, sans compter les problèmes de l'OTAN, l'Organisation du Traité de l'Atlantique Nord. Et puis il y avait le sujet qui était à l'ordre du jour de cette réunion du 9 mars : le renforcement des troupes soviétiques non seulement en

Afghanistan, mais tout au long de leur frontière commune avec l'Iran tant à l'est qu'à l'ouest de la mer Caspienne.

L'exposé était presque terminé :

« Nous avons identifié six nouvelles divisions d'infanterie et deux nouvelles divisions blindées le long de la frontière soviéto-iranienne. En Afghanistan, tout indique que 20 000 soldats supplémentaires ont été dépêchés avec leur soutien logistique dans la région de Hérat, une ville importante au nord-ouest du pays, près de la frontière iranienne. Nos évaluations sont à l'effet que 130 000 soldats soviétiques, soutenus par des tanks et des avions, occupent en ce moment l'Afghanistan. Cette augmentation de la puissance soviétique en Afghanistan et le long de la frontière soviéto-iranienne est survenue au cours des sept derniers jours et signifie que les Soviétiques ont la capacité d'attaquer l'Iran. L'exposé est terminé, monsieur le Président. »

Le président regarda les autres hommes qui se trouvaient autour de la table et le seul d'entre eux qu'il n'avait pas nommé, le général Glen Young. Il évaluait mal Young. Lors des réunions qui avaient eu lieu au cours des deux mois précédents, Hansen avait eu de la difficulté à se faire une opinion du général. Ceci découlait peut-être de ce qu'ayant été nommé par son prédécesseur, un homme très différent de Hansen et appartenant à l'autre parti, Young n'aimait tout simplement pas le président ou ses politiques. Hansen devinait chez Young un homme aussi brutal que complaisant. Il n'était pas un expert sur le plan militaire et le général l'avait souligné plusieurs fois par sa façon condescendante de répondre aux questions du président. Il était tout à fait clair que Young se considérait lui-même comme un être supérieur et qu'il se sentait peut-être même supérieur au président.

« Qu'est-ce que vous dites, vous et vos gars ? » demanda Hansen au général d'aviation vautré dans sa chaise.

Young avait sa réponse toute prête :

« Nous pensons qu'ils s'apprêtent à envahir l'Iran, monsieur le Président. Nous ignorons quand. Ça pourrait se passer dans une semaine ou dix jours. Ou encore ils pourraient attendre que la température soit plus clémente, disons au début de mai. Nous pensons pour notre part qu'ils attendront.

Le réseau routier du nord vers l'Iran est convenable. Ils y pénétreront sans problèmes à moins que les Iraniens ne parviennent à leur opposer une résistance. L'armée iranienne est en lambeaux comme le pays. Sa défense est inexistante. Nous pensons que les troupes russes d'Afghanistan auront de la difficulté à traverser la chaîne de montagnes de l'est de l'Iran mais qu'elles le tenteront en même temps que le gros des troupes se déplacera depuis le nord.

— Et le Pakistan ? demanda John Eaton, le secrétaire d'État.

— Nous pensons qu'en manoeuvrant vers l'Iran, les Russes manoeuvreront aussi vers le Pakistan, répondit le général. Ils ont envahi l'Afghanistan pour la simple raison qu'ils voulaient y protéger leurs intérêts. Le motif qui les incite à envahir le Pakistan est beaucoup plus important : ils veulent mettre la main sur le port de Karachi, un port d'eau chaude pour la Marine rouge.

— Les motifs importants m'intéressent, dit le président en se tournant vers son secrétaire d'État. John, si vous étiez à la place de Grigori Romanov, au Kremlin, quels seraient les motifs majeurs qui vous inciteraient à envahir l'Iran ? »

Eaton ouvrit la serviette de cuir qu'il avait déposée sur la table devant lui au début de la réunion. Il fouilla parmi les documents et trouva celui qu'il cherchait. Il y jeta un coup d'oeil puis redressa la tête, prêt à répondre.

« Il existe plus d'un motif majeur, monsieur le Président. Le premier de ces motifs, c'est la pénurie de pétrole. À la fin des années 70, les Soviétiques exportaient 2,5 millions de barils de pétrole brut par jour. D'après nos calculs, leur pénurie atteint le demi-million de barils par jour et ce chiffre grimpe rapidement. Nos calculs sont peut-être conservateurs mais ces chiffres sont les seuls dont je dispose en ce moment. Les Soviétiques ont désespérément besoin de pétrole. Ils n'ont effectué aucune découverte importante au cours des dernières années. L'Iran leur permettrait de combler cette pénurie : on peut y produire quatre millions et demi de barils par jour bien que ce chiffre ne soit plus en ce moment que d'un million et demi de barils et qu'il décline toujours. Tout l'équipement y est américain et depuis notre querelle avec l'ayatollah Khomeiny à propos des otages, c'est un vrai miracle qu'on y produise quoi que ce soit. C'est un premier motif majeur. »

Le secrétaire d'État vérifia ses notes.

« Un deuxième motif, c'est de poursuivre la propagation de la doctrine idéologique de domination mondiale de l'Union soviétique. Vous ne penserez peut-être pas qu'il s'agit là d'un motif majeur, monsieur le Président, mais pourtant c'en est un. L'Iran, complètement déboussolé, frôle l'anarchie. Les activités contre-révolutionnaires qui s'y poursuivent mettent littéralement ce pays en état de guerre civile. Il suffirait que l'un ou l'autre côté appelle à l'aide pour que les Soviétiques se servent de ce prétexte pour intervenir et stabiliser le pays. Le même prétexte leur a servi lors de leurs premières incursions en Afghanistan, bien avant leur intervention de la fin de 1979. Dans la perspective de l'idéologie marxiste-léniniste de domination mondiale, l'Iran constitue un objectif idéal.

« Le général Young a souligné le troisième motif majeur. Il va de pair avec l'invasion de l'Iran. Les Russes ont désespérément besoin de ce port d'eau chaude de l'océan Indien, un port où ils pourraient investir de l'argent et de l'équipement en sachant qu'ils ne le perdraient pas comme le port de Berbera, en Somalie. S'ils prennent Karachi, personne ne le leur disputera. Bien que l'invasion du Pakistan ne ressemble en rien à celle de l'Iran — ce qui nous ramène à votre question, monsieur le Président — je suis d'accord avec le général Young : les deux pays seraient envahis en même temps. »

Le président s'adressa de nouveau au chef d'état-major interarmées :

« Que pouvons-nous faire pour les en empêcher, général Young ?

— En Iran ou au Pakistan, monsieur le Président ?

Le président pensait de sa question qu'elle était tout à fait claire. Il fut tenté de répondre : « Dans tout le golfe Persique », mais répondit plutôt :

« Les deux : l'Iran et le Pakistan. »

Le général s'examina les ongles puis regarda le président.

« Pas autant que je le voudrais, dit-il enfin. Vous êtes au

courant de tout cela, monsieur le Président, puisque nous vous en informons depuis deux mois. »

Il veut me rabaisser, pensa le président.

« Je vais faire un tour d'horizon à votre intention. Dans toute la région du golfe Persique, de la mer d'Arabie et de l'océan Indien, nous ne pouvons compter que sur une seule base, celle de Diego Garcia.

« Diego Garcia est une île britannique située à mille milles marins au sud de la pointe de l'Inde. Grâce à une entente survenue avec les Britanniques au milieu des années 70, ils nous ont cédé le contrôle de l'île. Le mouillage y est satisfaisant. Nous y avons rassemblé tout ce que nécessite une base de soutien pour une flotte entière. Une piste d'atterrissage permet d'y recevoir tout ce que nous pouvons envoyer dans les parages, même des C-5. Les Soviétiques ont riposté récemment en concluant une entente avec le gouvernement des îles Maldives qui se trouvent à environ 450 milles au nord de Diego Garcia. Ils ont repris en main les installations militaires, l'aéroport, le port et tout ce que les Britanniques y ont abandonné.

« Le seul autre endroit qui nous soit accessible dans le golfe Persique, c'est Bahrain. Nous pouvons nous y ravitailler. Il y a là une des plus grandes cales sèches au monde. À part ces deux endroits, monsieur le Président, nous n'avons rien. Vous savez que l'administration précédente négociait avec Oman l'utilisation des installations de Mascate et de l'île de Masirah ; avec la Somalie pour celles de Mogadishu et de Berbera. Les Russes ont longtemps tenu Berbera et ils y ont construit d'excellentes installations, mais ils se sont fait chasser du pays quand ils ont pris le parti des Éthiopiens dans leur guerre contre la Somalie. On a aussi entrepris des négociations pour Mombasa, au Kenya. Mais les négociations sont ce qu'elles sont, monsieur le Président. Elles n'ont encore abouti dans aucun de ces endroits.

— Je sais, reconnut le président. J'ai demandé au secrétaire d'État, ajouta-t-il en jetant un coup d'oeil vers Eaton, de poursuivre ces négociations en priorité absolue et avec diligence. »

Il se tut et laissa Young poursuivre.

« C'est tout ce dont nous disposons, monsieur le Président. Notre position est d'une extrême faiblesse. Diego Garcia constitue la seule base d'opérations dont nous puissions nous servir.

— Et le Pakistan ? demanda le vice-président James. Vous n'en avez pas parlé. Nous négocions avec leur nouveau président depuis le coup d'État d'il y a dix jours. »

Le général Young était stupéfait :

« Je sais que ses propres généraux ont renversé Zia, mais je n'ai pas entendu parler de négociations avec le nouvel homme fort — comment s'appelle-t-il ?

— Le général Mujeeb-Ul-Rehman, répondit James. Votre bonne foi n'est pas en cause, mais vous ignoriez qu'aussitôt après le coup d'État qui a permis à Mujeeb d'accéder au pouvoir, le président Hansen nous a demandé, au secrétaire d'État et à moi, d'entreprendre avec Mujeeb des négociations portant sur l'utilisation du port et de l'aéroport de Karachi. Nous sommes en pourparlers avec l'ambassadeur du Pakistan. La situation est si chaotique depuis le coup que nous ne sommes pas arrivés à grand-chose. D'après ce que vous-même et l'exposé nous ont appris ce matin, il semble que les Soviétiques rassemblent leurs forces pour envahir l'Iran ou le Pakistan ou les deux. En d'autres termes, nous nous dirigeons vers une confrontation directe avec les Soviétiques, mais sans pied-à-terre dans la région nous sommes virtuellement impuissants à les arrêter.

— Au mieux, répondit le général Young, nous pourrions y expédier par voie aérienne le 82e Régiment aéroporté et peut-être deux bataillons navals. Nous pourrions le faire en moins de deux semaines. Il s'agit de 20 000 hommes et d'une poignée de tanks et d'hélicoptères de reconnaissance. Avec l'aviation de la Cinquième Flotte et ce que les Britanniques ont déployé dans la région...

— Mais les Russes pourraient envahir la totalité du golfe Persique en deux semaines, bien avant que nous y mettions le pied, n'est-ce pas ? »

Le général hocha sombrement la tête pendant que le vice-président poursuivait :

« Il me semble, monsieur le Président, que nous devrions négocier avec les Pakistanais non seulement l'utilisation de Karachi et de son aéroport mais un déploiement massif de nos troupes, de notre équipement et de notre aviation sur le territoire du Pakistan. En d'autres termes, des forces équivalentes à celles que les Russes ont déployées en Afghanistan : 120 000 hommes complètement équipés, des tanks, des avions de combat, tout le bazar. Après tout, nous y sommes obligés. Les États-Unis et le Pakistan ont signé en 1959 un accord portant sur la sécurité. Qu'en pensez-vous, général ?

— Je répondrai à cette question, coupa le président. Je pense qu'il s'agit là d'une proposition extraordinaire et que nous devrions agir immédiatement en ce sens. Que savons-nous du général Mujeeb ? »

Sa question ne s'adressait à personne en particulier.

Walter Kruger, son conseiller spécial auprès du Conseil de la sécurité nationale, répondit :

« Je possède un dossier complet sur son compte, monsieur le Président. J'imagine qu'il en va de même pour le secrétaire d'État. »

Eaton signifia que c'était le cas.

« Croyez-le ou non, il est très pro-américain. Il a reçu son entraînement sur hélicoptère à Key West. Il risque davantage d'accepter une offre de notre part que ne l'aurait fait le général Zia. Vous vous souvenez sans doute qu'en 1980 le général Zia avait refusé les 400 millions que lui offrait le président Carter en disant que c'était des « pinottes ». »

Les autres hochèrent la tête autour de la table.

« Mujeeb affirme que des élections libres auront lieu dans un an tout au plus, ajouta Eaton, mais Zia promettait la même chose depuis des années. Vous n'ignorez pas, monsieur le Président, que les généraux tiennent toujours solidement les rênes du pouvoir en ce pays.

— Je sais. Ça pourrait dans ce cas-ci nous être utile parce que dans une dictature, le chef d'État a la possibilité de prendre ses décisions sur-le-champ. Dans une démocratie comme la nôtre, je dois demander la permission au Congrès presque chaque fois que je veux aller pisser. »

Des sourires apparurent tout autour de la table, mais disparurent rapidement lorsque le général Young éleva la voix.

« Je regrette, monsieur le Président, mais d'un point de vue militaire, d'un point de vue logistique, des approvisionnements étalés sur 13 000 milles, hautement vulnérables aux submersibles et aux navires... Eh bien, je n'en ai tout simplement pas les moyens. Je n'ai ni les navires, ni le budget, ni les hommes.

— Nous vous trouverons les navires, répondit Hansen d'une voix tranchante et déterminée, nous vous trouverons l'argent, nous vous trouverons les hommes. Nous rappellerons les réservistes.

— Même si j'avais en main tous ces atouts, reprit le général en hochant la tête, il reste qu'il serait désastreux, d'un point de vue militaire, d'installer 120 000 Américains dans un bled perdu comme le Pakistan où les Soviétiques peuvent lancer contre nous depuis leur territoire la pleine puissance de leur armée et de leur aviation. Je le regrette, monsieur le Président, mais j'ai des doutes à propos de ce projet. Peut-être pourrions-nous réussir. Nous le pourrions si vous me fournissiez les hommes, les navires et l'argent, mais j'affirme que, d'un point de vue militaire, c'est dangereux. Les problèmes de logistique seraient presque insurmontables. »

Hansen ne répondit pas tout de suite. Il était furieux, mais cachait ses émotions.

« Mais selon mon évaluation, de mon point de vue, général, je dois tenir compte non seulement des facteurs d'ordre militaire mais de tous les autres facteurs pour décider si nous devons agir ou non en réponse à des initiatives soviétiques flagrantes. Je dois tenir compte des stratégies globales de l'Union soviétique, de ses stratégies économiques, de ses stratégies géopolitiques, de son intention de parvenir à dominer le monde par des moyens pacifiques si elle peut y parvenir de cette façon. Et Dieu sait les succès qu'elle a obtenus depuis la Deuxième Guerre mondiale en agissant de cette façon. J'ai le devoir d'élaborer des stratégies qui agissent à l'encontre de la progression des agressions soviétiques. Et je parle aussi bien d'agression économique et politique que d'agression militaire. L'agression soviétique dans le golfe Persique constitue une menace pour le mode de vie des États-Unis et du monde libre. Si elle s'ingère dans nos approvisionnements de pétrole, cela peut signifier la fin de notre mode de vie. Je dois tenir compte de vos objections. Mais je ne puis permettre que le point de vue militaire soit le seul qui ait du poids. Si je ne tenais compte que de votre seule opinion, je déciderais sans doute de ne pas envoyer de troupes au Pakistan. »

John Hansen n'allait pas laisser ce chien sale s'en tirer si facilement.

« Vous serez peut-être étonné d'apprendre, général, que non seulement j'éprouve quelque sympathie pour l'état déplorable des forces armées américaines mais je comprends quelque chose à ces problèmes. Je sais que depuis 1968 nos forces armées ont décliné de plus d'un million et demi d'hommes. En ce moment, leur nombre est inférieur d'environ 600 000 à ce qu'il était avant la guerre du Viêt-nam. Prenons simplement notre marine : en 1968, elle possédait 976 vaisseaux : elle n'en possède plus que 472. À l'époque de l'affrontement Kennedy-Khrouchtchev, la Marine rouge n'était constituée de rien d'autre que d'une offensive côtière et d'une force de dissuasion : de nos jours, elle est devenue la marine la plus puissante et la plus redoutable de la planète.

« Depuis 1960, le nombre de militaires soviétiques est passé d'environ trois millions à quatre millions et demi d'hommes, soit plus du double de nos propres forces armées. Quelle que soit la catégorie d'équipement militaire, même les hélicoptères, les Russes produisent énormément plus que nous. Ils produisent à peu près six fois plus d'équipement terrestre conventionnel que nous, particulièrement dans la catégorie des tanks. Ils produisent plus de quatre fois plus d'avions de chasse que nous. D'après la CIA, les Soviétiques dépensent en dollars environ quarante-cinq pour cent de plus que nous pour leur défense. C'est un très mauvais scénario, général. À mon sens, il témoigne du peu d'intérêt des Américains pour les questions militaires depuis le Viêt-nam. Il témoigne aussi de ce que nous ne sommes pas un peuple de militaristes. La machine militaire soviétique nous recouvre de partout comme une tente. Pensez seulement à leur flotte de sous-marins. Ils en possèdent 700. Combien en possédons-nous ? Cent quarante. »

Bien que les remarques de Hansen aient visé le général Young, celui-ci, les mains jointes, regardait la table. Il détestait qu'un politicien le sermonne sur l'état des forces armées américaines, un sujet qu'il connaissait plus que quiconque aux États-Unis, sans compter que l'envoi des troupes, quelle que soit leur importance, constituait une aberration militaire.

« J'insiste sur ce point, général : si je parviens à m'entendre avec le Pakistan, je vous garantis que vous aurez les hommes, l'argent et l'équipement qui vous seront nécessaires. »

Jim Crane, le chef de l'état-major du président, entra alors dans la pièce. Avant de s'asseoir auprès de Levy, il tendit une note au secrétaire d'État Eaton. Celui-ci fronça les sourcils et hocha la tête en la lisant.

« C'est important, John ?   lui demanda le président en interrompant son exposé.

— Pas tellement, même si je ne devrais pas le dire dans ces termes-là. Six navires israéliens ont explosé dans le port de Haïfa. Il y a eu cinquante morts. Sans doute un raid de l'OLP. »

Eaton avait raison. L'événement n'avait en soi pas tellement d'importance, mais il constituait un chaînon dans la succession des événements qui découleraient des décisions qu'on s'apprêtait à prendre autour de la table de conférence du Conseil ce matin-là.

Hansen avait pris sa décision :

« Messieurs, il me semble évident que nous sommes inférieurs aux Russes au Proche-Orient. Les États-Unis ne peuvent en aucun cas se permettre de perdre le pétrole du golfe Persique et la situation est encore plus critique pour l'Europe de l'Ouest. Il est vital pour les intérêts des États-Unis et du monde occidental que nous nous installions au Proche-Orient pour endiguer les Soviétiques. Nous ne pouvons le faire qu'en un seul endroit, au Pakistan. Le vice-président a visé juste. Nous devons y transporter autant de troupes que vous-même, général Young, et votre équipe le jugerez nécessaire de façon à, premièrement, établir un équilibre — disons plus ou moins 120 000 hommes, c'est à vous de nous informer de vos besoins, général — ; et, deuxièmement, ces troupes, de même que leur équipement, devront provenir de celles qui existent déjà, tout en ne perdant pas de vue nos engagements pris ailleurs en ce monde. Devrons-nous faire appel aux réserves pour constituer ces troupes ? Il vous appartient de répondre à cette question, général Young. Je veux que vous mettiez immédiatement au point l'intervention de nos forces au Pakistan. Je veux un résumé de ce plan lundi midi, deux ou trois pages, incluant tous les éléments. Vous pourrez élaborer plus tard. Je veux savoir combien d'hommes nous devons envoyer au Pakistan, comment nous les y transporterons et votre opinion sur la date de leur arrivée. Je sais que nous sommes samedi, général, et qu'il est difficile de réunir qui que ce soit, mais je dois manoeuvrer rapidement. »

Le président était heureux de constater que même le général Young prenait des notes.

« En ce qui concerne le Pakistan et le général Mujeeb, il est impérieux que nous donnions notre maximum pour en arriver à une entente qui permettrait à nos troupes de s'y installer en grand nombre. J'ajouterai qu'il est de la plus extrême urgence de négocier cette entente sur-le-champ. Il n'y a qu'un seul homme aux États-Unis qui puisse entreprendre cette négociation. »

Le président modifia brusquement le cheminement de sa pensée.

« Jim, dit-il en se tournant vers Crane, demande au secrétaire à l'Énergie de me faire préparer un aide-mémoire par ses fonctionnaires, ou peut-être par quelque économiste du Bureau du vérificateur général. Oui, je pense qu'il serait préférable de s'adresser au Bureau du vérificateur général. Je veux savoir quelles seraient les conséquences économiques ou autres pour les États-Unis d'une interruption des livraisons en provenance du golfe Persique. Je veux aussi savoir quelles en seraient les conséquences pour l'Europe de l'Ouest. Je veux aussi qu'on me fournisse un second aide-mémoire portant à la fois sur les États-Unis et l'Europe de l'Ouest et répondant à la question : Qu'arriverait-il si *tous* les approvisionnements de l'OPEP étaient bloqués ?

— Vous voulez vraiment dire *tous* ? » demanda Crane sidéré.

Autour de la table, les autres visages reflétaient la même émotion.

« C'est exactement ce que je veux dire », répondit résolument le président.

Le général Young voulut mettre en question cette requête :

« C'est impossible, monsieur le Président. De toute façon, nous ne sommes concernés ici que par le Proche-Orient, le golfe Persique, pas par la Malaisie ou le Venezuela ou le Mexique. »

Hansen, du haut de ses six pieds et cinq pouces, regarda le chef d'état-major interarmées :

« Général Young, une telle étude peut ne pas sembler pertinente aux yeux d'un militaire, mais elle l'est certainement aux miens. »

5

10 mars, 18h
Port-Saïd, Égypte

Une prudence considérable est de mise en approchant de la côte de l'antique et immémorial Port-Saïd, en Égypte. Des hauts-fonds boueux flanquent de chaque côté le chenal constamment dragué qui donne dans le bassin du port depuis la Méditerranée en passant par le quai brise-lames situé à l'ouest. Le port de Port-Saïd se trouve à l'entrée nord du canal de Suez, un doigt d'eau de cent milles sous écluses, capable d'accommoder des navires de 45 000 tonneaux, de petits navires en comparaison des gigantesques superpétroliers qui peuvent jauger jusqu'à un demi-million de tonneaux. Ceux-ci doivent contourner la pointe sud de l'Afrique pour livrer leur cargaison du golfe Persique en Europe de l'Ouest et en Amérique.

Une masse confuse de quais et d'entrepôts où ont défilé depuis des siècles les articles des échanges et du commerce égyptiens occupe la rive ouest du port de 570 acres. La ville elle-même se trouve à l'ouest, au delà des quais. Un quart de million d'Égyptiens y vivent et y travaillent. Leur sort dépend de celui du port et du canal de Suez.

Le côté est du port est occupé par d'antiques chantiers navals qui ressemblent davantage à des cimetières à cause des coques rouillées et des squelettes de navires qui jonchent le paysage plat et son réseau de canaux. Des produits de toutes sortes, dont l'opium, la cocaïne et la marijuana, passent en contrebande, une activité florissante, par le labyrinthe de voies d'eau de la rive est.

À Port-Saïd, les cargaisons sont chargées et déchargées par l'intermédiaire de chalands. Il est interdit aux navires d'accoster. On y trouve en abondance carburant, eau et provisions.

Chaque fois qu'il naviguait vers le sud par le canal de Suez, le capitaine Rashid s'assurait que ses réservoirs de carburant et d'eau étaient remplis à pleine capacité et que ses provisions étaient amplement suffisantes. Il se laissait aussi aller à son penchant pour le bon vin en achetant plusieurs caisses de bouteilles de vin de table français, du rouge et du blanc, qu'interdisaient plusieurs ports islamiques où il jetait l'ancre. Il les entreposait dans un compartiment secret de la cale situé sous ses quartiers.

Le compartiment et son entrée étaient si bien camouflés que même les douaniers les plus perspicaces n'étaient jamais parvenus à les découvrir. Un inspecteur curieux n'apercevait à l'avant de la cale arrière qu'une cloison continue. Inversement, en pénétrant dans la cale avant, il ne verrait à l'arrière de celle-ci que l'autre côté de la cloison qu'il avait aperçue dans la première cale. On ne pouvait accéder à la cache que par la salle de bains du capitaine, à bâbord de sa cabine. Il fallait pour atteindre la trappe qui ouvrait dans le plancher de la salle de bains manipuler un levier dissimulé grâce auquel la cabine de douche dégageait entièrement le mur. Sous la douche, une échelle permettait de descendre dans la cache.

Rashid seul en connaissait l'existence. S'il avait partagé son secret avec l'un ou l'autre de ses éphémères seconds ou membres d'équipage, le monde entier l'aurait connu. Les douaniers de tous les ports où il jetait l'ancre auraient su que sous son allure innocente, *La Mecque* recélait un lieu clandestin.

Ses activités clandestines imposaient de sévères restrictions au capitaine. Il ne pouvait dissimuler autre chose que ce qu'il apportait à bord sans l'aide de son équipage. S'il transportait des armes, des munitions, de la marijuana, de la cocaïne, ou quelque autre cargaison, ces marchandises devaient être empaquetées de façon qu'une personne seule puisse les manipuler. Au port de chargement, il expédiait son équipage en ville pour la nuit comme il l'avait fait à Beyrouth. Une petite embarcation, tous feux éteints, venait se ranger contre la plate-forme de la passerelle de service habituellement quelque part entre la tombée du jour et minuit. On déposait rapidement la cargaison sur le plancher de la cabine du capitaine, juste en dedans de la porte.

Rashid se mettait ensuite au travail. Il déplaçait la douche et ouvrait la trappe. Il installait au plafond, vis-à-vis de la trappe, un système de poulies. Il y glissait une corde qu'il attachait à un petit filet dont il se servait pour descendre la cargaison à travers la trappe et la déposer sur le plancher du compartiment, ou pour la remonter une fois parvenu à destination.

Malgré son âge, le capitaine était toujours dans une excellente forme physique. C'était un homme puissant, au torse lourd. Ses bras musclés témoignaient d'une vie d'intense labeur dans le difficile métier de matelot sur la mer Méditerranée. Pour survivre, il fallait que Rashid soit fort. Il devait être en mesure de soulever une cargaison ou de s'en prendre au monde entier dans une querelle de bar. Il était fier d'être capable de soulever une centaine de livres, un poids très inférieur à ce qu'il pouvait soulever autrefois, mais tout à fait respectable pour son âge. En une heure ou une heure et demie de travail, il parvenait à entreposer convenablement sa cargaison, à refermer la trappe, à enlever son système de poulies et à remettre la douche en place.

De temps en temps, Rashid prenait à son bord un autre genre de cargaison : une cargaison humaine. Il arrivait souvent que quelque être désespéré le cherche dans un de ces bars d'Alexandrie, du Pirée ou de Marseille que fréquentaient les capitaines parce qu'il voulait changer de pays. Il avait prévu dès sa construction se servir du compartiment pour transporter des humains ; en conséquence, il y avait fait installer à tribord une toilette et un évier. C'était primitif et crasseux, mais utile. On n'y trouvait ni bancs, ni chaises, ni mobilier quel qu'il soit, pas même un hublot pour l'aération.

Au cours de ce voyage-ci, la cache du capitaine renfermait une cargaison. Elle aussi, elle était montée à bord à Beyrouth : mille livres d'opium destiné au Koweït, empaqueté dans des sacs de plastique de trente livres et déposé dans des sacs de toile tout ce qu'il y a d'ordinaire. Rashid croyait qu'une fois débarquée, cette chose se fraierait un chemin vers

74

un des superpétroliers qui attendaient d'être gavés de pétrole brut. Celui-ci transporterait ensuite la précieuse neige vers l'Europe ou l'Amérique du Nord. Il ignorait la provenance de l'opium et s'en fichait encore plus. Sans doute provenait-il de l'Afghanistan ou du Pakistan. Il importait seulement que lui-même et les armateurs soient rémunérés grassement en argent comptant pour transporter cette marchandise illicite.

Confiant de ce qu'aucun douanier ne parviendrait à découvrir l'existence du compartiment ou son entrée, le capitaine ressentait néanmoins toujours quelque appréhension lorsqu'il mouillait dans un port tel que celui de Port-Saïd qui fourmillait d'autres navires, de pétroliers, d'embarcations des douanes ou de vaisseaux de la marine égyptienne en maraude. Quelque chose pouvait toujours mal tourner.

La Mecque s'était présentée à l'entrée de Port-Saïd quelques minutes avant vingt-deux heures le soir du 10 mars. Le capitaine avait décidé, puisqu'il n'était pas soumis à un horaire strict, de ne pénétrer dans le port que le lendemain matin. Il repéra l'éclairage familier de la bouée qui démarquait le chenal principal à l'entrée du port et se rendit jeter l'ancre pour la nuit à deux milles à l'ouest de celui-ci. Au cours de la journée, il avait écouté les bulletins de nouvelles en provenance de Beyrouth, du Caire ainsi que de la BBC. Ils rapportaient l'explosion massive survenue dans le port de Haïfa qui avait tué cinquante-trois membres du personnel de navigation, détruit six patrouilleurs israéliens ultramodernes et anéanti trois entrepôts. Les Israéliens ne connaissaient pas encore la cause exacte de l'explosion, mais les autorités soupçonnaient les terroristes de l'OLP d'en être les auteurs. Cela signifiait-il qu'elles soupçonnaient *La Mecque*? Rashid croyait avec Saïd que les autorités israéliennes ne parviendraient pas à établir quelque lien entre la cause et l'effet. Par contre, le patrouilleur qui les avait arraisonnés l'avait fait sur l'ordre des autorités portuaires de Haïfa. Elles savaient que *La Mecque* avait été arraisonnée et abordée par le patrouilleur même qui avait subi le choc le plus violent de l'explosion.

Jusqu'ici, Saïd avait eu raison sur un point. Au moment de la destruction, du chaos et de la panique subséquente, personne n'avait songé à se lancer aux trousses de *La Mecque*.

On ne pouvait en fait rien lancer à ses trousses depuis Haïfa. On aurait pu envoyer un patrouilleur l'intercepter depuis Tel-Aviv. On ne l'avait pas fait. Mais Rashid tournait et retournait la situation en son for intérieur tout en cherchant sur son appareil radio les bulletins de nouvelles. Il était de plus en plus convaincu qu'à la lumière des événements les Israéliens établiraient un rapprochement entre l'abordage de *La Mecque* et l'explosion du port. Son navire n'avait peut-être été ni poursuivi ni escorté pour enquête vers un port israélien tout simplement parce qu'en fin d'avant-midi, le lendemain de l'explosion, il se trouvait non seulement profondément dans les eaux internationales mais aussi, à toutes fins utiles, hors de portée.

À dix-huit heures, le bulletin de nouvelles de la BBC fit tressaillir Rashid qui soupait dans sa cabine. Saïd, qui écoutait le même bulletin grâce à la boîte noire de Hassan, fut lui aussi troublé. Le reporter de la BBC avait ajouté de son étrange accent quelques éléments aux informations qui avaient été diffusées au cours de la journée :

« D'après les autorités israéliennes, l'explosion a été provoquée par une mine télécommandée d'origine russe placée sous la coque de l'un de leurs patrouilleurs dans le port. On ignore encore comment la mine a pu y être placée, mais il s'agit certainement de l'oeuvre des terroristes de l'OLP. »

Le capitaine téléphona aussitôt à Nabil, sur la passerelle de commandement, et lui ordonna d'envoyer chercher Saïd :

« Je veux le voir immédiatement. Vite ! »

Rashid était certain que Nabil dormait durant la visite des Israéliens et qu'aucun membre de son équipage n'avait vu Saïd revenir à bord du navire après avoir installé sa mine. Ils étaient tous trop occupés de l'autre côté de *La Mecque*, sur le pont couvert de caisses amarrées, à faire les ahuris devant le patrouilleur. Sans doute Nabil et le reste de l'équipage avaient-ils entendu les nouvelles de l'explosion de Haïfa au cours de la journée, mais ils n'établiraient pas de rapport avec leur propre navire.

Saïd se retrouva rapidement tête nue, pieds nus et vêtu de ses bleus de travail devant la table du capitaine et regarda le vieil homme agité qui pompait furieusement une cigarette mutilée.

« Vous vouliez me voir ?

— Avez-vous entendu le dernier bulletin de la BBC ? »

D'un léger mouvement de tête, Saïd répondit par l'affirmative.

« Une mine russe ? C'était vraiment une mine russe ? »

Saïd ne répondit pas. Furieux, Rashid écrasa sa cigarette puis se pencha, les paumes à plat sur la table, et grommela à l'intention de Saïd :

« J'aimerais que vous compreniez ceci, espèce de jeune débile. Si vous avez piégé le patrouilleur israélien avec une mine russe et si dans vos damnées caisses — et de la main droite il pointa par-dessus l'épaule de Saïd — vous transportez des mines russes, ne pensez pas alors que je vais faire entrer mon navire à Port-Saïd avec ces choses-là sur le pont, vous êtes complètement fou ! »

Encore une fois le leader de l'OLP ne répondit pas.

« Les Israéliens et les Égyptiens couchent dans le même lit. Même les Égyptiens haïssent l'OLP. Dès qu'on entrera dans le port, la police, la marine, quelqu'un va envahir mon navire. »

Le capitaine se dressa sur la pointe des pieds. Il devait se montrer ferme.

« Je vais faire jeter ces caisses par-dessus bord. »

D'un geste délibérément lent, Saïd enleva ses verres miroitants. Ses yeux bleu cristal étaient de glace et sa voix sifflait entre ses dents :

« Si vous touchez à ces caisses, je vous tue. »

À l'énoncé si tranchant de ces mots, le capitaine se sentit défaillir en son for intérieur.

« Mais, par Allah, on ne peut pas entrer dans le port avec ça sur le pont : des mines russes ! »

Saïd remit ses lunettes. Il n'allait quand même pas dévoiler le contenu des caisses. Le capitaine avait pourtant raison. Les Égyptiens n'avaient rien à perdre et beaucoup à gagner sur le plan de la coopération s'ils donnaient suite à la requête pressante des Israéliens de fouiller *La Mecque* et son équipage de fond en comble. Il s'agirait là d'une simple formalité diplomatique. Il ne parvenait pas à comprendre comment les Israéliens avaient bien pu découvrir qu'il s'agissait d'une mine russe ni même tout simplement d'une mine. Il pensait que l'explosion en ferait disparaître la plus infime trace. Il comprit qu'il aurait dû faire preuve de plus de jugement. Il avait commis une erreur.

« Vous avez raison, reconnut-il. J'ai cherché à travers tout le navire une place où... »

C'était agir contre son instinct profond, mais Rashid leva la main droite.

« J'ai ce qu'il vous faut, dit-il.

— Et nous ? »

Le capitaine assiégé parvint à sourire faiblement.

« Pour vous quatre aussi. »

Il se renversa dans sa chaise, fit signe à Saïd de s'asseoir en face de lui, prit une cigarette et l'alluma d'une allumette tremblante.

« Voici ce que nous allons faire, dit-il à Saïd en expirant son premier nuage de fumée. Je vais distribuer du vin italien à l'équipage. À minuit, tout le monde sera saoul ; quand ces gens-là commencent à boire, ils vont jusqu'au bout.

— Même Nabil ?

— Nabil ? fit le capitaine en s'esclaffant. C'est lui qui roulera le premier en dessous de la table. Voici ce que je veux que vous fassiez, vous et votre équipage. On peut commencer disons à une heure, mais pas plus tôt... »

La Mecque jeta l'ancre dans la noirceur à environ 20h 30. Une fois le navire en sécurité, le capitaine annonça par le système de haut-parleurs qu'à cause de l'impossibilité de débarquer puisque le navire mouillait au large plutôt que dans le port, il accordait à chaque homme, au nom des armateurs, deux litres de vin rouge ou de vin blanc. Il pouvait les entendre crier sur le pont des cabines. Nabil et le timonier qui se trouvait à ses côtés sur la passerelle de commandement saluèrent joyeusement le capitaine et disparurent en direction de la cuisine. Le cuisinier y distribuait déjà des bouteilles et des verres au milieu des rires et du claquement des bouchons de liège. Deux des neuf hommes d'équipage jouaient de la guitare. Ils connaissaient dans sa totalité le répertoire grivois des matelots de la Méditerranée.

Comme prévu, à minuit les bouteilles étaient vides. Les membres d'équipage dormaient tous les neuf. Certains s'étaient rendus à leur couchette, d'autres s'étaient affaissés sur place. Leur nuit de réjouissances s'était déroulée au-dessus du gouvernail du navire. On y avait chanté, crié, blasphémé. Un court combat de boxe avait pris fin par une accolade sans qu'un seul coup de leurs poings d'ivrognes ait atteint sa cible.

À une heure, le capitaine entreprit une tournée de l'étage des cabines. Par mesure de précaution, il secoua chaque homme du coude ou du pied, mais aucun d'eux ne donna signe de vie.

Satisfait, il se dirigea vers la cabine de Saïd, plongée dans la pénombre, frappa à la porte, l'ouvrit à peine et dit :

« Allons-y. »

Les quatre hommes de l'OLP, vêtus de leurs bleus de travail, étaient prêts. Ce travail était le leur et non celui du capitaine. Chaque homme saisit l'une des pinces qui y étaient rangées. Puis ils entreprirent d'ouvrir une à une par le dessus les petites caisses dans l'éclairage faible des feux de position rouges, verts et blancs. Avant l'ouverture de la première caisse, le capitaine Rashid n'avait aucune idée de ce qui l'attendait. Peut-être des objets brillants et gris. Des fusils. Il l'ignorait mais s'attendait au pire. Il fut déçu de n'apercevoir rien d'autre que le dessus de ce qui semmblait être des emballages hermétiques et carrés de styro-mousse. Sa pince déposée par terre, Saïd saisit le premier emballage blanc. Il était lourd et malaisé à déplacer. Les suivants viendraient plus facilement. Il regarda le capitaine qui se retourna, ouvrit la porte de sa cabine, et conduisit Saïd à sa salle de bains. La cabine de la douche était déjà déplacée, la trappe ouverte, la poulie, la corde et le filet, installés.

« Ouvrez-moi le filet, s'il vous plaît », demanda Saïd.

Rashid s'empressa de l'étendre sur le sol en tirant les coins pour former un carré. Saïd y déposa son lourd colis blanc. Trois autres colis l'y rejoignirent bientôt grâce à ses hommes qui suivaient à quelques pas. Saïd décida que huit colis suffisaient pour un premier essai.

« Descends dans la cache, ordonna-t-il à Ahmed. Nous allons te les envoyer. Range-les...

— Rangez-les contre la cloison avant, interrompit le capitaine, près de la toilette. Ne les mettez pas près des sacs. Je vais allumer.

— Qu'y a-t-il dans les sacs ? demanda Ahmed.

— Des graines », répondit le capitaine.

Il s'agissait d'une demi-vérité.

Satisfait de la réponse, Ahmed descendit avec précaution son énorme masse par les marches verticales et pénétra dans le compartiment faiblement éclairé. Une cloison continue courait sur toute la largeur du navire du côté de la proue à une dizaine de pieds à sa gauche ; une cloison semblable faisait de même trois pieds à sa droite. Il apercevait à chaque extrémité du compartiment les côtes d'acier et les plaques courbées de la coque. Ahmed était heureux de constater qu'il y avait là suffisamment d'espace pour leurs armes et leur équipement de même que pour eux.

« Ça semble aller, murmura-t-il par la trappe à l'intention de Saïd. Envoie le filet quand tu voudras. »

Le capitaine regarda depuis l'extérieur de la salle de bains Saïd et Maan haler la corde et réunir les quatre coins du filet. Les emballages carrés et blancs solidement maintenus au fond du filet, celui-ci bascula vers l'ouverture de la trappe en quittant le sol. Il balançait à la façon d'un pendule et Maan le stabilisa. Ils le firent descendre doucement par la trappe et Ahmed le dirigea de la main jusqu'au sol. Il le vida rapidement de son contenu et déposa celui-ci délicatement sur le sol.

« Vous pouvez le remonter », cria-t-il quand il eut terminé.

Puis il entreprit de ranger chaque paquet contre la cloison avant, loin des sacs de graines qui répandaient dans la pièce une odeur particulière, presque un parfum. Ahmed ignorait de quoi il s'agissait, mais il pouvait sentir cette substance depuis qu'il était descendu.

Neuf charges plus tard, trois des caisses avaient été vidées de leur contenu. La quatrième, par contre, captiva l'imagination de Rashid. Saïd, Maan et Hassan en retirèrent deux moteurs hors-bord de quarante chevaux-vapeur et leurs réservoirs de gazoline ; une paire de grands moteurs hors-bord électriques silencieux de même que leurs batteries de cellules humides ; deux paires d'avirons de plastique articulés ; deux grands sacs de marins, contenant chacun un gros objet roulé ; et quatre bouteilles d'oxygène, quatre masques et quatre paires de palmes.

Une fois tous ces objets cachés, il fallait encore transporter dans le compartiment leurs sacs de couchage, tous leurs objets personnels, et suffisamment de nourriture en boîte pour une semaine. Ils ne s'attendaient pas à être enfermés aussi longtemps, mais le capitaine avait recommandé à Saïd de ne pas courir de risque.

Ils brisèrent enfin les caisses de bois et en jetèrent les débris par-dessus bord. Le courant d'un noeud et demi qui courait dans l'entrée de Port-Saïd emporterait les morceaux de bois plusieurs milles à l'est avant l'aube.

À sept heures du matin, le capitaine recommença son opération réveil de Beyrouth et remit en marche son équipage et son navire. Il jeta Nabil encore à demi ivre au bas de sa couchette en lui criant de réveiller le reste de l'équipage et de le mettre au travail. Le navire devait appareiller le plus rapidement possible.

Le capitaine rentra dans ses quartiers et dix minutes passèrent avant qu'il n'entende des pas au-dessus de lui sur la passerelle de commandement, ce qui signifiait que Nabil et le timonier s'étaient finalement repris en main. Lorsqu'il entendit parler les hommes d'équipage qui se dirigeaient vers le gaillard d'avant pour ramener l'ancre, il comprit qu'il était temps de monter.

Au moment de mettre le pied sur la passerelle, les rayons brillants du soleil matinal qui scintillait à travers la vitrine plate mais ébréchée de la timonerie le firent loucher. Encore une fois, la journée serait chaude, humide, étale.

Les yeux de Nabil se ressentaient encore des libations de la veille. Il était toutefois suffisamment perspicace pour s'apercevoir que quelque chose manquait.

« Où sont les caisses, les quatre petites caisses qu'on a chargées à Beyrouth ? »

Le capitaine fit semblant de ne pas entendre. Il manipula l'interrupteur du système de communications avec la salle des machines.

« Salle des machines, êtes-vous prêts pour le départ ? » demanda-t-il.

Un long silence s'ensuivit pendant lequel l'ingénieur-chef, baignant dans son vin, parvint à se traîner jusqu'à son émetteur et à se concentrer suffisamment pour manipuler son interrupteur.

« On est prêts à la salle des machines, capitaine.

— En avant, doucement », dit celui-ci à Nabil.

Une fois l'ancre levée et en sécurité sur le gaillard d'avant et une fois l'ordre « En avant, toute » donné, le capitaine décida de répondre.

« Nos amis de l'OLP ont débarqué hier soir et ils ont emporté leurs caisses. »

Nabil se gratta le front tout en soulevant la visière de sa casquette.

« Hier soir ? J'ai rien entendu.

— Entendu ! rugit Rashid. T'étais saoul mort. Une péniche est venue les charger un peu après minuit. Ça ne me faisait pas de peine de les voir disparaître.

— Ils ont dû se servir de la grue pour les décharger...

— Le plus grand, Ahmed, a fait démarrer la grue en un rien de temps. Il doit être un expert. En dix minutes, il avait transbordé les caisses. »

Hochant la tête d'incrédulité, l'Égyptien murmura d'un ton rêveur :

« Je me demande s'ils avaient quoi que ce soit à faire avec la grosse explosion de Haïfa. »

Se montrant préoccupé par la trajectoire du navire, le capitaine ne répondit pas.

« Quatre-vingt-dix à tribord », ordonna-t-il au timonier tandis que *La Mecque* passait vis-à-vis de la bouée du chenal.

L'ordre suivant du capitaine fut à l'effet de diriger le navire directement dans l'axe du chenal :

« *Yaminak shwayya*, à tribord un peu. »

Cette nouvelle direction les mènerait dans le chenal du port de Port-Saïd. Une demi-heure plus tard, *La Mecque* jeta l'ancre de nouveau, à l'extrémité sud du port de Port-Saïd, cette fois, abritée du vent par un grand paquebot de luxe. Un pétrolier de brut, son lest, se trouvait au nord de *La Mecque* ; un autre pétrolier se trouvait au sud, de même qu'un autre encore au delà de celui-ci. Si on la dédouanait assez rapidement, *La Mecque* formerait un convoi avec ces bâtiments pour entreprendre la descente du canal de Suez au cours de l'après-midi.

À cause de la complexité des procédures, le capitaine Rashid se rendait habituellement lui-même régler les droits de passage. Mais l'incident de Haïfa le mettait mal à l'aise. Il pouvait sentir jusque dans ses os qu'il se passerait quelque chose, qu'il ferait mieux de rester à bord. Si les autorités montaient sur son navire en son absence, Nabil serait en charge et Allah seul sait ce qui risquerait d'arriver. Non, il enverrait plutôt Nabil à terre. De toute façon, nul ne pouvait mieux s'entendre avec un Égyptien qu'un Égyptien. Il pensait aux Égyptiens avec condescendance et à Nabil, avec un peu de dédain. Sans compter que Nabil prendrait de l'expérience et qu'il connaissait sans doute en ville une petite femme avec qui il pourrait passer une heure au lit.

Une fois les procédures de mouillage terminées, Rashid se tourna vers le jeune officier au visage olivâtre.

« Va te raser. Lave-toi. Je veux que tu ailles nous dédouaner au bureau des transitaires. Et je veux que tu aies belle apparence quand tu mets le pied à terre. Tu pourrais prendre une douche, même si c'est la seule du voyage, ajouta le capitaine d'un ton sarcastique. Quand tu seras prêt, rapporte-toi à ma cabine. Je te donnerai de l'argent et je t'expliquerai ce que tu devras faire. »

Rashid fut stupéfait lorsque Nabil se rapporta à lui une demi-heure plus tard. Son second s'était effectivement rasé et douché. Ses cheveux noirs, mouillés, étaient soigneusement peignés. Plutôt que l'habituelle veste débraillée avec ses boutons de cuivre et le col roulé gris sale qu'il portait à bord, il était vêtu d'un uniforme propre et bien pressé dont les manches arboraient deux tresses dorées, d'une chemise blanche immaculée et d'une cravate noire. Il avait même ciré ses souliers et, pour comble, curé ses ongles.

« Allah soit loué ! Je devrais t'emmener à Port-Saïd plus souvent ! »

Le capitaine n'en croyait pas ses yeux.

« Ça doit vraiment être quelque chose. »

Le premier officier sourit ; ses dents blanches, croches et luisantes, indiquaient assez bien ce qu'il anticipait : « une splendeur ». Il dessina de ses mains des formes bombées dans l'espace au niveau de la poitrine.

« Elle a les plus gros, les plus durs... »

Puis ses mains s'abaissèrent vers sa fourche.

« Et puis le plus serré, le plus mouillé, le plus noir... »

Ses yeux injectés de sang regardaient le plafond tandis qu'il se léchait rapidement sa lèvre supérieure moustachue.

Le vieux loup de mer ne pouvait en supporter davantage.

« Au nom du ciel, prends sur toi, Nabil. Tu peux tomber sur un os.

— J'en connais d'autres qui feront tout aussi bien l'affaire, capitaine. »

Il était temps d'en venir aux choses sérieuses.

« Je vais te dire ce que je veux que tu fasses. Rends-toi au bureau des transitaires. Voici l'argent pour les droits de transit, une liste des informations que tu devras fournir, et le certificat spécial de tonnage pour le canal de Suez. Compris ?

— À quelle heure voulez-vous que je revienne ? »

Jamais, si j'avais le choix, pensa le capitaine, mais il répondit plutôt :

« À midi. Midi aujourd'hui, Nabil, midi. Il est presque neuf heures. Penses-tu que tu peux t'occuper de tout et revenir à midi ?

— J'aimerais beaucoup mieux une heure, beaucoup, beaucoup mieux. »

Le second avait le regard implorant.

« D'accord, une heure. Mais pas une minute de plus. Le convoi quitte le port à quinze heures et nous devons le quitter avec lui. Tu comprends ?

— Oui, monsieur. À une heure, monsieur. Je vous en suis très reconnaissant, monsieur. »

Le ton de Nabil était étonnamment respectueux.

« Allez, file ! » grogna le capitaine.

Il voulait que Nabil quitte le bord le plus tôt possible. Si la police ou la marine lui causait quelque embarras à propos de l'histoire de Haïfa, Nabil était la dernière personne qu'il voulait voir à bord pendant l'inspection et les interrogatoires. L'Égyptien détala de la cabine du capitaine, descendit à la course la passerelle de service et sauta dans la petite chaloupe de sauvetage qui faisait eau et où l'attendait le membre d'équipage renfrogné qui ramerait vers l'ouest jusqu'au débarcadère du bureau des transitaires. Le matelot était furieux de s'être vu refuser par le capitaine la permission d'attendre à terre le retour du premier officier. Le maître à bord était trop futé pour laisser descendre deux des membres de son équipage à Port-Saïd quand il fallait absolument qu'ils soient tous deux rentrés pour le départ et qu'au moins l'un des deux soit sobre.

Rashid avait décidé qu'au cours de l'avant-midi il occuperait son équipage, à l'exception du cuisinier et des deux mécaniciens, en lui faisant racler et peinturer le pont. Il était temps de commencer à nettoyer le vieux navire sale, si réfractaire que soit l'équipage. Il avait de plus l'intention de se trouver sur le pont ou sur la passerelle de commandement et d'y surveiller toute embarcation égyptienne officielle qui approcherait. À neuf heures, il avait distribué leur tâche à chacun des membres de son équipage, y compris à celui qui avait emmené Nabil à terre. Ils raclaient tous les cinq le gaillard d'avant mais ils avaient commencé leur corvée en nettoyant le placard à peinture qui recevait plus d'attention depuis deux jours qu'en plusieurs années. L'équipement des membres de l'OLP en avait été retiré durant la noirceur, quelques heures plus tôt. Le capitaine prévoyait que travaillant à la proue du navire, ses hommes d'équipage ne seraient pas dans ses jambes en cas d'abordage. Ils seraient bien entendu disponibles pour les interrogatoires, mais au moins ils ne seraient pas immédiatement dans le chemin ou à portée d'une oreille. Il avait imposé à chacun un secteur précis du pont qu'il devait racler en attendant la peinture. Rashid demanda enfin du café au cuisinier et monta sur la passerelle de commandement pour échapper à la chaleur matinale de plus en plus écrasante.

Lorsqu'on vint lui porter le café sur la passerelle de commandement, il prit une cigarette dans la poche de sa chemise blanche à col ouvert et à manches courtes sur laquelle il avait cousu ses épaulettes de capitaine. Il portait son plus bel uniforme tropical blanc. Quand il s'était éveillé, ce matin-là, il avait décidé de s'habiller convenablement pour accueillir toute équipe d'arraisonnement qui risquerait de se présenter. Pompant avec un air de satisfaction sa cigarette et sirotant son café, il épiait, au delà de son équipage qui travaillait sur le pont, les quais et les bâtiments de la ville qui se trouvaient à l'ouest. Il aperçut de ses yeux scrutateurs la proue basse, grise et élancée d'une petite embarcation qui quittait une jetée cachée dans la région où il savait qu'étaient situés les bureaux des douanes. L'embarcation n'appartenait cependant pas aux douanes. Elle faisait plutôt partie de ces patrouilleurs navals abhorrés. Cette fois, par contre, elle était égyptienne et beaucoup moins armée que le patrouilleur israélien. Elle transportait des tubes lance-torpilles mais pas de lance-fusées sol-sol. Deux mitrailleuses étaient montées sur le pont avant, mais aucun homme ne se trouvait près d'elles tandis que l'embarcation contournait la jetée et pénétrait dans le port. Où se dirigeait-elle ? Il était inhabituel de voir un patrouilleur naval dans le port de Port-Saïd, et d'autant plus inhabituel qu'il provenait du quai des douanes.

Rashid le fixait du regard tout en pompant sa cigarette et en sirotant son café. Le rugissement de ses moteurs lancés à fond lui parvint à travers le plan d'eau, tandis que sa proue légère ultrarapide se dressait puis se replaçait à l'horizontale sur la surface lisse du port. Rashid fut soulagé de le voir virer au nord vers l'entrée du port et disparaître derrière la masse énorme du paquebot qui mouillait entre *La Mecque* et l'extrémité ouest du port. Il se sentit défaillir quelques instants plus tard quand il le vit réapparaître tout près derrière le paquebot et pointant vers l'est. Le patrouilleur ne se trouvait plus qu'à une centaine de verges au nord de *La Mecque*. C'est alors qu'il s'aperçut que tous les matelots qui se trouvaient à bord du patrouilleur regardaient son navire, le regardaient lui. Huit hommes dans leurs uniformes blancs attendaient dans la timonerie. Tous étaient armés. Au moins quatre d'entre eux portaient de puissantes armes automatiques. Quel que soit leur objectif, ils iraient jusqu'au bout. Ça sentait le trouble. Peut-être se dirigeaient-ils vers le labyrinthe de chenaux, ce paradis de la contrebande, à l'est du port. Le souhait du capitaine ne fut pas exaucé.

Quelques verges au delà de la poupe de *La Mecque*, toujours au nord de celle-ci, la canonnière égyptienne effectua un virage serré vers le sud et se rapprocha par l'arrière à tribord du navire. Ils allaient monter à bord.

Le coeur du vieux capitaine battait la chamade alors qu'appréhensif il se précipitait accueillir au haut de la passerelle de service ses visiteurs indésirables. Ses moteurs au neutre, le vaisseau de guerre se rangea bord à bord avec dextérité et rapidement. Rashid lut sur les épaules le grade du leader de l'équipe d'abordage alors qu'il escaladait les marches de la passerelle, suivi de six matelots armés. La visière de sa casquette et ses épaulettes révélaient à Rashid qu'il portait le grade de capitaine de frégate dans la marine égyptienne, un grade très élevé pour le chef d'une équipe d'abordage, même s'il était suivi d'un capitaine de corvette beaucoup plus jeune.

Les formalités d'accueil furent expédiées rapidement dès que le capitaine de frégate mit le pied sur le pont de *La Mecque*.

Celui-ci avait les cheveux gris et un visage étroit, angulaire, et buriné par le temps. Il était mince et droit mais le capitaine de *La Mecque* le dépassait d'une tête. Il en vint rapidement au fait tandis que ses hommes se plaçaient de chaque côté de lui le long du bastingage :

« Je suis le capitaine de frégate Faher. Je suis en charge du district naval de Port-Saïd. J'ai reçu ordre du président... »

Il s'arrêta, tout à son plaisir de laisser tomber ce nom prestigieux.

« ...du président lui-même de procéder à une fouille complète de ce... »

Il laissa son regard traîner dédaigneusement de l'un à l'autre côté du vaisseau délabré.

« ...de ce navire. »

Rashid commença à abattre ses atouts :

« Puis-je savoir pourquoi le président fait tant d'honneur à *La Mecque* ? »

Le capitaine de frégate Faher lui laissa deviner qu'il était un homme impatient, surtout avec ses inférieurs :

« Allons donc, capitaine. Vous avez sûrement été mis au courant par les informations de la gigantesque explosion de Haïfa. Six patrouilleurs ont été détruits et plus de cinquante personnes tuées.

— Je veux bien, mais qu'est-ce que j'ai à voir dans tout ça ? demanda le capitaine en haussant les épaules.

— Une canonnière israélienne vous a abordé avant-hier, non ?

— Oui. Au large de Haïfa, dans les eaux internationales. J'ai l'intention de porter plainte. »

Le capitaine de frégate compatissait. Malgré la paix qui prévalait entre les deux pays, la haine que chaque Égyptien vouait aux Israéliens ne faiblissait pas. Il déplaisait souverainement au capitaine de frégate d'agir au nom de la marine israélienne. S'il n'avait pas reçu cet ordre de la bouche même de son président bien-aimé...

« Ils n'en feront jamais d'autres. Ils pensent que le monde leur appartient, renâcla-t-il. D'après ce qu'ils racontent, il serait possible qu'au moment où leur patrouilleur abordait votre navire quelqu'un ait trouvé le moyen de le piéger avec une mine.

— C'est ridicule, protesta Rashid. Ils ont passé dix, peut-être quinze minutes à bord. Nous nous mêlions de nos affaires, nous nous dirigions vers Port-Saïd quand ils nous ont arraisonnés. Comment au nom du ciel quiconque aurait-il pu dans ces circonstances aller placer une mine ? Nous n'étions pas prévenus. Vous pouvez questionner mon équipage. Aucun d'eux ne pourrait même reconnaître une mine. »

Le capitaine de frégate croisa les bras.

« Allons donc, capitaine. Vous aviez quatre soldats de l'OLP à bord. »

L'Égyptien parlait d'un ton suffisant, sachant qu'une telle affirmation prendrait le capitaine par surprise. Il examina soigneusement le visage de Rashid, mais rien dans son expression ne le trahit. Il lui tendit un nouveau piège :

« Ils ont quitté votre bord la nuit dernière pendant que vous étiez ancré à l'extérieur du port. »

Extérieurement, Rashid ne montra pas sa surprise, mais en son for intérieur, il était renversé. Un fin finaud, vraiment, ce capitaine de frégate.

« Qui est-ce qui vous a raconté de pareilles sornettes ? »

Le visage du capitaine de frégate prit de nouveau un air suffisant.

« Nous surveillons votre navire depuis l'aube. Quand votre second a mis pied à terre, nous l'avons intercepté. Nous avons eu, lui et moi, une conversation amicale autour d'un café. En bon et loyal Égyptien, il voulait expédier ses affaires le plus rapidement possible, alors il m'a raconté tout ce qu'il savait ! Quatre soldats de l'OLP menés par un dénommé Saïd qui porte des verres fumés jour et nuit. Ils sont montés à bord à Beyrouth. On y a aussi chargé quatre caisses. Lorsqu'ils se sont aperçus que les Israéliens vous arraisonnaient, les hommes de l'OLP ont prévenu vos matelots qu'ils les tueraient tous s'ils les donnaient aux Israéliens. Lors de la venue à bord des Israéliens, les hommes de l'OLP se trouvaient à la proue, au centre du navire et à la poupe. Mais votre Nabil n'a pu rendre compte des allées et venues de leur leader.

— Au moment de l'abordage, il n'était pas de quart, il dormait dans sa cabine.

— Oui. C'est ce qu'il a dit. Mais les matelots qui se trouvaient sur le pont lui ont raconté qu'ils n'avaient pas vu le leader. Il est donc possible qu'il ait plongé et piégé le patrouilleur.

— C'est impossible ! dit le capitaine en hochant la tête.

— Peut-être, reprit le capitaine de frégate en haussant les épaules. J'ai reçu l'ordre de passer ce navire au peigne fin. Votre second n'a vu ni les hommes de l'OLP débarquer la nuit dernière, ni les caisses transbordées sur une péniche. S'ils se trouvent toujours à bord de votre navire, j'ai l'intention de les découvrir. »

Il s'arrêta, visiblement agacé par le cours de son action.

« Comprenez-moi bien, capitaine. Mes ordres me viennent du président lui-même. Je ne suis pas un sympathisant d'Israël. »

Le capitaine Rashid pensa qu'il pourrait se prendre d'affection pour ce petit homme.

« Quand vous aurez terminé votre fouille, capitaine, je vous attendrai avec du café dans ma cabine. »

En moins de vingt minutes, le capitaine Faher et ses hommes avaient fouillé *La Mecque* de part en part, depuis la salle des machines et les cabines jusqu'aux placards de la poupe et à la cale du gaillard d'avant. Ils avaient fouillé les cales tant à l'avant qu'à l'arrière du navire. Ils avaient soigneusement examiné les quatre véhicules qui étaient amarrés sur le pont avant. Ils avaient ouvert chacune des énormes caisses des compresseurs et vérifié leur contenu puis les avaient refermées. Faher était convaincu que pas le moindre pied carré du navire ne lui avait échappé.

Une fois son inspection terminée, le capitaine de frégate se rendit à l'invitation qui lui avait été faite de prendre le café. Les deux hommes discutèrent poliment de navires et de politique. Au moment de prendre congé Faher demanda la permission au capitaine d'utiliser sa salle de bains. Malgré ses appréhensions, Rashid ne pouvait qu'accepter. Il lui sembla que Faher y restait enfermé beaucoup trop longtemps bien qu'il n'y ait sans doute pas passé plus de quatre minutes. L'Égyptien en sortit finalement. Il prit sa casquette et s'apprêta à prendre congé. Tendant la main au capitaine Rashid, le capitaine de frégate Faher lui dit :

« Bien sûr, j'aurais embelli ma feuille de route si j'avais trouvé ce que je cherchais. Mais aussi bien vous le dire, capitaine, comme Arabe, comme Égyptien et comme officier de marine, j'ai été ravi de ce qui s'est passé à Haïfa. J'aurais donc été très malheureux, très désappointé si j'avais découvert les hommes de l'OLP. Vous pouvez me croire, je ressens la plus vive sympathie à l'endroit du peuple palestinien. Aussi, capitaine, suis-je heureux d'avoir échoué. Mais, entre nous, vous devriez huiler le levier qui permet de découvrir la trappe qui se trouve sous votre douche. Il colle. »

Rashid ne put cacher son étonnement. Sa mâchoire tomba de surprise tandis que le capitaine de frégate quittait vivement sa cabine et disparaissait avec ses hommes par la passerelle de service.

6

11 mars, 18h
Océan Atlantique

À 18h le 11 mars, le H.M.S. *Splendid* voguait à une profondeur de 500 pieds, à mi-chemin entre l'île Santa Maria, à
l'extrémité est des Açores, et Madère à bâbord. Depuis qu'il
avait dépassé le phare du Finisterre, le panorama mouvant de
l'écran de sonar avait capté le bruit de quarante vaisseaux.
Comme l'indiquait le graphique, il s'agissait dans trente-trois
cas de pétroliers qui transportaient leur précieuse cargaison de
brut, sans laquelle l'Europe de l'Ouest ne pouvait survivre,
vers les ports du nord ou filaient en lest vers le sud et le cap de
Bonne-Espérance qui se trouvait encore à une distance de
6000 milles. Rendus là, ils bifurqueraient graduellement vers
l'est puis vers le nord et remonteraient l'océan Indien vers le
détroit d'Ormuz et le golfe Persique ou, selon la terminologie
des Arabes de la région, le golfe Arabique.

Le capitaine s'était retiré dans sa cabine, au premier
étage, à l'avant du poste de commande. Il avait décidé de
manger seul dans le petit compartiment où sa couchette, son
bureau, ses armoires, ses filières, deux chaises et un évier le
mettaient à l'étroit. Un appareil téléphonique se trouvait sur
son bureau. Au-dessus de celui-ci, des étagères contenaient
des publications officielles, des cartes, et une pile de livres de
poche londoniens parmi les plus récents. Un indicateur de profondeur, une horloge et un baromètre, les instruments les
plus essentiels à la navigation, surplombaient les étagères.

Il avait mangé sans se presser. Le plat principal consistait
en crevettes au cari que le plus élevé en grade des deux
stewards du carré des officiers, l'officier Robert Joyce, un
homme courtaud et doux, originaire de Glasgow, lui avait

proprement servies après avoir placé sur le bureau un napperon de toile raide et des ustensiles neufs d'argent luisant dont chaque pièce portait le nom *Splendid* sur son manche. Pour couronner le tout, Joyce avait versé dans une chope d'argent une pinte de bière blonde avant même de lui servir à manger.

À la blague, Leach avait demandé à Joyce pourquoi on lui servait du cari indien.

« Après tout, sir, répondit presque en riant celui-ci, nous nous dirigeons vers...

— Oui, je sais, l'océan Indien. »

Le téléphone noir, qui contrastait avec le napperon blanc, sonna brusquement.

« Pritchard au contrôle, sir. J'ai une lecture sonar. Ça ressemble à un épouvantail. »

Laissant là son steward étonné, le capitaine se précipita vers la salle du sonar. Pritchard s'y trouvait, derrière l'officier marinier Pratt et son assistant qui tous deux, assis, portaient des écouteurs. Leurs yeux étaient rivés à l'écran du sonar.

Un bref instant, ils se détournèrent vers le capitaine alors qu'il pénétrait dans la pièce en demandant :

« Où est-il ? »

Pritchard indiqua le côté inférieur droit de l'écran.

« Là, par le travers à environ un mille à tribord. Il gagne du terrain sur une trajectoire parallèle.

— Il gagne du terrain ? lança le capitaine étonné. Bon sang. Nous filons à trente noeuds et il gagne du terrain ?

— Oui, sir ! »

L'officier marinier Petty vérifia les chiffres rouges que lui transmettait l'ordinateur.

« Par dix noeuds.

— Sa profondeur ?

— Huit cents pieds. Avec une portée de 9500 verges. »

Il fallait qu'il soit américain ou russe. Avec une telle vitesse, il ne pouvait s'agir que d'un vaisseau d'attaque du même genre que le *Splendid*.

La voix de l'officier de quart chargé du sonar était calme.

« Dans un instant, j'aurai décodé sa signature, sir. Elle se trouve déjà dans l'ordinateur. »

L'identification surgit en lettres rouges derrière la vitre noire de l'ordinateur, sur le gros appareil qui se trouvait contre la cloison arrière de la salle du sonar. Elle tenait en un mot : *Alfa.*

Leach connaissait les sous-marins soviétiques Alfa. Il n'en existait encore que quatre en état de service. Ils appartenaient à une génération issue des Novembre du début des années 60 et des Vainqueur qui leur avaient succédé. Leur équipage ne comptait que cinquante hommes alors que le sien comptait douze officiers et quatre-vingt-cinq hommes. Plus petit que le *Splendid,* l'Alfa mesurait 260 pieds contre les 272 du sous-marin britannique. Il jaugeait 3300 tonneaux contre les 4500 de Leach. Il pouvait filer à plus de trente-deux noeuds tandis que le *Splendid* ne dépassait pas les trente noeuds. Bien que moins lourd et moins massif, il générait une puissance très supérieure de 24 000 chevaux-vapeur grâce à son réacteur nucléaire et à sa turbine tandis que le *Splendid* n'en générait que 15 000. Il n'était donc pas surprenant qu'il gagne du terrain.

« Est-ce qu'il nous a repérés ? Est-ce qu'il nous fouette ? »

Une réponse affirmative signifierait que « l'épouvantail » maintenant transformé en « bandit » à cause de son identité soviétique activait son propre sonar et lançait dans les eaux avoisinantes d'énormes ceintures énergétiques qui bondissaient contre tout objet se déplaçant dans les profondeurs de l'océan. Au contraire, s'il n'activait pas son sonar, c'est qu'il se contentait de percevoir et d'enregistrer sans que ses gigantesques écouteurs émettent la moindre pulsion énergétique.

« Oui, sir », répondit Pratt en hochant vigoureusement la tête.

Malgré ses écouteurs, il entendait aussi bien le capitaine que les sons électroniques et ses yeux se déplaçaient des commandes à l'écran géant.

« Il a commencé à nous fouetter dès son apparition à l'écran.

— Nous le tenons et il nous tient, ajouta Pritchard.

— Mais il disparaîtra bientôt à moins de vouloir jouer au fou. »

L'énorme carte grise de l'écran du sonar vacilla tout à coup et des lignes causées par l'interférence y coururent comme sur un appareil de télévision.

« Bon sang, qu'est-ce que c'est ? »

Le capitaine avait presque crié.

« J'aimerais bien le savoir, répondit Pritchard. Je n'ai jamais rien vu d'approchant et ça n'apparaît nulle part dans les manuels d'instructions. »

L'image réapparut quelques instants sur l'écran. Elle provoqua une nouvelle commotion. Marcus Leach en croyait à peine ses yeux :

« Vingt dieux ! Un autre de ces damnés sous-marins. »

La trace d'un second sous-marin apparaissait à l'écran. Il voguait à environ un mille derrière le premier bandit, mais légèrement à bâbord. Un Alfa ? Un Américain qui se faufilait dans l'ombre ?

« C'est un quoi ? » demanda Leach d'une voix où perçait un sentiment d'urgence.

Pratt manipulait furieusement les boutons de sa console, tentant de saisir la signature du sous-marin et d'en nourrir l'ordinateur, quand l'image disparut de nouveau de l'écran pour laisser place aux lignes horizontales.

Il continua à enfoncer des boutons, à déplacer des interrupteurs et à manipuler des cadrans. Puis soudain il enleva ses écouteurs et les tendit au capitaine, par-delà Pritchard.

« Écoutez, sir. Je n'ai jamais rien entendu de pareil de toute ma chienne de vie. »

Leach porta l'un des écouteurs à son oreille gauche. Il entendit un signal ondulatoire, un son curieusement identique au son blanc de la bande de fréquence relativement étroite qu'émettaient les moteurs, les mécanismes et les hélices d'un sous-marin, mais à une intensité beaucoup plus élevée, beaucoup plus pénétrante.

« Qu'est-ce que vous en pensez, sir ? » demanda Pritchard qui s'était retourné dans sa chaise et regardait le capitaine écouter le son singulier.

Leach écouta quelques secondes encore avant de répondre :

« Je n'en ai pas la moindre idée. Je n'ai jamais rien entendu d'approchant. »

Il rendit les écouteurs à l'officier marinier et s'adressa à Pritchard :

« Il est possible que notre propre sonar fasse défaut. Il faudrait le vérifier tout de suite. Je vais prendre votre quart pendant ce temps-là.

— À vos ordres, sir. »

De retour dans la salle des commandes, Leach envoya Smith, le messager de garde, chercher son second. En attendant l'arrivée du lieutenant de vaisseau Paul Tait, il s'assit entre les deux hommes de quart au poste de pilotage et lut de ses yeux d'expert les instruments qui se déployaient devant lui.

Lorsque son grand second dégingandé pénétra en coup de vent dans la salle des commandes, chaussé de sandales, Leach lui demanda d'aller jeter un coup d'oeil à l'écran du sonar et d'écouter le son que captaient les écouteurs. Tait disparut aussitôt.

Il revint quelques minutes plus tard, le front plissé sous ses longs cheveux bruns filandreux.

« Qu'en pensez-vous, Paul ? »

Perplexe, Tait fixait le vide. Il tournait et retournait dans sa tête les informations dont il disposait. Puis il regarda Leach.

« Je ne sais vraiment pas, sir. C'est la première fois que je fais face à un tel problème. Il y a probablement quelque chose de détraqué dans notre appareil. »

Une idée traversa l'esprit de Leach. Il se leva et se rendit de nouveau passer la tête par l'encadrement de la porte de la salle du sonar où Pritchard et les deux hommes de quart procédaient aux vérifications habituelles.

« Est-ce que l'Alfa nous fouette encore ?

— Non, sir, répliqua l'officier marinier Pratt qui avait remis ses écouteurs. Il a arrêté juste avant le commencement du grand bruit, juste avant que je vous passe les écouteurs.

— Mais vous pouviez l'entendre nous fouetter malgré le grand bruit. Celui-ci n'a pas couvert le fouet.

— C'est exact, sir.

— Et notre sonar de sécurité ?

— Nous l'avons essayé, sir, répondit Pritchard en haussant les épaules. Nous avons obtenu le même résultat. Le grand bruit, comme dit Pratt. »

De retour à la salle des commandes, le capitaine s'appuya à l'arbre du périscope et soupesa ces nouveaux éléments d'information. Il pouvait s'agir de deux choses : ou bien une pièce fonctionnait mal dans leur propre sonar ou bien quelque force extérieure générait un bruit assourdissant et ravageur sur la fréquence blanche. Il se souvint qu'il avait parcouru un rapport d'espionnage quelques mois plus tôt. Qu'y disait-on ? Que les Soviétiques avaient testé quelque émetteur de son sur leur « piste de course » au nord de la presqu'île de Kola, dans la mer de Barents. Le rapport ne soulevait aucune hypothèse sur les applications de cet appareil. Il indiquait simplement que la chaîne défensive d'écouteurs sous-marins de la mer de Norvège avait capté de courtes émissions de ce son.

Que l'interférence provienne d'un dérèglement des appareils du sous-marin ou d'une source extérieure située bien au-dessous de la profondeur de périscope, qui coïncidait avec la portée du radar, le *Splendid* n'en était pas moins aveugle. Le système de navigation inerte du sous-marin fonctionnait-il encore ?

« Pilote, le système inerte fonctionne-t-il ? »

Le navigateur sembla pris au dépourvu par la question même s'il avait perçu la commotion qu'avait provoquée le sonar.

« Pas de problème, sir. »

Le système de navigation n'avait donc pas été affecté. Sans sonar, pourtant, le *Splendid* était non seulement aveugle mais inutile comme vaisseau de combat. Le sous-marin d'attaque pouvait faire beaucoup lorsque les yeux de son sonar fonctionnaient. Il pouvait agir sans soutien contre des bâtiments de surface. Il menait à terme les opérations aériennes et antisubmersibles en ce sens que les patrouilles aériennes autonomes « localisaient » le vaisseau ennemi, qu'un hélicoptère en « indiquait la position » et que le sous-marin le

« détruisait ». Grâce en partie à la possibilité qu'on avait de le munir du sonar le plus gros et le meilleur, le sous-marin d'attaque constituait aussi en soi un merveilleux vaisseau anti-submersible à cause de son format, de son puissant réacteur nucléaire et de sa capacité de rester immergé plusieurs semaines de suite. Il était en mesure de lancer par ses tubes lance-torpilles une variété de munitions pour soutenir une flottille comme celle qu'il s'en allait rejoindre dans la mer d'Arabie. Mais sans sonar, le *Splendid* ne pouvait rien accomplir de ce pourquoi on l'avait construit.

Pritchard apparut dans la porte derrière le capitaine :

« Sir, nous avons terminé nos vérifications.

— Et alors ? »

Leach connaissait déjà la réponse de son officier chargé du sonar.

« Le sonar principal et le sonar de sécurité sont en parfait état. L'interférence provient d'une source extérieure.

— C'est probablement pourquoi l'Alfa a cessé de nous fouetter. Il reçoit sans doute le même grand bruit. Celui-ci doit couvrir la réception sur son sonar en marche.

— C'est bien ça, sir, approuva Pritchard.

— Que vos hommes de quart me préviennent dès que ce damné bruit disparaîtra — s'il disparaît, bien sûr — ou si la situation change de quelque façon. Vous pouvez reprendre votre quart.

— À vos ordres, sir. »

Le capitaine invita son second à prendre une bière. Sans attendre la réponse de Tait, Leach se dirigea par le couloir vers l'avant du vaisseau où se trouvait le carré des officiers, étroit mais confortable. Il n'y avait personne. Les officiers qui n'étaient pas de quart se trouvaient à l'étage inférieur, au carré des sous-officiers, où ils regardaient l'un des films récents dont la cinémathèque du *Splendid* était amplement pourvue. Joyce, le steward, plana vers eux dès qu'ils pénétrèrent sur son territoire. Il prit leur commande et leur apporta sur-le-champ deux bouteilles de bière blonde. Leach s'écrasa dans le fond de la banquette qui épousait la courbure de la coque du vaisseau. Son second, perché sur une petite chaise rembourrée, étendit ses longues jambes et ses grands pieds sur une autre.

« Alors, qu'est-ce que tu en penses, Paul ? demanda Leach.

— J'aimerais bien le savoir. Ça doit être une invention diabolique des Russes.

— Ou des Américains, ou même de nos propres chercheurs.

— Peut-être, dit Tait en souriant. Qu'est-ce que vous proposez, sir ? »

Le second ne pouvait user de familiarité avec son capitaine. Celui-ci lui était très supérieur en grade. Ils n'avaient jamais servi ensemble sur un pied d'égalité et Leach n'avait jamais permis et ne permettrait jamais à Tait de s'adresser à lui par son prénom.

« D'après moi, nous devrions soit faire surface soit monter à profondeur de périscope et dans un cas comme dans l'autre agir immédiatement. »

Le capitaine en était venu à cette conclusion avant de quitter la salle des commandes, mais il voulait que son second lui donne son opinion loin de l'oreille indiscrète du reste de l'équipage.

Tait était alarmé :

« Vous n'y pensez pas, sir. Faire surface en pleine nuit, sans sonar, dans un des couloirs de navigation les plus occupés du monde. Les risques de collision...

— Sont très élevés, je suis d'accord, termina le capitaine. Mais ici aussi les risques de collision existent. Peut-être pas aussi élevés, c'est possible. Nous savons qu'il y avait deux sous-marins. Le deuxième est probablement un Alfa lui aussi. Il se trouvait à six milles derrière nous et gagnait du terrain quand le sonar a flanché. En ce moment, ils sont probablement tout aussi aveugles que nous et ils peuvent se trouver juste derrière. Tant que nous sommes plus bas que la profondeur de périscope, nous risquons la collision. Bien sûr, le risque est peut-être minime, mais il existe. D'un autre côté, si nous nous retrouvons près de la surface, nous serons en mesure de nous servir de nos yeux et de notre radar. Le risque de collision n'existera pratiquement plus.

— Sauf en cours de remontée.

— C'est vrai, reconnut Leach. En outre, je veux dès que possible contacter l'Amirauté, lui faire rapport sur ce qui est arrivé et lui demander ses instructions. »

Leach ne pouvait émettre lorsque le *Splendid* était complètement immergé. Il ne pouvait le faire que s'il faisait surface ou, encore, s'il voguait à profondeur de périscope en sortant son antenne.

Le second n'était toujours pas convaincu :

« Ne serait-il pas préférable d'attendre à l'aube, sir ?

— Je ne crois pas. »

Le capitaine avait pris sa décision. Il n'avait bu qu'une seule gorgée de bière. Il déposa son verre, tendit la main vers l'interrupteur du haut-parleur qui se trouvait juste derrière lui, sur la cloison. Tourné vers l'émetteur, il abaissa l'interrupteur et dit :

« Pilote, ici le capitaine. »

La voix du navigateur grailla dans le haut-parleur depuis la salle des commandes :

« Ici le pilote. Je vous écoute, capitaine.

— Quelles sont les conditions atmosphériques en surface ? »

Dans la salle des commandes, les oreilles se dressèrent. Pourquoi le vieux posait-il une telle question ?

« D'après le dernier rapport, sir, qui remonte à 16h Zoulou [temps moyen de Greenwich], nous sommes dans une région de haute pression. Vents de cinq à six noeuds de 85 degrés. Ciel découvert. Roulis presque inexistant.

— Et la température ?

— Soixante-dix-huit degrés, sir. »

Alors qu'il se levait pour quitter le carré des officiers, Leach se tourna vers Tait et lui dit :

« Ça devrait aller. La nuit est belle, Paul. Espérons seulement qu'un de ces damnés pétroliers ne viendra pas se mettre en travers de notre route. »

Son second le suivit dans la salle des commandes. Leach saisit le microphone du système de communication interne du sous-marin et vérifia qu'il fonctionnait en enfonçant son bouton par deux fois. Il entendit l'écho du cliquetis se répercuter d'un bout à l'autre du vaisseau et prévenir l'équipage que quelque chose s'annonçait. Même ceux qui dormaient s'éveillèrent, leurs oreilles sensibilisées aux signes avant-coureurs d'une communication.

« Ici le capitaine. Dans quelques instants nous remonterons jusqu'à la profondeur de périscope et je tiens à vous dire pourquoi. Notre sonar est hors d'état. Il a subi une interférence extérieure des plus bizarres sous forme d'un grand bruit sur la bande de fréquences où il fonctionne habituellement. Il en a résulté que notre vaisseau est maintenant aveugle dans les fonds. Sans entendre, nous ne voyons rien. »

Il se dit qu'il avait bien tourné son explication.

Puis, comme il l'avait fait à l'intention de son second au carré des officiers, il exposa le déroulement de son raisonnement.

« Chacun doit prendre conscience qu'il existe un risque de collision en remontant à l'aveuglette, du moins jusqu'à ce que nous atteignions la profondeur de périscope. À cinquante pieds de profondeur, nous pouvons regarder autour de nous et nous assurer qu'aucun de ces damnés pétroliers ne fonce sur nous. La plupart des pétroliers ont un tirant d'eau inférieur à cinquante pieds ; ils passeraient donc au-dessus de nous. Mais de nos jours, certains des superpétroliers chargés ont un tirant de quatre-vingt-dix pieds ou même davantage. Si nous avons des problèmes, ça sera à cause de l'un de ceux-ci. Mais je suis à peu près certain qu'il n'arrivera rien. Je suis certain qu'une fois le périscope levé je ne découvrirai de navire nulle part. Nous allons donc remonter jusqu'à la profondeur de périscope pour jeter un coup d'oeil aux alentours et nous nous servirons de notre radar pour éviter les collisions. Dès que l'interférence sera terminée, nous plongerons et reprendrons le cours normal des opérations. »

Il poursuivit en rapportant à ses hommes les conditions atmosphériques de la surface.

« Ça sera tout. Au travail, s'il vous plaît. »

Il remit le microphone à sa place.

Le *Splendid* filait toujours à 500 pieds.

« Montez à 150 pieds.

— Cent cinquante pieds, sir. »

Le timonier répéta l'ordre reçu tout en tirant doucement ses commandes. Le pont s'inclina légèrement vers le haut tandis que les réservoirs de lest commençaient à se remplir d'air. Le *Splendid* était en route pour la surface.

À la console des commandes, le second, qui avait remplacé Pritchard, donna un flot ininterrompu d'ordres à l'homme de quart chargé de noyer et de remplir d'air les minces réservoirs ainsi que de gonfler le principal réservoir de lest.

Le *Splendid* remontait rapidement.

Assis dans sa chaise, Leach écoutait le caquetage des ordres et des réponses qui se croisaient dans la salle des commandes.

« Deux cents pieds, sir. »

Les jauges de profondeur confirmaient à ses yeux le chiffre qu'on venait de lancer. Légèrement nerveux, il alla se tenir auprès du périscope. Il était temps de réduire la vitesse. S'ils devaient heurter un autre vaisseau, il était inutile de le faire à toute vitesse.

« Demi-régime.

— Demi-régime, sir. »

Il pouvait sentir les hélices et le vaisseau lui-même ralentir.

« Cent cinquante pieds, sir. Nous sommes à 150 pieds, sir. »

Il garderait son sous-marin quelques minutes à cette profondeur pour s'assurer que son second trouvait son assiette et pouvait lui conserver un niveau rapproché du point neutre de flottabilité si difficile à atteindre qui lui permettrait de demeurer à la profondeur de périscope désirée sans sauter hors de l'eau comme un bouchon. Il voulait qu'au haut du périscope l'oeil de verre émerge, mais qu'il ne s'élève pas à plus d'un pied au-dessus de la surface.

« Cinquante pieds ! lança-t-il dans l'éclairage rouge de la salle des commandes qui avait été réduit de façon à permettre au capitaine de mieux voir dans la nuit.

— Cinquante pieds, sir. »

Un mouvement léger sur les commandes. Un vague gonflement des réservoirs.

« Levez le périscope ! »

L'arbre lourd qui se dressait à la verticale au milieu de la salle des commandes répondit instantanément. Sous la pression d'huile, des pistons poussèrent vers le bas des poulies et leurs câbles invisibles qui élevèrent dans un puits le puissant périscope binoculaire et bifocal, capable de voir et de scruter des milles à la ronde, jusqu'à ce que son oculaire s'arrête en face du visage expectatif du capitaine.

« Cent pieds, sir. »

Leach abaissa les poignées du périscope. Une question traversa son esprit. Serait-il préférable d'arrêter les moteurs de façon à ce que le *Splendid* n'avance pas ? Les dommages seraient-ils moins importants en cas de collision ? Il avait déjà réfléchi à ces questions auparavant et décidé de ne pas arrêter. Il avait décidé que si son vaisseau filait à, disons, quinze noeuds lorsque le périscope atteindrait la surface et qu'un de ces grands pétroliers monstrueux fonçait sur lui, ses barres de plongée auraient assez de mordant à cette vitesse pour permettre au *Splendid* de passer cinquante pieds plus bas sous la coque du plus grand pétrolier qui soit. Il s'en tiendrait donc à ses quinze noeuds.

« Soixante-quinze pieds, sir. »

Leach saisit les poignées du périscope et plaça celui-ci dans l'axe du sous-marin. Puis il riva ses yeux à l'oculaire.

Sa voix s'éleva dans la salle des commandes :

« Apprêtez-vous à plonger d'urgence. Si je donne l'ordre de plonger, poussez-moi les contrôles à travers la cloison !

— À vos ordres, sir ! » répondit le timonier d'un ton vif.

Leach ne voyait rien d'autre, à travers l'oeil de verre plat du périscope, qu'une noirceur lisse.

« Nous arrivons à cinquante pieds, sir.

— Levez le radar. »

Et puis la nuit parut, à peine un changement de ton dans la noirceur. Une strie d'écume blanche, une phosphorescence, puis une nouvelle noirceur, plus claire. Le périscope avait fait surface et il était bien dégagé.

En avant, rien. Un rapide mouvement du périscope vers tribord, balayant quatre-vingt-dix degrés d'horizon. Au loin, des feux de position verts et blancs. Pas de problème.

Un brusque mouvement avant de commencer à balayer à bâbord. Il n'en avait pas examiné plus de vingt degrés depuis la proue quand il aperçut le premier feu de position. Il était rouge et rapproché. Encore plus à bâbord. Un feu vert !

« Jésus-Christ, il s'en vient droit sur nous ! »

Les mots s'affolaient dans la conscience de Leach. Sa distance ? Dans la noirceur et en une fraction de seconde il l'évalua à environ 300 verges.

« Plongez ! Plongez ! Plongez ! » s'entendit hurler Leach.

Il sentit le vaisseau s'incliner vers l'avant tandis qu'il relevait les poignées du périscope en criant :

« Abaissez le périscope ! Abaissez le radar ! En avant, toute ! »

Le sous-marin se rapprochait de l'angle de plongée maximum que lui permettait son mécanisme. À la poupe, l'hélice du *Splendid* se débattait furieusement et poussait, poussait. Le périscope finit de s'enfoncer en claquant dans son puits.

Il ne pouvait rien faire d'autre que d'attendre. Attendre.

« Soixante pieds, sir. »

Oui, il savait que c'était soixante pieds. Ses yeux étaient rivés aux jauges de profondeur qui réagissaient plus lentement qu'elles ne l'avaient jamais fait. Les secondes passèrent. Soixante-cinq pieds. D'autres secondes. Soixante-dix pieds. D'autres secondes. Quatre-vingts pieds.

Il pouvait entendre le battement de l'hélice bouillonnante du gargantuesque pétrolier, son bruit qui se réverbérait contre la coque du *Splendid*. Le bruit se rapprochait, s'amplifiait, pétrifiant, omniprésent.

D'autres secondes.

Quatre-vingt-dix pieds. Le crescendo du bruit assourdissant de l'hélice secoua le *Splendid* de la proue à la poupe. Ce battement sourd signifiait la mort et le désastre pour chaque homme de l'équipage du *Splendid*. Au moment où le bruit dévastateur atteignait sa plus grande intensité, un long hurlement se fit entendre au-dessus, aussi aigu que le crissement d'un bout de craie sur un tableau noir. Le son disparut après deux secondes aussi rapidement qu'il avait commencé. La foudre assourdissante du moteur et de l'hélice du pétrolier commença aussitôt à diminuer. Lentement puis plus rapidement, leur bruit ronflant s'éloigna vers le nord et la distance entre les deux vaisseaux s'élargit.

Les membres de l'équipage du *Splendid,* dont plusieurs avaient été secoués par la conduite brusque de leur vaisseau, savaient ce qui venait de se produire, ce que signifiait le bruit brutal juste au-dessus d'eux, et, craignant pour leur vie, commencèrent à se reprendre en main. Le capitaine, s'étant redressé et ayant remis ses esprits en place après l'avoir échappé de si peu, ordonna d'une voix calme, très maître de lui :

« Cent vingt-cinq pieds !

— Cent vingt-cinq pieds, sir. »

Une fois le sous-marin dans son assiette à cette profondeur, le capitaine reprit le microphone en main. Après avoir vérifié comme à l'accoutumée qu'il fonctionnait, il dit :

« Ici le capitaine. J'imagine qu'il est évident aux yeux de chacun que nous venons de l'échapper belle.

— Par un poil de touffe, entendit-il marmonner le timonier.

— Voici ce que j'ai l'intention de faire. À l'ouest, la mer est dégagée. Je l'ai vérifié juste avant d'apercevoir le pétrolier qui fonçait sur nous. Nous allons filer durant dix minutes puis nous ferons surface. Il est possible qu'il y ait des dégâts. Mais je suis à peu près certain qu'aucun navire ne se trouve où nous allons faire surface. »

Il lâcha le bouton du microphone et cria en direction de la salle du sonar :

« Rien de neuf sur le sonar, Pritchard ? »

La tête du jeune officier parut dans le cadre de la porte.

« Non, sir, toujours bousillé. »

Leach reprit le microphone :

« Il n'y a toujours rien de neuf du côté du sonar, dit-il. Nous allons donc poursuivre notre route en surface comme je l'ai dit plus tôt. Au travail, s'il vous plaît. »

Dix minutes plus tard, Leach fit remonter son vaisseau à profondeur de périscope. Celui-ci levé, il apparut que l'horizon était clair et dégagé sauf à bâbord vers l'arrière où l'on apercevait qui s'éloignaient les feux de position du pétrolier qui avait failli les tuer.

« La voie est libre, lança-t-il à son second. Emmenez-nous à la surface. Abaissez le périscope. Arrêtez les moteurs. Barre de direction zéro. Barres de plongée zéro ! »

Le *Splendid* baignait confortablement à la surface de l'Atlantique Sud et la houle le berçait doucement. Ordre fut donné de lever la tourelle et de la vider de son eau, d'ouvrir la trappe inférieure et d'allumer le système d'éclairage. Avant de monter les échelons de la tourelle, Leach mit sa casquette tressée d'or et demanda au messager de quart d'aller lui chercher une lampe de poche. Il faudrait qu'il examine quelque chose au sommet de la tourelle dans la pénombre de la petite passerelle. Le jeune Smith revint en moins de vingt secondes.

« Coince-la sous ta chemise et suis-moi. »

Le jeune homme, qui n'avait pas plus de dix-sept ans, était ravi d'avoir le privilège d'accompagner son capitaine et d'être le premier à le suivre sur la passerelle.

« À vos ordres, sir.

— La tourelle est éclairée, sir, confirma-t-on.

— Quelle est votre pression ?

— Il n'y a plus de pression, sir. »

Smith le suivit dans l'échelle jusqu'au sommet de la tourelle.

« Éclaire-moi, jeune homme. »

Dans le vacillement de la puissante lumière, Leach dégagea les deux crochets de la trappe supérieure. De la main droite, il la repoussa facilement.

Le capitaine se retrouva rapidement sur la petite passerelle. L'acier du vaisseau brillait tandis que l'eau de mer s'écoulait à travers le treillis de lattes du pont. Leach s'efforça d'ajuster sa vision à la nuit noire qui l'entourait et vérifia rapidement tout autour si des feux de position se déplaçaient sur la mer d'ébène. Il n'en aperçut pas d'autres que ceux de leur presque Némésis, quelques milles au nord, qui offraient aux yeux du maître du *Splendid* la superstructure de sa poupe et ses feux de position de bâbord.

Leach en se penchant tendit la main au jeune matelot qui se pressait derrière lui avec la lampe de poche dont il avait tant besoin. Derrière Smith, dont les pieds incertains étaient maintenant solidement plantés sur la passerelle de la tourelle, venait le second qui transportait l'aviophone portatif ainsi qu'une extension du système de communications. Ces deux appareils étaient essentiels à la navigation du vaisseau en surface.

Leach fit un pas en arrière sur la passerelle en attendant que Tait l'y rejoigne. Dans la pénombre, il n'était éclairé que par les ampoules de la tourelle, à travers la trappe.

Le capitaine aurait habituellement déjà ordonné d'allumer les feux de position, mais l'examen du dessus du vaisseau le préoccupait à tel point qu'il avait oublié de lancer cet ordre routinier.

Une fois son second à ses côtés à l'arrière de la passerelle, Leach regarda vers la poupe. La forme cylindrique de la poupe noire du vaisseau était soulignée par l'écume phosphorescente de l'eau de mer qui la léchait. Leach alluma la lampe de poche et laissa glisser son puissant rayon de lumière depuis le sommet plat de la tourelle jusqu'à l'endroit où, vingt pieds derrière, se trouvaient les péricopes d'attaque et d'observation, de même que le mât du radar. À l'examen, Leach s'aperçut que cette partie de la tour était intacte, que le dessus des instruments rétractés était au niveau du dessus du vaisseau et qu'ils n'avaient subi aucun dommage.

Le sommet de la tourelle aurait dû être d'un gris métallique mat à cause de ses couches protectrices de peinture à haute teneur en plomb. Pourtant il brillait comme de l'acier nu. Aucune rainure n'y apparaissait. Le métal était simplement lisse et nu ; il luisait comme s'il venait d'être poli. Puis Leach dirigea le rayon de lumière vers sa droite, le long du bâbord de la passerelle, et poursuivit jusqu'au milieu de la courbure qui formait l'avant de la tourelle. La surface peinte se terminait abruptement en une ligne qui courait à un angle approximatif de vingt degrés de l'axe du vaisseau.

Cette ligne de démarcation apparut de nouveau à tribord de la tourelle, derrière la passerelle, sous la lampe de Leach. À 160 degrés dans l'axe de la proue, elle correspondait à la première.

Involontairement, le capitaine respira vivement entre ses dents tandis qu'il prenait conscience de ce qu'il venait de voir. Son second en eut le souffle coupé :

« Jésus-Christ, la quille de ce damné pétrolier... »

Leach, incrédule mais heureux d'être en vie, ne put résister :

« Il nous a presque tondus. »

Il revoyait en son for intérieur l'énorme quille du pétrolier monstrueux qui le tondait gentiment puis hurlait contre le sommet de la tourelle, presque nez à nez avec le *Splendid* et renfonçait à peine le sous-marin tout en glissant doucement sur le sommet de la tourelle du milieu de la passerelle à l'arrière comme une meule gigantesque.

« Un pied ou deux de plus et il nous aurait eus, dit Tait.

— Plutôt six pouces, répliqua le capitaine. »

Leach se dirigea vers l'aviophone et cria :

« Salle des commandes, m'entendez-vous ? »

La voix qui répondit appartenait au patron du navire, l'officier marinier-chef Richards :

« Votre voix est vaguement étouffée mais je vous entends bien, sir.

— Donnez-moi une lecture du transmetteur d'ordres.

— Transmetteur d'ordres sur stop, gouvernail de profondeur zéro.

— Feux de position sur la passerelle. Officier de pont et vigies sur la passerelle. Vérifications : levez et abaissez les deux périscopes et tous les mâts ; envoyez quelques hommes avec des lampes de poche sur le pont pour vérifier les dommages !

— À vos ordres, sir », répondit automatiquement le patron du vaisseau.

Leach regarda les périscopes et les mâts monter et redescendre. Il fut heureux de constater qu'ils fonctionnaient normalement. L'officier de quart et deux hommes d'équipage qui agiraient comme vigies montèrent sur la passerelle, puis le capitaine emprunta les échelons jusqu'à la salle des commandes, suivi de son second et du messager de quart qui portait la torche électrique.

Dans la lueur rosâtre de la salle des commandes, les visages étaient tous tournés vers le capitaine.

« Partons, Paul. Aussitôt que l'inspection sera terminée, plonge-nous à profondeur de périscope. Je suis certain qu'ils ne trouveront rien. Replace-nous sur la route que nous suivions quand nous avons été si brutalement interrompus. Demande à l'homme de quart sur la passerelle et au radar d'ouvrir l'oeil. Je dois commencer ma guerre de papier. »

Il était obligatoire que tout accident ou incident soit consigné par écrit jusque dans les moindres détails. L'Amirauté examinerait ceux-ci à la loupe. Si l'on jugeait que le capitaine avait commis une erreur, il passerait en cour martiale.

« Mais je dois d'abord préparer mon message à l'Amirauté. Demande au télégraphiste de se tenir prêt. Je devrais l'avoir terminé dans une quinzaine de minutes. »

Les télégraphistes portaient maintenant le titre de surveillant des communications, mais les officiers persistaient à les appeler télégraphistes.

Attablé à son bureau, dans la privauté de sa chambre, le capitaine de frégate Marcus Leach rédigea laborieusement, de son écriture verticale et ferme, le message qu'il destinait à l'Amirauté. Il décrivit l'interférence dont le sonar avait été victime et demanda, le cas échéant, des explications et des instructions. Puis il rédigea un rapport préliminaire sur la collision évitée de justesse avec le superpétrolier, indiquant la latitude et la longitude de l'endroit où l'incident était survenu, demandant qu'on transmette au *Splendid* l'identité du navire. À Faslane puis à Whitehall, le message enverrait galoper les officiers d'état-major dans tous les coins. Il serait facile de découvrir l'identité du pétrolier grâce aux photographies des satellites et à la Lloyd's de Londres. Entre autres choses, il serait intéressant de savoir quel navire avait failli les couler.

Moins d'une heure après avoir expédié son message, la première d'une série de réponses arriva. Le télégraphiste remit la feuille de papier au capitaine toujours occupé par la rédaction de son rapport préliminaire sur l'incident du pétrolier. Le message se lisait ainsi :

« Votre visiteur est l'*Esso Atlantic*, propriété d'Exxon Corporation. Construit au Japon en 1977 ; tonnage pleine charge 509 000, vitesse 15 noeuds ; enregistré au Liberia ; longueur 1334 pieds, tirant pleine charge 91 pieds ; voyage principalement du golfe Persique aux ports d'Europe du nord. Décharge aussi dans le golfe du Mexique. »

« Quatre-vingt-onze pieds de tirant ! pensa Leach. Pas surprenant que le dessus de ma tour ait été rasé. »

Il s'agissait de la première de deux rencontres entre le H.M.S. *Splendid* et le majestueux *Esso Atlantic* de l'Exxon Corporation. La seconde surviendrait plus d'un mois et demi plus tard, le premier mai, au large du Cap, en Afrique du Sud.

7

11-13 mars
Camp David — Diego Garcia

Le dimanche 10 mars, le président modifia son horaire de la semaine suivante. Selon la version officielle, John Hansen avait annulé tous ses rendez-vous jusqu'au vendredi suivant pour se reposer durant quatre jours dans sa retraite de Camp David. Il avait depuis longtemps décidé qu'il n'avait pas l'intention de se tuer à la tâche même s'il jouissait à soixante et un ans d'une excellente santé et qu'il pouvait travailler dix-huit heures par jour, sept jours par semaine. Il avait compris que ses responsabilités étaient si lourdes et qu'elles couvraient un éventail si vaste de questions tant intérieures qu'extérieures, qu'un homme ne suffirait pas à la tâche, que l'énormité de la pression pouvait tuer et que lui, John Hansen, n'en arriverait pas à cette extrémité. Il avait donc clairement laissé savoir qu'il se retirerait de temps à autre dans l'isolement de Camp David et qu'il en préviendrait à la dernière minute son état-major, le public et, tout compte fait, Judith Hansen, sa jeune femme.

Le président et sa femme arrivèrent à Camp David peu avant dix-sept heures, l'après-midi du lundi 11 mars. Un convoi de journalistes et de photographes prit bonne note de leur arrivée. On entendit quatre fois, au cours de la soirée et de la nuit, le battement d'hélicoptères qui arrivaient et repartaient. Rien que de très habituel lorsque le président se trouvait à Camp David. L'énorme appareil de la marine qui servait la plupart du temps aux déplacements du président ne s'était pas présenté. Celui qui atterrit à deux heures, la nuit du 11 au 12 mars, était un appareil beaucoup plus petit, un bimoteur à une seule hélice. Fidèle à son horaire, il avait accueilli ses quatre passagers : deux hommes du service secret, Judith Hansen et le président. Ils n'emportaient pas de bagages. Ceux-ci se trouvaient déjà à bord d'Air Force One qui les attendait à la base militaire d'Andrews.

Le pilote d'Air Force One, un Boeing 707 brillant, reçut la permission de décoller de la tour de contrôle à 4h 1 le mardi 12 mars alors qu'il se dirigeait vers l'extrémité de la piste, ses feux de position allumés, ses puissants phares perçant la nuit noire devant lui, les éclats stroboscopiques blancs tressaillant à l'extrémité de ses ailes. À 4h 6, Air Force One avait décollé et s'éloignait rapidement d'Andrews en mettant le cap vers l'est. Le capitaine avait programmé son ultime destination, située à plus de dix-sept heures de vol, dans son système de navigation inerte. Il procéda à d'autres ajustements du système complexe de contrôle et de navigation électronique de l'appareil. L'avion du président volerait durant 10 200 milles sans que le pilote ou le copilote touche aux commandes jusqu'à une minuscule île de l'océan Indien. En plus du président et de sa femme, le secrétaire d'État Eaton, le secrétaire de la Défense Robert Levy, le conseiller du président en matière de sécurité nationale Walter Kruger, et le chef de l'état-major de Hansen, Jim Crane, se trouvaient à bord. Quatre hommes du service secret les accompagnaient ; ils appartenaient à l'équipe hautement entraînée de Washington dont la principale raison d'être consistait à protéger le président, le vice-président et tous les membres de l'administration qui avaient aux yeux de la loi droit à la protection.

Le président Hansen passa les premières heures de l'envolée en compagnie des membres de son cabinet et de Kruger. Judith, à ses côtés, ne perdait pas un mot des discussions. De temps en temps, elle y allait d'une question ou d'un commentaire approprié. Elle faisait tout autant partie de l'équipe de son mari que chacun de ces hommes. Un peu en retrait, Crane écoutait la conversation et prenait des notes. Les quatre hommes du service secret occupaient un compartiment situé à l'avant de l'appareil, près de la cabine de pilotage. Ils placotaient, lisaient, jouaient aux cartes et dormaient.

Avant qu'Air Force One n'atteigne les rives de l'Afrique du nord-ouest, un repas avait été servi et le président et sa femme s'étaient retirés dans leurs quartiers situés à l'arrière de l'appareil pour y dormir. Tandis qu'il fonçait vers l'est dans le ciel clair, sombre et parsemé d'étoiles du Niger, en Afrique centrale, John Hansen, le président des États-Unis d'Amérique, reposait nu, étendu sur le côté sous des draps de soie, son énorme main droite enserrant le sein ferme de sa jeune femme dont le dos et le derrière arrondi étaient appuyés contre son torse et ses cuisses satisfaites.

À 7 h 10, heure locale mercredi matin, Air Force One se posa doucement sur Diego Garcia, une île minuscule de l'océan Indien située à mille milles marins au sud de la pointe sud de l'Inde et à quelque 2200 milles, à cinq jours de voile, des rives du Pakistan. Personne n'habitait Diego Garcia à l'exception du personnel naval des États-Unis chargé de maintenir la base et d'une poignée de Britanniques qui dirigeaient un centre de communications de concert avec les Américains.

Diego Garcia faisait partie des Territoires britanniques de l'océan Indien, créés en 1965 pour servir de site aux entreprises militaires conjointes É.-U./G.-B. Au milieu des années 70, le gouvernement des États-Unis avait signé avec la Grande-Bretagne un accord qui lui permettait d'établir à Diego Garcia une base navale permanente. Depuis ce temps, les États-Unis avaient continué d'améliorer les installations navales et aériennes de l'île. La piste d'atterrissage originale de 8000 pieds, construite à l'ouest de l'atoll, avait été allongée de 4000 pieds. La lagune, dont la largeur maximale était de douze milles et la largeur de vingt-quatre, avait été draguée pour accommoder les porte-avions américains les plus lourds. On avait construit des quais, des hangars et des bâtiments pour le personnel, et augmenté substantiellement la capacité d'entreposage de carburant. Les ateliers d'entretien maritime se trouvaient près de la cale sèche qui avait été fabriquée au Japon en 1980 et installée dans la lagune de Diego Garcia, juste au nord de la piste.

À la demande du président Hansen, le capitaine d'Air Force One fit le tour de l'île avant d'atterrir pour que le président et son équipe aient un bon aperçu de l'eau cristalline et de l'ombre qui jouait dans les bancs de corail entourant le rivage plat. Ce matin-là, comme la plupart des matins sur une île où tombe chaque année jusqu'à 145 pouces de pluie, celle-ci battait de ses rafales l'étendue de l'atoll.

Hansen se sentit de bonne humeur lorsqu'il aperçut le majestueux porte-avions *Dwight D. Eisenhower* qui mouillait dans la lagune de Diego Garcia, son énorme masse grise entourée d'un bouquet de cinq destroyers et d'un croiseur. Il était toujours transporté par la puissance brute qui exsudait des grands navires de guerre, surtout s'il s'agissait de ceux de son pays. Tandis qu'il faisait le tour de l'île perdue de Diego Garcia, le président sentit monter en lui une puissante bouffée d'orgueil pour sa marine et son pays. Il était de sa responsabilité de leur conserver à tous deux leur force.

Le président et sa femme, tous deux vêtus de leurs vêtements blancs les plus légers, furent accueillis sur la piste détrempée de Diego Garcia par l'officier amiral du *Dwight D. Eisenhower*, suivi de son capitaine et du commandant de la base. La pluie cessa de tomber le temps que le président passe en revue la garde d'honneur de cent hommes de l'équipage de l'*Eisenhower* trempés jusqu'aux os. Puis on les transporta, lui et son équipe, sur le pont du porte-avions à bord d'hélicoptères. Lorsqu'il descendit de l'hélicoptère sur le pont ensoleillé, Hansen aperçut de l'autre côté de la piste un voile de pluie grise qui approchait du navire. À bord, la cérémonie d'accueil fut heureusement brève. Celle-ci terminée, on les escorta Judith et lui à l'intérieur de la haute superstructure de l'*Eisenhower* tandis que le nouveau déluge de pluie enveloppait le navire.

Le général Mujeeb-Ul-Rehman, le nouveau président du Pakistan, était arrivé à Diego Garcia quarante-cinq minutes plus tôt dans son petit avion à réaction et avait été escorté jusqu'à l'*Eisenhower*. Il avait attendu l'arrivée du président Hansen avec les deux généraux pakistanais qui l'accompagnaient dans la salle de conférence du porte-avions. C'est à cet endroit qu'au milieu des formules de politesse les deux hommes se rencontrèrent pour la première fois. Le capitaine de l'*Eisenhower* et Judith quittèrent la salle de conférence pour entreprendre une tournée du porte-avions et les deux équipes de négociations s'installèrent face à face autour de la longue table.

Hansen n'avait pas eu vraiment le temps de prendre la mesure de Mujeeb. Il lui fallait évaluer l'homme lui-même qu'il connaissait pourtant très bien aux dossiers que lui avaient fournis Kruger et le secrétaire d'État. Mujeeb était de taille moyenne et paraissait ses cinquante ans. Ses cheveux noir jais, renvoyés vers l'arrière, surmontaient un front large. Ses yeux étaient profondément enfoncés dans leurs orbites et cernés de fatigue. Il portait de même que ses collègues une moustache noire bien taillée. Le sourire qu'il avait facile encadrait souvent ses dents égales et immaculées. Son visage avait à peu près le même teint que son uniforme kaki pâle à col monté. Mujeeb semblait plutôt affable, même s'il laissait paraître sa nervosité en présence d'un si puissant homme.

Le président Hansen ouvrit les délibérations en expliquant par le menu la position des États-Unis en rapport avec l'accroissement des forces soviétiques en Afghanistan et au long de la frontière soviéto-iranienne. Il insista sur la possibilité accrue d'une intervention soviétique au Pakistan, en Iran et dans les contrées du golfe Persique. Il expliqua les difficultés que rencontraient les Américains en n'ayant pas à leur disposition une base d'opérations depuis laquelle ils seraient en mesure de déployer rapidement des forces pour protéger les contrées du golfe Persique ou défendre le Pakistan selon les termes du traité de 1959 qui obligeait les États-Unis à venir en aide au Pakistan contre tout agresseur.

« Je veux vous apporter la confirmation, président Mujeeb, qu'aux yeux des États-Unis le traité de 1959 est toujours valide et que nous avons les mains liées.

— Mon gouvernement est d'accord, monsieur le Président, répondit Mujeeb en souriant. En fait, nous croyons que l'existence de ce traité a contribué à décourager l'Union soviétique de nous envahir avec ses forces afghanes, du moins pour l'instant. Mais nous partageons vos préoccupations. L'augmentation des forces soviétiques en Afghanistan est — comment dire ? — plutôt voyante. Au Pakistan, vous le savez très bien, nous sommes virtuellement sans défense. Mon prédécesseur n'a jamais pu se convaincre lui-même de négocier avec les États-Unis une entente dont nous avions besoin.

— Peut-être croyait-il qu'en négociant avec nous il encourrait la colère de l'Inde en même temps que celle de l'Union soviétique, lança le président.

— Peut-être, reconnut Mujeeb. Le hasard veut que je connaisse son point de vue sur ces questions, mais il n'est plus là et les Soviétiques menacent plus que jamais. Mon pays connaît des difficultés économiques et nous avons besoin d'aide pour nous défendre. Néanmoins, monsieur le Président, je ne veux pas vous diriger sur une fausse piste en vous laissant croire que nous sommes à ce point désespérés que nous vous laisserions partir avec les meubles, comme vous dites. »

Mujeeb sourit de nouveau.

Hansen lui rendit son sourire en hochant la tête en guise de protestation.

« Non, monsieur le Président, je ne pense pas que vous nous laisseriez partir avec les meubles, pas plus que mon gouvernement ne voudrait vous forcer à le faire. »

Hansen savait pour sûr qu'à l'instar de la plupart des Pakistanais, Mujeeb était un bon marchandeur, un commerçant, un vendeur.

Celui-ci devait abattre maintenant son premier atout :

« Notre prix pour satisfaire à vos exigences sera élevé, très élevé. Vous devez en être conscient d'entrée de jeu. Après tout, vous ne nous avez toujours pas dit ce que vous vouliez. Mais j'imagine que c'est bien davantage que la simple disposition du port ou de l'aéroport de Karachi.

— En effet.

— Sinon, pourquoi le président des États-Unis se donnerait-il la peine de venir si loin rencontrer une personne aussi misérable, aussi insignifiante que moi ? »

Hansen faillit répliquer à la réflexion dépréciative de Mujeeb, mais résista à la tentation.

Mujeeb ne souriait plus lorsqu'il ajouta :

« Mes collègues et moi croyons que vous avez l'intention d'installer des troupes et de l'équipement sur le sol pakistanais, que c'est là la raison de votre séjour ici. Est-ce que je me trompe, monsieur le Président ?

— Non.

— Comme je viens de vous le dire, le prix sera élevé. Très élevé.

— Si vous êtes disposé à discuter du prix, président Mujeeb, c'est que vous êtes disposé à nous accueillir, dit le président Hansen en souriant à son tour. Je vais vous dire ce que nous voulons. Vous nous fixerez votre prix. »

8

Le jeudi 14 mars, Air Force One s'était posé sur la piste de la base militaire d'Andrews où l'attendait un petit hélicoptère de la marine qui devait poursuivre jusqu'à Camp David. Peu après quatre heures, cet après-midi-là, la limousine présidentielle partit pour la Maison Blanche. Toujours conscient de la nécessité d'entretenir de bonnes relations avec la presse, le président descendit parler aux journalistes et aux photographes qui l'attendaient près de la barrière de Camp David. Le président s'était-il bien reposé durant ces trois jours ? Quand pensait-il que le rationnement de l'essence prendrait fin ? Croyait-il que des mesures législatives seraient nécessaires pour en maintenir le prix à trois dollars le gallon ? Les États-Unis interviendraient-ils par suite du renforcement soviétique sur la frontière iranienne ?

Le président contourna chaque question avec l'art d'un politicien chevronné. Les journalistes expérimentés comprirent rapidement qu'ils n'auraient pas grand-chose à se mettre sous la dent. Lorsqu'après dix minutes de conversation il remonta à bord de la limousine, personne n'ajouta quoi que ce soit.

Lors des conférences de presse présidentielles, toutes les chaises du salon est de la Maison Blanche étaient occupées. Dès son retour à Camp David, le président avait décidé de convoquer la presse pour le lendemain. L'objet de la conférence de presse n'avait pas été annoncé, ce qui piquait la curiosité des meilleurs journalistes du pays. Hansen avait d'abord pensé s'adresser directement à la nation, puis changé d'avis. La couverture journalistique serait amplement suffisante.

Sur le coup de dix heures, le matin du 15 mars, le président John Hansen pénétra dans le salon est et se dirigea rapidement vers le lutrin. Chacun s'était levé tandis qu'il gravissait les marches de l'estrade en regardant la mer de visages.

« Bonjour, mesdames et messieurs, dit-il, puis il attendit que tout le monde soit assis. Comme vous le savez, ma femme et moi sommes allés à Camp David lundi. Mon secrétaire de presse a expliqué que je m'y rendais parce que j'avais besoin de repos. J'avais effectivement besoin de me reposer mais je ne l'ai pas fait. Judith et moi sommes effectivement allés à Camp David mais sans nous y arrêter. Nous avons quitté par hélicoptère à deux heures du matin mardi pour la base militaire Andrews où nous avons rejoint le secrétaire d'État, le secrétaire de la Défense, le conseiller en matière de sécurité nationale et Jim Crane, mon chef d'état-major. Nous nous sommes envolés de la base d'Andrews à quatre heures du matin en direction de Diego Garcia, une île de l'océan Indien où nous avons atterri dix-sept heures plus tard. »

Il y eut un remous dans la pièce provoqué par les journalistes qui se demandaient les uns aux autres où diable se trouvait Diego Garcia. Les plus futés, cependant, montraient qu'ils savaient tout en prenant des notes. Mais que diable le président des États-Unis était-il allé faire à Diego Garcia ?

« L'objet de ce voyage était de rencontrer secrètement le président d'un pays dont le futur est vital pour les intérêts supérieurs des États-Unis. Il s'agit du général Mujeeb-Ul-Rehman, président du Pakistan. »

La rumeur des conversations en aparté se fit entendre de nouveau tandis que les magnétophones et les caméras de télévision enregistraient la scène et que plumes et crayons volaient furieusement. Quelques visages stupéfaits fixaient Hansen du regard. La pièce où les meilleurs journalistes américains commençaient à analyser sur-le-champ ce qu'ils entendaient vibrait de tension. C'était une primeur, une énorme primeur. Certains souhaitaient se précipiter vers un téléphone, mais l'étiquette d'une conférence de presse présidentielle l'interdisait.

Hansen exposa les motifs qui l'avaient poussé à une telle action. Il était impérieux, face à la menace militaire de plus en plus importante des Soviétiques, d'en arriver à un nouvel accord avec le Pakistan, et d'en arriver là rapidement. Il fallait agir en secret et à l'échelon le plus élevé.

Son préambule terminé, le président mit ses verres à double foyer et lut le texte qu'il avait préparé :

« Je suis heureux de vous annoncer qu'à 10 heures du matin, heure locale hier à Diego Garcia, le président du Pakistan, le général Mujeeb-Ul-Rehman, au nom de son gouvernement, et moi-même au nom du gouvernement des États-Unis avons signé un accord qui permet aux États-Unis d'envoyer au Pakistan autant de forces terrestres, navales et aériennes que le gouvernement des États-Unis le jugera nécessaire eu égard aux circonstances. L'entente interdit les armes nucléaires. Les forces militaires déployées au Pakistan le seront à la seule fin de protéger le Pakistan contre toute attaque, mais cette restriction ne s'appliquera pas dans le cas où une action militaire au Proche-Orient menacerait les intérêts vitaux des États-Unis.

« En échange du droit d'entrée des forces américaines au Pakistan, les États-Unis livreront au gouvernement du Pakistan la valeur de deux milliards de dollars en chasseurs, tanks, fusées sol-air et autres armements susceptibles de renforcer la capacité des forces pakistanaises de défendre leur pays. La livraison de ces armes commencera le 7 mai, le jour même où les forces américaines auront la permission de débarquer. Il nous faudra tout ce temps pour rassembler les hommes et les emmener par paquebots au Pakistan. Le Congrès devra en outre sanctionner cette entente avant qu'elle n'ait force de loi. Les leaders des deux partis, tant au Sénat qu'à la Chambre des Représentants, m'ont assuré de leur soutien. Je m'attends donc à ce que le Congrès procède rapidement à sa ratification.

« En plus de leur assistance militaire, les États-Unis fourniront au Pakistan une aide économique de quatre milliards de dollars au cours des trois prochaines années. Cette aide servira à l'achat de nourriture, à la construction résidentielle, à la création de nouvelles industries et au bien-être général du peuple pakistanais. La presque totalité des achats effectués à l'étranger dans le cadre de cette entente le sera aux États-Unis. Les États-Unis aideront de plus le Pakistan à refinancer sa balance de paiements.

« Le débarquement des forces américaines au Pakistan fera savoir à l'Union soviétique qu'elle ne peut avoir les mains libres au Proche-Orient, qu'elle ne peut envahir le Pakistan ou l'Iran comme elle l'a fait en Afghanistan. Il fera connaître à l'Union soviétique la détermination des États-Unis à s'opposer de toutes leurs forces et toute leur puissance à toute menace envers l'intégrité et la souveraineté des nations arabes et perse dont dépendent le monde occidental et le Japon pour leurs approvisionnements de brut. L'Europe de l'Ouest importe quatre-vingt-seize pour cent de son brut. Soixante et un pour cent de ce brut provient du golfe Persique. Le Japon, qui importe la totalité de son brut, en importe soixante-douze pour cent du golfe Persique. Les États-Unis, qui importent de nos jours quarante-neuf pour cent de leur brut, importent trente-quatre pour cent de ce brut du golfe Persique. Les approvisionnements ne peuvent être ni interrompus, ni modifiés. Les États-Unis doivent donner l'assurance aux pays exportateurs qu'ils ne se retrouveront pas sous la botte des Soviétiques.

« Le temps est venu pour les États-Unis de tracer au Proche-Orient une ligne que les Soviétiques ne pourront pas franchir. Cette ligne tracée, nous devons démontrer que nous sommes en mesure de la faire respecter en déployant des forces armées sur terre, dans les airs et sur mer, des forces capables de repousser les Soviétiques.

« Cette entente avec le Pakistan constitue un pas de géant vers la réalisation de ces objectifs dans un but pacifique et stabilisateur. »

Le président laissa de côté son texte et enleva ses lunettes.

« Mesdames et messieurs, j'ai terminé mon allocution de ce matin. Avez-vous des questions ? »

Onze mains se levèrent dans l'espoir d'attirer l'attention. Le président choisit la correspondante du *New York Times*. Les autres se reprendraient.

« Monsieur le Président, demanda-t-elle, quelle sera, croyez-vous, la réaction des Soviétiques à cette entente ?

— Les Soviétiques ont l'habitude d'agir comme bon leur semble en Afrique et au Proche-Orient. Ils sont hypersensibles dès qu'il s'agit de leurs régions frontalières. En conséquence, je crois que nous pouvons nous attendre à une campagne de propagande soutenue. L'agence Tass, la *Pravda* et la *Izvestia* hurleront certainement qu'il s'agit là d'une invasion du Proche-Orient par les impérialistes et les capitalistes américains. Les Soviétiques prendront probablement des mesures contre nous aux Nations unies. Ma réponse est donc que je m'attends de leur part à une réaction violente. »

Il se mit à regarder l'auditoire. C'était le signe qu'il avait terminé sa réponse et qu'il accepterait une autre question. Il choisit parmi ceux qui se levèrent le correspondant du *Chicago Tribune* qui lui demanda :

« Monsieur le Président, croyez-vous possible que les Soviétiques considèrent l'entrée des États-Unis au Pakistan comme une agression telle qu'elle les justifierait de déclencher la guerre ?

— En un mot, non. Ils menaceront sans le moindre doute. Mais selon l'évaluation de nos conseillers, ils ne prendront pas le risque d'une confrontation avec nous. »

La question suivante vint du correspondant du *Washington Post* :

« Monsieur le Président, plusieurs rumeurs ont fait état de ce que le Pakistan avait mis au point une bombe nucléaire. L'Inde en particulier s'en inquiète comme elle s'inquiète de tout renforcement du Pakistan puisqu'elle voit en ce pays un ennemi. Pourriez-vous nous faire part de vos commentaires ? »

Hansen fit signe que oui.

« L'accord contient une clause par laquelle le Pakistan s'engage, pour la durée de notre séjour, à ne pas déployer, à ne pas menacer d'utiliser et à ne pas effectivement utiliser d'armement nucléaire, ainsi qu'à interrompre le développement de tel armement — dont il nie l'existence. Les Pakistanais ont affirmé qu'ils n'hésiteraient pas le moindrement à signer une telle clause puisqu'ils ne travaillaient pas à la mise au point d'une arme nucléaire. Je comprends par ailleurs les préoccupations du premier ministre de l'Inde. À ses yeux, le Pakistan a toujours constitué une menace et l'Inde a protesté chaque fois que des armes ou des avions ont été livrés à ce pays. Notre présence au Pakistan devrait produire un sentiment d'équilibre et alléger ses préoccupations. Notre traité d'alliance de 1959 avec le Pakistan, dont la nouvelle entente constitue un prolongement, contient une clause selon laquelle nous aiderons le Pakistan quel que soit son agresseur. L'Inde n'était pas très heureuse de ce traité en 1959 et elle ne le sera pas davantage de celui-ci. »

Le journaliste du *Wall Street Journal* lui demanda :

« Monsieur, avez-vous consulté nos alliés de l'OTAN au sujet de cette entente ou de votre intention d'envoyer des troupes au Pakistan ?

— Non. Je n'ai pas eu le temps. Le Pakistan et le golfe Persique sont très éloignés du territoire qui tombe sous la juridiction de l'Organisation du Traité Atlantique Nord. Les membres européens de l'OTAN ne veulent pas s'impliquer au Proche-Orient, bien que j'éprouve quelque difficulté à comprendre leurs motifs puisque la continuité de leur approvisionnement en brut les intéresse énormément plus que nous. Mais à l'exception des Britanniques, ils ont décidé de ne pas s'impliquer. Ceux-ci ont assigné une flottille à notre Cinquième Flotte dans la mer d'Arabie près du golfe Persique. J'ai effectivement parlé au premier ministre en fin d'après-midi hier, lorsque je suis rentré à Camp David. Quant à nos autres alliés de l'OTAN, non, je ne les ai pas consultés. Il s'agit d'une action unilatérale des États-Unis. Si nos alliés de l'OTAN veulent nous soutenir, ils peuvent le faire en supprimant leur frontière du tropique du Cancer au delà de laquelle les forces navales de l'OTAN ne peuvent manoeuvrer, une chose qu'ils auraient dû faire il y a des années. »

La question suivante serait la dernière. Elle vint du représentant de l'Associated Press :

« Ma question ne concerne pas directement le sujet, monsieur le Président. Les Soviétiques ont activé un mécanisme de brouillage de sonar dans l'Atlantique le 11 mars. C'est la première fois qu'ils utilisaient un tel mécanisme. Quel en est le but ?

— À première vue, il est clair que le système de brouillage du sonar a pour but de rendre inopérationnels tous les sonars, actifs comme passifs, qui reposent dans les fonds de l'Atlantique. Il rend de même inopérationnels les sonars de tous les vaisseaux de surface comme de tous les sous-marins quels qu'ils soient. D'après les rapports les plus étoffés qui nous sont parvenus, le but premier de ce mécanisme serait d'empêcher l'écoute et le repérage de leurs sous-marins lorsqu'ils quittent leurs bases de la presqu'île de Kola, de la mer Baltique ou d'ailleurs. Il nous rend impossible la localisation dans l'Atlantique de leurs sous-marins porteurs de missiles ou d'en évaluer le nombre. Nous savons toutefois combien de sous-marins sont en mer puisque nous procédons régulièrement, via satellite, à un inventaire des bases de sous-marins soviétiques. Seul le sonar permet de les localiser. Les photographies récentes des satellites démontrent qu'ils ont en mer un nombre inhabituel de sous-marins, environ une centaine alors que la flotte soviétique en compte 426. Nous nous en inquiétons, mais croyons qu'ils doivent prendre part aux prochaines grandes manoeuvres soviétiques. Leur nom de code est OKEAN. Nous interpréterions une sortie massive des sous-marins soviétiques de leurs bases comme une menace. Dans ce cas, nous mobiliserions nos forces et nous nous mettrions sur un pied de guerre. De toute façon, nous surveillons avec beaucoup d'attention le brouillage du sonar. Nous ignorons combien de temps durera celui-ci. Nous avons découvert un de leurs appareils. Il semble fonctionner à l'énergie nucléaire pour une période de temps déterminée. Nous ignorons la durée de cette période. Nous pensons pour l'instant qu'ils procèdent à des essais. Quoi qu'ils fassent, leur appareil est très efficace. »

Hansen décida de répondre à une autre question. Elle vint du correspondant de Reuter :

« Avez-vous l'intention de vous servir de la ligne rouge pour discuter du traité pakistanais avec le président Romanov ?

— Nous n'avons pas encore eu à nous servir de la ligne rouge. La réponse est non, je n'ai pas l'intention d'en discuter avec lui. S'il me téléphone, je serai ravi de lui en parler. Chose certaine, j'aurai de ses nouvelles par la ligne rouge, une note de protestation ou une lettre. »

9

17 mars, 8h 50
Moscou

La limousine ZIL noire et luisante de l'amiral de l'Union soviétique Nikolai Ivanovitch Smirnov roulait rapidement dans l'allée centrale de Kutozovski Prospekt, ne ralentissant qu'en empruntant les pavés mouillés de la Place Rouge. Il était neuf heures moins dix, le 17 mars. Smirnov était enfoncé dans la banquette arrière et se sentait merveilleusement bien dans son uniforme d'amiral brodé d'or. Ses médailles de l'Ordre de Lénine et de Héros de l'Union soviétique luisaient de chaque côté de son torse. Le Kremlin l'avait convoqué l'après-midi de la veille. Le président Romanov lui avait lui-même téléphoné pour lui dire qu'il désirait son avis sur un événement de la plus haute importance qui venait de se produire.

En sa qualité de commandant en chef de la marine soviétique et de digne successeur de son virtuel créateur, l'amiral Gorshkov, dont il avait été le second, il avait été agacé de ce qu'on le convoque sans lui en fournir le motif. Que seuls deux hommes, à l'exception du chef d'état-major général, aient par ailleurs le pouvoir de le convoquer le réconfortait. Le président était l'un de ces deux hommes. L'autre était le ministre de la Défense. Il les connaissait depuis plusieurs années. Il avait rencontré le nouveau président du Présidium du Soviet suprême, Grigori Romanov, lors de son séjour à Moscou, en 1970, comme premier ministre du parti à Leningrad. Il le rencontra de nouveau lorsque Romanov devint en 1976 le plus jeune membre votant du Politburo. Il avait toujours aimé le président. Celui-ci était courtois et aimable mais pouvait aussi se buter. Il était un homme de parti qui aimait le pouvoir et le démontrait parfois avec ostentation. À l'étonnement de Smirnov, les treize membres survivants du Politburo avaient élu, comme remplaçant à Brejnev renversé, le plus jeune des leurs, lui permettant ainsi d'accéder aux rênes du pouvoir en Union soviétique comme président du Politburo et du Présidium du Soviet suprême. Son étonnement venait de ce que Romanov, qui n'avait pas encore atteint la soixantaine, avait été élu par un groupe de vieillards dont la moyenne d'âge atteignait au moins les soixante-dix ans, des hommes qui n'aimaient pas le changement et souhaitaient en tout temps conserver le statu quo, ce qu'un homme plus jeune ne pouvait promettre de faire.

Le maréchal Oustinov, le ministre de la Défense, avait été pour sa part au premier chef responsable des nominations de Smirnov, d'abord comme second de Gorshkov puis comme commandant en chef. Smirnov aimait beaucoup Oustinov. Au train où allaient les choses, les chances de Smirnov d'accéder en temps et lieu au poste de ministre de la Défense, étaient excellentes. Il y avait songé maintes et maintes fois. Et s'il jouait bien ses cartes...

Il se demandait encore pourquoi on l'avait convoqué en arrivant à la porte du bureau du président à neuf heures moins une. Il tendit sa casquette à son aide de camp et saisit son éternelle mallette. Le major de la garde du Kremlin, qui l'avait escorté depuis sa ZIL, lui ouvrit la porte.

L'amiral comprit dès son entrée dans le bureau impressionnant de Romanov que cette réunion revêtirait une extrême importance. Il aperçut à l'extrémité de la longue table de conférence recouverte de serge verte et entourée de dix-huit chaises de cuir qui accommodaient le comité exécutif du Politburo en son entier, le ministre de la Défense Oustinov, l'éternel ministre des Affaires extérieures, Andrei Gromyko, et le général d'armée You Andropov, comme les autres membre votant du Comité central du Politburo et président du Conseil de sécurité de l'État, l'infâme KGB. Un autre homme se trouvait attablé. Il s'agissait du supérieur immédiat de Smirnov, le chef d'état-major général des forces armées et maréchal de l'Union soviétique Mikhail Kozlov. À sa table de travail, à droite dans un coin de son bureau, le président

Romanov parlait dans l'un de ses trois appareils téléphoniques blancs.

Smirnov était toujours impressionné lorsqu'il pénétrait dans cette pièce imposante où il avait passé tant et tant d'heures au cours des années, d'abord sous Brejnev et maintenant sous l'énergique Romanov. Bien qu'immense, le bureau du président n'était que peu meublé. Ses murs d'un blanchâtre soyeux, leur monotonie brisée par des bandes rectangulaires de moulures d'acajou, n'arboraient que deux portraits, ceux de Karl Marx et de Vladimir Lénine. À l'autre extrémité de la pièce, face à l'entrée principale, des tentures cachaient les doubles portes qui ouvraient sur un cabinet privé où le président dormait et mangeait à l'occasion.

Smirnov accueillit chacun des hommes présents à la table par un rituel pointilleux et solennel. Même s'ils se connaissaient pour la plupart au point de se tutoyer, le protocole exigeait que les formalités prévalent dans le bureau du président et, plus particulièrement, lorsqu'ils s'asseyaient autour de la longue table de conférence du Politburo. On y observait rigoureusement les préséances et l'ancienneté.

Smirnov s'assit à la gauche de son supérieur, le maréchal Kozlov. Oustinov se trouvait à la droite de celui-ci. À l'extrémité de la table, la place du président était inoccupée. Face au trio de militaires, Andropov flanquait Gromyko sur sa droite. Les deux hommes tournaient le dos à la table de travail du président, quelque trente pieds plus loin.

Lorsque le président déposa le récepteur du téléphone où il avait parlé calmement et se dirigea vers la table de conférence, Smirnov riva son regard sur son cadet. D'une taille moyenne, les traits bien marqués dans son visage rond de Slave, les yeux russes et la tête couverte de cheveux bruns et droits qui grisonnaient aux tempes, Romanov semblait beaucoup plus jeune que ses presque soixante ans. À l'instar de son prédécesseur, il avait la réputation d'être l'un des hommes les plus élégants de Russie, et avait un penchant pour les complets sombres taillés sur mesure et les belles chemises. Bien qu'en poste depuis peu, on reconnaissait déjà en lui un politicien exceptionnel et discipliné, un homme sinon craint du moins respecté dans les sables mouvants du pouvoir. On le trouvait honnête et franc dans ses rapports avec le parti, prêt à supporter ses collègues politiques, conservateur dans son approche de la détermination des politiques globales. Il avait résisté à toute tentation d'opérer une purge parmi ses associés. À l'instar de Brejnev, il jouissait d'une grande popularité auprès des innombrables bureaucrates du Parti communiste qui voyaient en lui un centralisateur et un administrateur capable à qui ils accordaient de bon gré leur très important soutien. On connaissait très bien et on acceptait son penchant identique à celui de Brejnev pour les yachts, les voitures étrangères et un train de vie luxueux. Ce penchant lui permettait aussi de circuler sans problèmes non seulement parmi les chefs d'États du Pacte de Varsovie, mais aussi parmi ceux de l'Organisation du Traité Atlantique Nord et, effectivement, du monde entier.

C'était tout un homme. Les vieillards du Politburo ont très bien choisi, pensa Smirnov alors que Romanov prenait place à l'extrémité de la table en s'excusant de son retard.

« C'était Kouznetsov », dit-il.

Chacun savait qu'il parlait de Vassili Kouznetsov, l'ambassadeur soviétique aux États-Unis.

« Je voulais lui parler avant de commencer notre réunion. Il fallait que je lui demande de préciser certains détails de sa conversation d'hier soir avec le président Hansen. Le camarade Gromyko sait que je lui ai demandé de protester officiellement auprès du président lorsque j'ai appris, hier, que ces imbéciles de Pakistanais avaient permis aux Américains de débarquer dans leur pays. Il a reçu le camarade Kouznetsov hier soir à vingt-deux heures.

— Lui a-t-il transmis un message ? demanda Oustinov.

— Oui. Le camarade Gromyko et moi l'avons rédigé. Il est court. Je vais vous le lire. »

Il ouvrit la serviette de cuir qu'il avait apportée de sa table de travail. Il lut lentement de sa voix grave et modulée, détachant soigneusement chaque mot comme il en avait l'habitude, le message qu'il avait adressé au président des États-Unis :

« L'Union soviétique considère que l'entente intervenue entre les États-Unis et le Pakistan, entente qui prévoit le déploiement de forces armées américaines substantielles au Pakistan, constitue une menace explicite à l'intégrité territoriale et à la sécurité de l'Union soviétique. L'Union soviétique trouve tout à fait inacceptable cette modification délibérément provocatrice et injustifiée du statu quo qui menace la paix. »

Romanov regarda les hommes qui se trouvaient de chaque côté de la table :

« Il est nécessaire que l'Ours russe tire une ligne au delà de laquelle l'Aigle américain ne puisse avancer ni voler. Le message l'indique. »

Ses yeux se reportèrent sur sa feuille de papier et il reprit sa lecture :

« Le fait pour les États-Unis de donner suite en tout ou en partie à cette entente méprisable sera considéré comme un acte d'agression qui forcera l'Union soviétique à exercer des représailles. »

Gromyko, dont le visage ne montrait pas la moindre trace d'émotion, ajouta :

« En langage diplomatique, les mots « exercer des représailles » signifient que nous avons le choix.

— Vous voulez dire des représailles économiques... ? demanda Andropov.

— Aussi bien que militaires, approuva Gromyko. Ou que nucléaires, si nous allons jusque-là.

— Si nous devons aller jusque-là, surenchérit Romanov, et pour ma part, nous irons jusque-là si les impérialistes américains nous y poussent. »

Personne ne protesta. Le chef du KGB, Andropov, posa plutôt une question :

« Croyez-vous que les Américains comprennent que nous serions prêts à nous servir du nucléaire ?

— Nous serions en effet prêts, mais la réponse est négative. Ils ne comprennent pas. »

Gromyko, servi par une longue fréquentation des Américains, approuva en silence le président.

« Ils ne peuvent se rentrer dans la tête que selon notre doctrine, tout en reconnaissant qu'une guerre nucléaire, une guerre nucléaire totale, serait extrêmement dommageable des deux côtés, son résultat ne serait pas un génocide mutuel... un suicide mutuel. Le pays le mieux préparé, celui dont la stratégie sera supérieure, pourrait remporter la victoire et survivre avec une société en état de fonctionner. Les Américains ne peuvent comprendre, ne peuvent croire qu'il y aurait un vainqueur dans une guerre mondiale thermonucléaire.

— Exactement, approuva Gromyko. Les Américains croient au principe de « l'équilibre de la terreur » et ils y croient depuis des décennies. Les mots « équilibre de la terreur » impliquent que nous ne serions pas les premiers à frapper et qu'ils ne le seraient certainement pas eux-mêmes. Ainsi ni l'un ni l'autre ne se sert-il du nucléaire parce qu'ils en ont tous deux la possibilité.

— Quelle a été la réaction de Hansen ? demanda Andropov.

— Il a été de toute évidence pris de court. Il a répondu que si son action nous préoccupait nous devrions en saisir les Nations unies.

— *Nyet*, s'exclama Gromyko.

— Il a affirmé que nous n'avions pas à nous plaindre parce que nous avions envahi l'Afghanistan.

— Faux ! coupa de nouveau Gromyko.

— Je sais que c'est faux, camarade Gromyko. Le gouvernement d'Afghanistan nous a demandé de venir stabiliser une situation politique et religieuse révolutionnaire. Hansen a ajouté qu'il a été lui aussi invité par un pays qui avait besoin d'aide, d'aide économique et militaire. Il prétend que les Afghans et nous faisons des incursions au Pakistan, que les Pakistanais s'attendent à ce que nous les envahissions.

— Qu'a répondu Kouznetsov ?

— Que c'était faux. L'Union soviétique n'a pas l'intention d'envahir le Pakistan — à moins que celui-ci ne commette un acte d'agression contre l'Afghanistan.

— C'est une bonne réponse.

— Pour le moment, répondit Romanov en souriant.

Le président décida d'en venir à l'objet de la réunion.

« Messieurs, le temps est venu de prendre quelques décisions difficiles. La domination de la planète par l'ordre socialiste constitue la raison d'être de l'Union soviétique. Nous devons continuer à lutter résolument contre l'impérialisme américain et à repousser les sombres desseins et la subversion des agresseurs américains. Nous avons tracé la ligne qu'ils ne pouvaient pas franchir. Il nous appartient maintenant de décider de la nature des représailles et des options qui s'offrent à nous si les Américains débarquent effectivement au Pakistan le 7 mai. Avant tout, cependant, nous devons décider des mesures à prendre pour les en empêcher.

« Avant de vous entendre, je dois cependant vous dire qu'à mon avis ces mesures doivent être fermes. Elles doivent être énergiques. Et à cause de notre faiblesse économique, du genre de mesures de représailles que les Américains aiment nous appliquer quand ils en ont la chance... »

Le maréchal Kozlov renâcla sa première intervention dans le débat :

« Comme un boycott des Olympiques. »

Tout le monde éclata de rire autour de la table.

« Nous devrions entreprendre quelque forme d'action prophylactique militaire ou navale, reprit Romanov. C'est pourquoi, messieurs, je vous ai invités à cette réunion en même temps que mon collègue de la Défense, poursuivit-il à l'intention de Kozlov et de Smirnov, tout en frôlant de la main gauche la manche de l'uniforme du maréchal Oustinov. »

Le brillant général Andropov, le chef du KGB, fut le premier à répondre à l'invitation de Romanov. Ressemblant davantage à un professeur d'université qu'au chef de l'une des agences d'espionnage et de sécurité les plus respectées et les plus craintes de la planète, il dit :

« Camarade président, le KGB aide l'OLP depuis quelque temps à mettre au point une opération tout à fait exceptionnelle qui nous intéresse certainement. Elle pourrait très bien nous servir d'écran de fumée. »

La conversation qui avait lieu à l'extrémité de la longue table de conférence recouverte de serge verte se termina une heure et vingt minutes plus tard. Romanov s'aperçut alors qu'Andropov proposait son plan et qu'un consensus semblait se dégager tôt au cours de la réunion, qu'il aurait besoin sur deux points des conseils des responsables économiques du Politburo. Le premier point avait trait aux données de base et aux statistiques de l'économie soviétique dans le domaine du brut. Ils savaient tous que la pénurie les paralyserait bientôt. Il fallait qu'une étude de ce problème soit effectuée sur-le-champ. Le second point concernait une étude qu'il fallait entreprendre sans tarder et qui porterait sur les conséquences pour le monde occidental du plan qu'ils mettaient au point autour de la table si ce plan se matérialisait. Pendant que les autres parlaient, il envoya chercher l'homme qui serait responsable de la préparation de ces documents. Il s'agissait d'Aliyev, un homme de trois ans plus jeune que Romanov. Il n'avait été nommé que récemment pour succéder à Tikhonov comme premier ministre suppléant, et il était responsable de l'administration économique et de l'industrie. Aliyev se présenta aussitôt.

Lorsqu'on eut solutionné le problème à la satisfaction du président, celui-ci mit un terme à la réunion en disant :

« Messieurs, cette réunion a donné de bons résultats. Nous nous sommes entendus, forcés à nous défendre contre les impérialistes américains, sur une action d'une telle ampleur et de telles conséquences, que je me dois d'obtenir l'assentiment d'une réunion plénière du Politburo. Je crois toutefois, puisque quatre des quatorze membres sont ici présents et d'accord — Gromyko, Andropov et Oustinov approuvèrent du chef — qu'ils endosseront notre décision. »

La plénière du Politburo qui approuva le Plan Andropov eut lieu dans le bureau du président Romanov le matin du 20 mars. Le président avait lui-même présenté la proposition en détail, à l'aide de diapositives des graphiques tirés du rapport exhaustif que l'équipe du camarade Aliyev avait préparé sur la pénurie actuelle, à court terme et à long terme, de la production domestique du brut, qui constituait le noeud de l'économie soviétique et de ses satellites du bloc de l'Est. Au cours de sa présentation, Romanov s'attarda aussi au rapport lui-même. Celui-ci justifiait amplement aux yeux des membres du Politburo le train de mesures draconiennes du Plan Andropov. Le temps était venu. Tous les facteurs qui entraient en ligne de compte pointaient dans une seule direction : il fallait agir immédiatement si l'on voulait éviter une grave pénurie de brut.

Le deuxième rapport que devait préparer l'équipe d'Aliyev n'était pas terminé. Il explorerait de nouvelles données et demanderait plus de deux jours de préparation. Il impliquerait d'ailleurs beaucoup d'hypothèses et de spéculations. Lorsque toutefois le Politburo fut informé de sa nature et assuré d'en prendre connaissance le moment venu, lorsque eurent été déterminés ses points de référence, chacun put se faire une idée de l'état économique et culturel de la société occidentale qui résulterait si l'on appliquait la dernière et ultime phase du Plan Andropov.

Après une longue discussion au cours de laquelle plusieurs membres émirent de sérieuses réserves à l'idée d'aller « si loin », le président les convainquit de ce que le débarquement des Américains au Pakistan équivalait effectivement à un acte d'agression, virtuellement à un acte de guerre contre la patrie russe. À la fin de son monologue, le président Romanov avait martelé la table en disant :

« *Mir, mir, i yeshche raz mir* ; la paix, la paix, la paix, c'est ce que nous voulons pour notre peuple, mais l'agresseur impérialiste américain veut la guerre ! Nous devons être déterminés à ne pas le laisser faire, à ne pas le laisser faire la guerre, mais, en même temps, nous devons lui démontrer quelles seraient les conséquences pour son pays de la guerre qu'il souhaite commencer. Nous allons vers une confrontation entre le capitalisme et le communisme. Ce n'est pas le temps d'osciller ni d'être sentimentaux. Nous sommes peut-être, grâce à une victoire communiste, sur le point d'atteindre à la paix permanente. Souvenez-vous de ce que disait Lénine du dénouement entre le capitalisme et le communisme : « Tant que le résultat final ne sera pas assuré, l'épouvantable état de guerre se poursuivra... à la guerre, la sentimentalité n'est pas moins un crime que la lâcheté. » Messieurs, je vous demande d'approuver le Plan Andropov. »

Il n'était pas nécessaire de voter. Un consensus se dégageait clairement des membres du Politburo qui gardaient le silence après ce flot pressant d'une rhétorique astreignante.

Le Plan Andropov était adopté.

10

22 mars, midi
Océan Atlantique,
au large du Cap

Le matin du 22 mars, le *Splendid* reçut un message envoyé par l'Amirauté à tous les vaisseaux de la Marine royale qui se trouvaient en mer :

« Des recherches incessantes, entreprises d'urgence pour localiser la source du brouillage subi par les sonars dans toutes les régions de l'Atlantique Nord et Sud ainsi que de l'océan Arctique ont permis de découvrir, le 14 mars, un générateur de son de fabrication soviétique reposant dans les fonds marins. Cet appareil fonctionne selon un principe identique à celui d'un sonar actif qui émettrait de façon constante plutôt que par pulsions sur une bande de fréquence qui recouvre la totalité du bruit des machines, des hélices ou de la cavitation des vaisseaux. L'appareil qui produit ces brouillages a une portée qui peut atteindre les cent milles. Il est en mesure d'interrompre le fonctionnement des sonars depuis un avion comme depuis un vaisseau.

« Le premier de ces appareils a été récupéré hier par la bathysphère de la marine américaine sur les fonds marins à cent milles au large du Maine. Il s'agit d'un émetteur électronique muni d'une cellule énergétique dont on estime la durabilité à environ un an, contenu dans une sphère de plastique rigide, résistant à la pression, de couleur blanche et d'environ deux pieds de diamètre, lesté de façon à atteindre la profondeur voulue.

« Pendant sa descente, l'appareil déploie automatiquement une bouée circulaire de six pouces de diamètre qui sert d'antenne et qui flotte à six pieds sous la surface. Une tige de plastique d'un quart de pouce de diamètre apparaît à la surface et rend presque impossible le repérage par radar ; la bouée elle-même est reliée à l'appareil par un fil conducteur de faible diamètre, ce qui permet de l'activer grâce à des signaux transmis par satellite.

« D'après nos estimations, l'installation de ces appareils a commencé il y a environ neuf mois par tous les moyens, y compris les flottes de pêche et la marine marchande soviétiques, sans compter les avions.

« Nous croyons aussi que mis en opération, ces appareils sont tous programmés de façon à transmettre durant une période de temps prédéterminée, et qu'ils ne peuvent donc pas être neutralisés par des contre-mesures électroniques. Il ne semble pas que les sonars des flottes de surface et des sous-marins soviétiques soient immunisés contre cet appareil.

« Le contre-espionnage est d'avis que la mise en opération en ce moment de l'appareil est fonction du début des manoeuvres de la Marine rouge dans le cadre d'OKEAN. »

Le message ne soulignait pas suffisamment aux yeux du capitaine Marcus Leach l'urgence de permettre aux forces navales de l'OTAN de manoeuvrer au sud du tropique du Cancer. Les politiciens de l'OTAN ne voulaient pas traverser cette ligne imaginaire, bien que les commandements naval et militaire aient insisté pour étendre leur juridiction non seulement dans l'Atlantique Sud mais, par le cap de Bonne-Espérance, jusque dans l'océan Indien et la mer d'Arabie de façon à encadrer d'une puissante protection navale les routes marines qu'empruntaient l'huile et le pétrole bruts nécessaires au maintien de la civilisation et de l'économie de l'Europe de l'Ouest. On transportait par ces mêmes routes une part substantielle de la consommation quotidienne en produits pétroliers des États-Unis et du Canada. La présence constante des Russes, toujours menaçante, intimidait cependant les maîtres politiques de l'Europe de l'Ouest. Ils se consacraient à maintenir à tout prix la détente.

Ils ne voulaient pas par ailleurs que soit affecté le flot constant de leurs produits finis qui aboutissait à travers le rideau de fer dans les pays de l'Est et même en Union soviétique. En conséquence, l'Europe de l'Ouest avait constamment oscillé et reculé à l'idée de supprimer la frontière navale que constituait le tropique du Cancer. Ils craignaient de déranger le statu quo, bien que la situation où ils se trouvaient de n'être pas en mesure de protéger ni leurs sources d'approvisionnement en brut du Proche-Orient ni le tout aussi important système de transport par pétrolier soit très réelle et puisse mener à l'impasse dans les deux cas.

Les capitaines de la Marine royale savaient que les réseaux de sonar très étendus de l'OTAN dans l'Atlantique Nord étaient particulièrement puissants dans le détroit du Danemark, dans la partie de l'océan située entre l'Islande et la Norvège, ainsi qu'à travers le Skagerrak qui constituait la sortie vers la mer du Nord des puissantes bases navales soviétiques de la Baltique. On connaissait le plus important de ces réseaux sous le nom de SOSUS. Ces filets concentrés d'hydrophones, reliés par câbles maritimes aux ordinateurs et aux centres de communication terrestres, avaient pour but de contrôler et de détecter les manoeuvres de tous les sous-marins soviétiques depuis leurs grandes bases de la presqu'île de Kola, limitrophe de la Finlande et de la Norvège loin dans l'Arctique, ainsi que de la Baltique. Le son de n'importe quel sous-marin — sauf ceux qui se déplaçaient le plus silencieusement à pas plus d'un noeud ou deux pour éviter le bruit de la cavitation — serait perçu par les gigantesques hydrophones perchés sur leurs vastes trépieds dans les fonds de l'Atlantique Nord et même dans les bassins de Terre-Neuve et du Labrador.

Au cours de la Deuxième Guerre mondiale, les bombardiers alliés avaient pu neutraliser les radars allemands en lançant des images de minces bandes d'aluminium. En nourrissant ainsi les radars ennemis, ils avaient empêché qu'on puisse diriger leurs chasseurs de nuit et leurs batteries anti-aériennes. S'ils pouvaient découvrir une méthode identique pour neutraliser ces sonars, les Russes auraient la possibilité de faire manoeuvrer la totalité de leur flotte de sous-marins vers l'Atlantique. La capacité qu'avait l'OTAN de localiser et de suivre à la trace la flotte meurtrière de sous-marins soviétiques deviendrait nulle. Les satellites militaires de l'OTAN pouvaient faire le compte des sous-marins soviétiques lorsqu'ils se trouvaient dans leurs bases de la Baltique ou d'ailleurs au nord, mais les déplacements de la flotte de sous-marins de la Marine rouge seraient inconnus.

Il était donc clair aux yeux de tous les capitaines de la Marine royale qu'en ayant la capacité de contrer les réseaux de sonars les Soviétiques gagneraient un immense avantage tactique, un avantage dont la valeur apparaîtrait au cours de n'importe quel début de crise lorsque l'escalade mènerait au déploiement des forces militaires.

Le brouillage prit abruptement fin le 22 mars à midi, onze jours après avoir commencé et deux heures après la réception par Leach du message de l'Amirauté, un peu comme si l'on avait manipulé un interrupteur.

Le *Splendid* se trouvait alors au large du Cap, dans les eaux de l'Atlantique. La nouvelle de la remise en marche du sonar provoqua des cris de joie dans le sous-marin. Leach fit immédiatement plonger celui-ci vers le sanctuaire qu'était la mer profonde et chaude du plateau continental de l'Afrique.

Pendant la descente, Leach réfléchit au message de l'Amirauté et à la capacité d'un brouillage de sonar de la part des Soviétiques. Ce maudit appareil n'était pas seulement un jouet dont ils se serviraient lors d'un exercice au cours d'un mois de grandes manoeuvres. S'il était aussi efficace qu'il le savait être — il en avait presque perdu son vaisseau flambant neuf sans compter sa vie — pourquoi diable la Marine rouge faisait-elle savoir au monde entier qu'elle possédait cet appareil en le faisant fonctionner précisément lors d'OKEAN ? Le capitaine isolé possédait peu d'informations susceptibles d'éclairer son jugement.

Il savait par contre que les Américains et les Soviétiques se regardaient dans le blanc des yeux à propos du Proche-Orient. Il y avait eu en mer plus de vaisseaux soviétiques que jamais auparavant. Bien sûr, les Soviétiques préparaient OKEAN, mais OKEAN ne constituait pas une raison suffisante pour les inviter à se servir de leur appareil. Ces salauds-là avaient certainement une autre idée derrière la tête. Il en mettrait sa main au feu.

Le capitaine Leach ne se trompait pas.

11

25 mars, 16h
La Maison Blanche, Washington, D.C.

Le président Hansen regardait, à travers le pupitre poli et historique du Bureau Ovale où tant de décisions avaient été prises et tant de documents signés, le visage ridé et criblé et les yeux rouges et larmoyants de Vassili Kouznetsov, l'aimable et vieil ambassadeur soviétique aux États-Unis, un homme qui représentait son pays depuis plus de vingt ans à Washington. Le président l'avait fait convoquer par le bureau du secrétaire d'État, John Eaton, qui accompagnait Kouznetsov.

Celui-ci s'exprimait très bien en anglais, malgré son lourd accent russe. Il était de toute évidence malheureux, au cours de cette rencontre avec le nouveau président, de la tournure des événements qui opposaient son pays et les États-Unis. Il se sentait responsable du maintien des bonnes relations entre les deux géants et ressentait comme un échec personnel que les choses aillent de travers.

Une enveloppe portant le sceau présidentiel reposait sur le pupitre devant Hansen. Elle contenait la réponse du président Hansen à la sévère note de protestation de Romanov que lui avait remise l'ambassadeur Kouznetsov le 16 mars, le lendemain de l'annonce par le président de l'accord avec le Pakistan. À côté de l'enveloppe se trouvait la copie destinée à Kouznetsov. Le président connaissait bien celui-ci pour l'avoir rencontré d'innombrables fois au cours de conquetels pendant les vingt ans qu'il avait passés au Sénat. Kouznetsov, d'ourson amical et grégaire qu'il avait été, s'était transformé en un homme mince, émacié, en passant le cap des quatre-vingts ans. Sa personnalité engageante poussait ses amis américains à se délier la langue autour d'un verre au cours de ces réceptions. Grâce aux bouts d'information qu'il glanait chez les uns et les autres, il parvenait à reconstituer des scénarios assez justes de ce qui se passait au plus haut niveau, derrière les portes closes du gouvernement. Hansen savait que le vieil homme était d'une loyauté à toute épreuve et qu'il se consacrait totalement à la cause de sa patrie et aux principes de la ligne dure de l'idéologie communiste marxiste-léniniste.

Il ne s'agissait cependant pas d'un coquetel cette fois. Malgré leurs longues fréquentations et leur affection réciproque, Hansen et Kouznetsov représentaient la puissance de leurs pays respectifs. Chaque pays était furieux et soupçonneux à l'égard de l'autre. Ils ressemblaient à deux anciens guerriers médiévaux, le bouclier au bras, l'épée à la main, qui tournaient l'un autour de l'autre en attendant l'ouverture qui leur permettrait de porter le premier coup.

Kouznetsov était souvent venu au Bureau Ovale porter ou recevoir des messages officiels expédiés par ou destinés à ses maîtres du Kremlin. Il y avait affronté Kennedy, Johnson, Nixon, Ford, Carter et son successeur. Nul n'avait été aussi inflexible, il le savait, que Hansen le serait. Il avait dit plusieurs fois à Gromyko que Hansen avait la tête dure, qu'il était un fonceur, assuré sur le plan idéologique et suffisamment dépourvu de scrupules pour être élu membre du Politburo. Face à la pièce d'homme qui occupait le fauteuil présidentiel et l'écoutant, Kouznetsov fut déconcerté par la justesse de la description qu'il avait faite de lui puisque Hansen se montrait beaucoup plus dur, beaucoup plus coriace qu'avant son assermentation. Il était un meneur nanti du pouvoir dont l'attitude indiquait le désir farouche de sortir son pays de l'adversité. Son dévouement, sa détermination, son esprit agressif et sa volonté de se battre pour ce qu'il croyait être juste ou dans l'intérêt de son pays faisaient effectivement du président Hansen, pensa Kouznetsov, l'égal du président Romanov. Aux yeux du vieil ambassadeur, les deux hommes étaient si puissants, si déterminés, que ni l'un ni l'autre ne reculerait en un moment critique où un compromis permettrait d'éviter la guerre.

« Votre Excellence, vous voudrez bien avoir l'amabilité de transmettre cette note officielle au président Romanov. »

Le diplomate tendit une main tremblante vers l'enveloppe destinée au président Romanov.

Puis Hansen lui tendit une deuxième enveloppe.

« Cette enveloppe contient votre copie. »

La copie remise à l'ambassadeur permettrait à celui-ci d'en communiquer le contenu au Kremlin bien avant que l'original intact n'y parvienne par la valise diplomatique.

« Veuillez dire au président Romanov que je regrette d'avoir répondu si tardivement, poursuivit le président Hansen. Le ton de sa lettre était si strident, voire si belliqueux que j'ai voulu lui répondre de façon prudente, conservatrice et sans émotions. »

L'avocat-président choisissait ses mots et les débitait sur un ton protocolaire.

« Ma réponse dit en gros, poursuivit-il en pointant du doigt les deux enveloppes, que les États-Unis ne reculeront pas. Nous allons débarquer 120 000 hommes au Pakistan dans le but de protéger nos intérêts vitaux au Proche-Orient. Nous croyons que l'Union soviétique, en augmentant le nombre de ses troupes en Afghanistan et au long de la frontière soviéto-iranienne, s'apprête à envahir le Pakistan et l'Iran. Notre installation au Pakistan ne ressemble en rien à l'invasion de l'Afghanistan par l'Union soviétique. Il s'agit plutôt d'un pays qui en aide un autre dans le cadre d'une entente qui existe depuis longtemps. Nous l'aiderons sur le plan militaire strictement par mesure défensive et nous l'aiderons massivement sur le plan économique.

« Vous voudrez bien avoir l'obligeance de dire au président, Votre Excellence, que cette situation découle des agissements de l'Union soviétique. Vous voudrez bien d'autre part assurer le président Romanov que je ne suis pas inflexible et que je serais prêt à étudier toute proposition qui me relèverait de l'obligation d'envoyer des hommes au Pakistan. »

Habituellement doux, les yeux de l'ambassadeur devinrent aussi étroits que des fentes.

« J'ai reçu instruction de vous dire, monsieur le Président, que si le président Romanov vous fait une telle proposition, ce sera sous la forme d'un ultimatum que vous pourrez difficilement rejeter. »

Son expression changea brusquement et il ouvrit de grands yeux. Il sourit en montrant ses célèbres dents argentées.

« D'autre part, monsieur le Président, nous savons tous que mon gouvernement tient à notre coexistence pacifique. Peut-être pourrons-nous en arriver à un compromis. Peut-être. Mais la réponse dépend en bonne partie, si j'ose dire, de la teneur et du ton de votre lettre », conclut-il en frappant du doigt l'enveloppe destinée à Romanov.

L'ambassadeur commença à se lever en s'appuyant sur sa canne. Hansen et Eaton se levèrent pendant qu'il se redressait. Il regarda le président d'un oeil où perçait son affection :

« Il faut que je vous dise, mon ami, qu'avant de venir ici le camarade Gromyko m'a prévenu de mon rappel à Moscou, pour consultations, bien entendu. C'est un signe certain que les relations se détériorent entre nos deux pays. Peut-être sont-elles plus précaires qu'à aucun autre moment depuis la Deuxième Guerre mondiale. Il faut aussi que je vous dise que notre ambassadeur aux Nations unies a reçu l'ordre de chercher quel soutien obtiendrait une motion de censure à l'endroit des États-Unis. »

L'ambassadeur pencha la tête un instant en la hochant lentement.

« Quel dommage que nous en soyons là. Cette crise me rappelle la confrontation entre Khrouchtchev et Kennedy à propos de Cuba.

— Où vous avez joué un rôle si important.

— Où j'ai joué un rôle, oui. »

L'ambassadeur tendit sa main tremblante à son ami John Hansen qui la saisit pendant que le vieillard poursuivait :

« L'histoire se répète, monsieur le Président. Espérons qu'elle se répétera de nouveau et que cette confrontation trouvera elle aussi sa solution.

— Elle la trouvera si votre président accepte un compromis. »

12

25 mars, minuit
Moscou

La réponse du président des États-Unis à la note sévère du président Romanov de l'Union soviétique avait été confiée à l'ambassadeur Kouznetsov le 25 mars. Cette réponse avait nécessité de nombreuses consultations diplomatiques tant il était essentiel que les principaux alliés des États-Unis soutiennent ou, du moins, acceptent les décisions que Hansen s'apprêtait à prendre. Romanov et ses collègues du Politburo avaient contrôlé les grands efforts que faisaient les Américains pour s'assurer de ce soutien en épiant leurs activités diplomatiques dans les capitales de l'Europe de l'Ouest, d'Amérique du Nord et du Japon. Le contrôle avait été effectué par l'entremise des canaux de surveillance habituels des Soviétiques, de leur réseau planétaire d'ambassades et de consulats où des agents du KGB, hommes ou femmes, constituaient d'importants rouages de la machine d'espionnage russe implantée dans le monde entier sous le couvert de l'immunité diplomatique.

La Grande-Bretagne avait immédiatement appuyé Hansen. Mais l'Allemagne de l'Ouest et la France étaient réticentes, préoccupées par l'idée de préserver les derniers vestiges de la détente et de protéger leurs fructueux échanges commerciaux avec l'Union soviétique et ses satellites du bloc de l'Est. Romanov savait qu'en y mettant la pression, les gouvernements d'Allemagne de l'Ouest et de France renonceraient. L'Allemagne de l'Ouest oscillerait davantage mais s'il appliquait suffisamment de pression, il serait peut-être en mesure de forcer les Allemands de l'Ouest à retirer leur soutien aux États-Unis au sujet du débarquement au Pakistan. Au mieux, il les amènerait même à dénoncer une telle action. Le président saisissait très bien les faiblesses du gouvernement ouest-allemand. L'Allemagne était divisée. L'Armée rouge occupait l'Allemagne de l'Est et son gouvernement était à la solde de Moscou. La situation de Berlin était aléatoire. L'Allemagne de l'Ouest exportait davantage en Union soviétique que les États-Unis.

De plus les Allemands de l'Ouest dépendaient davantage du golfe Persique que les Américains. L'administration américaine ne comprenait pas pourquoi ils ne s'inquiétaient pas tout autant qu'eux ou qu'ils n'étaient pas prêts à agir contre l'Union soviétique. Elle ne parvenait pas à comprendre les priorités et les attitudes d'un pays européen qui était le voisin de l'Union soviétique et de ses satellites du bloc de l'Est auxquels l'attachaient de puissants liens économiques.

Le président Romanov comprenait très bien pour sa part ces attitudes et ces liens économiques. Il les vit remonter à la surface sur-le-champ. Le président américain entreprit son offensive diplomatique en Europe de l'Ouest pour obtenir un soutien à son intention de débarquer au Pakistan. Romanov et Gromyko se servirent de tout leur arsenal d'armes diplomatiques pour dissuader l'Allemagne de l'Ouest et la France d'endosser l'initiative américaine, sachant que si ces deux grands pays n'intervenaient pas, la détermination des Américains de risquer une guerre unilatérale avec l'Union soviétique serait compromise. Un coin serait en même temps transplanté dans le coeur de l'OTAN, une organisation qui apparaissait aux yeux des leaders soviétiques comme une menace plutôt qu'une protection.

Selon Romanov, en prenant l'initiative sans consulter d'abord leurs alliés — une erreur historique commune à tous les présidents et à toutes les administrations américaines les faisait agir sans consulter leurs alliés —, les Américains s'étaient eux-mêmes placés dans un dilemme diplomatique : débarquer ou non au Pakistan sans le soutien de leurs principaux alliés de l'Europe de l'Ouest au sein de l'OTAN. Pire encore, que se passerait-il si l'un de ces principaux alliés dénonçait l'initiative américaine au Pakistan ?

Romanov travaillait à son bureau du Kremlin lorsqu'à minuit Kouznetsov l'appela de Washington peu après avoir reçu la réponse du président Hansen au milieu de l'après-midi du 25 mars. Lorsque Kouznetsov eut terminé sa lecture, Romanov ne répondit pas immédiatement mais réfléchit à ce qu'il venait d'entendre. Seul dans son grand bureau, Romanov s'adressa finalement par le truchement de l'appareil téléphonique blanc à son ambassadeur appréhensif auprès de l'agresseur impérialiste ennemi.

« Exactement ce à quoi je m'attendais.

— Qu'allez-vous faire, camarade Président ? »

La voix, brouillée pour des raisons de sécurité, semblait monter de la profondeur d'un puits.

« Je ne sais pas encore. Nous allons devoir en discuter. Mais je pense... Comme vous savez, nous en saisissons les Nations unies. Cette fois, c'est le tour des États-Unis de subir une motion de censure. Et la pression, camarade Kouznetsov, la pression. Nous allons lancer contre eux tout le poids de notre machine de propagande. L'agence Tass, la *Pravda* et la *Izvestia* vont entreprendre une campagne mondiale. Nous allons harceler les Américains partout. Nous allons vraiment mettre la pression sur Hansen jusqu'au 7 mai !

— Et si ça ne marche pas ?

— Eh bien, répondit en souriant le président Romanov, dans ce cas nous allons le botter avec de bonnes bottes de combat russes à l'endroit où ça fait le plus mal ! »

13

28-30 mars
La Mecque, de Suez à Aden

Il semblait à Saïd qu'il était à bord de *La Mecque* depuis une éternité. Près de trois semaines avaient passé depuis l'incident de Port-Saïd et le long voyage à bord de *La Mecque* lui paraissait interminable.

Le capitaine avait permis à Saïd et à ses hommes de quitter leur cachette aux environs de trois heures la nuit suivante après avoir constaté que son second et tous ses hommes d'équipage dormaient et qu'il était le seul qui fut éveillé à bord de *La Mecque* avec le timonier, dont les yeux étaient rivés aux feux de position du navire qui les précédait dans le convoi, et le mécanicien qui se trouvait dans la soute.

Étonné de retrouver les membres de l'OLP le lendemain matin, l'équipage ne demanda pas d'où ils sortaient même si Nabil avait espéré ne jamais les revoir. Il fut stupéfait, lui qui avait parlé si librement au commandant Faher, de les voir quitter leurs cabines habituelles à l'heure du déjeuner. Comment étaient-ils remontés à bord ? Cette vieille baignoire cachait-elle un compartiment secret ? Ces questions traversèrent l'esprit de Nabil. Mais d'une nature fataliste et incapable de s'opposer à leur présence à bord, il les oublia rapidement de même que leur étrange réapparition. De toute façon, qu'est-ce que ça pouvait bien faire ?

À la queue du long convoi de l'après-midi, *La Mecque* avait sereinement descendu le canal de Suez et dépassé les ruines des fusils et des tanks qui rappelaient, sur le sable de la rive orientale de l'ancienne voie d'eau, la poussée des Égyptiens qui avait pris les Israéliens par surprise en 1973 ; puis le bâtiment principal, couleur caramel, des autorités dégourdies du canal de Suez sur la rive occidentale d'Ismaïlia, la ville préférée du président d'Égypte ; Port Tewfik à l'extrémité sud du canal, sur la mer Rouge, où plusieurs navires attendaient de former un convoi en direction nord ; puis elle avait enfin amorcé la longue et ennuyeuse route de 1700 milles sur la mer Rouge jusqu'au golfe d'Aden avant de bifurquer vers l'est et d'entrer dans le port d'Aden où elle s'était réapprovisionnée en carburant et en nourriture. L'équipage irait en permission de nuit dans la ville portuaire de Tawahi. Aucune cargaison n'y serait chargée ou déchargée.

À Aden, ils avaient passé la nuit à l'abri dans une cale où ils avaient trouvé des couchettes, des provisions et de l'eau fraîche. Après avoir dédouané son navire, procédé à ses arrangements avec les autorités portuaires, donné signe de vie au représentant de la Lloyd's, la compagnie d'assurance, le capitaine Rashid donna congé à son équipage pour la nuit. Saïd se porta volontaire ainsi que ses hommes pour rester à bord et veiller à la sécurité du navire. Une fois l'équipage descendu, Saïd accepta finalement à l'instigation de Maan de permettre à ses trois collègues de mettre pied à terre à condition qu'ils ne fréquentent ni les bars ni les femmes et qu'ils ne se battent pas. Ses hommes quittèrent le navire à sept heures mais à dix heures ils étaient déjà de retour et couchés, parfaitement sobres et ravis d'avoir visité la ville. Le comportement de l'équipage, par contre, ressemblait tout à fait aux performances passées. Ils commencèrent à rentrer après minuit, seuls ou par paires, en oscillant sur la passerelle, leur instinct seul leur ayant permis de se retrouver. Le capitaine et son second furent les derniers à rentrer. Ils étaient tous deux abominablement ivres mais pouvaient encore se diriger. Au cours de la soirée, ils étaient devenus de bons amis d'occasion, une amitié qui prendrait fin avec la sobriété du lendemain matin.

Neuf autres jours de navigation par un temps venteux et orageux, sur des mers inconfortables, les avaient menés en direction est-nord-est le long de la côte du Yémen du Sud vers Oman, puis en direction nord par Mascate jusque dans le golfe d'Oman où ils aperçurent pour la première fois la file ininterrompue de pétroliers chargés d'huile et de pétrole brut, le pont de leurs énormes coques presque au niveau de la mer, qui s'en allaient l'un derrière l'autre comme une parade de lourds éléphants ; et la file de ceux qui glissaient vers le golfe d'Oman, arrivant du Japon, d'Europe ou d'Amérique du Nord, naviguaient en lest et se dirigeaient vers leurs ports de chargement respectifs d'Arabie saoudite, du Qatar, des Émirats arabes, de Bahrain, d'Iran, d'Irak et du Koweït.

Virant à l'ouest vers le golfe d'Oman, Rashid avait traversé avec précaution la file de pétroliers et se dirigeait vers le détroit d'Ormuz. *La Mecque* voguait ainsi au nord de la principale file du trafic pétrolier. En lest, sans cargaison, les énormes navires filaient beaucoup plus rapidement que *La Mecque*. Pour des raisons de sécurité, il était préférable de ne pas être sur leur chemin.

Le 28 mars, tard dans l'après-midi, trois semaines après avoir quitté Beyrouth, *La Mecque* pénétra dans le détroit le plus occupé du monde, le détroit d'Ormuz, une étroite voie d'eau de vingt-quatre milles de largeur dont le chenal navigable était large d'environ douze milles.

Sur chaque rive, les collines sombres accentuaient l'étroitesse du couloir maritime qu'empruntaient chaque mois des centaines d'énormes pétroliers. C'est ce couloir qu'Arafat, le chef de l'OLP, avait souvent menacé de bloquer dans le but de publiciser la situation du peuple palestinien. Il avait menacé de couler quelques-uns des grands navires, mais en laissant son regard planer sur le détroit grouillant cet après-midi-là, Saïd ne pouvait imaginer un tel blocus. Il faudrait couler cent navires, peut-être deux cents en un seul endroit. C'était impossible. Des mines seraient rapidement désamorcées. Le plan qu'il avait proposé et qu'Arafat et le conseil avaient approuvé, constituait de beaucoup la solution la meilleure.

Tandis que *La Mecque* laissait le détroit d'Ormuz et que la nuit tombait, Saïd rejoignit le capitaine sur sa passerelle pour lui parler et regarder passer les gigantesques navires. Il y avait des superpétroliers qui jaugeaient plus de 300 000 tonneaux ; de très grands pétroliers, qui jaugeaient de 200 000 à 300 000 tonneaux ; ainsi que plusieurs pétroliers plus petits, tous en soi d'un format respectable et énormes en comparaison de *La Mecque*.

« Quand est-ce que nous arriverons au Koweït ? demanda Saïd.

— Dans deux jours. Il nous reste encore à peu près cinq cents milles à parcourir.

— Il faudrait que nous parlions bientôt de ce que nous allons faire en arrivant. »

Le capitaine jeta un coup d'oeil vers Nabil, qui n'avait pas perdu un mot de leur conversation, et vers le timonier. Il serait préférable de ne pas en parler devant ces deux-là.

« Demain matin, Saïd. Demain matin. Rendez-vous à ma cabine, disons, à huit heures. »

Ponctuel, Saïd entra dans les quartiers du capitaine à l'heure dite. Il fut surpris de voir que la table du capitaine était dégagée de ses piles de documents. L'habituelle cafetière et les petites tasses étaient disposées à bâbord et deux cartes couvraient le centre et le côté tribord de la table. La première indiquait les approches par le chenal de la ville de Koweït et de son port de Shuwaikh situé au nord. L'autre représentait le port de chargement de brut Mina-al-Ahmadi, à une cinquantaine de milles au nord de Koweït, sur la côte.

Les deux hommes se tenaient côte à côte devant la table. Le capitaine, ayant servi le café et allumé une cigarette, dit :

« Permettez-moi de vous expliquer d'abord ce que je dois faire, puis vous me direz ce que vous avez en tête. »

Saïd était d'accord.

« Ma cargaison entière — sauf la cargaison spéciale — vous savez ce que je veux dire... »

Saïd hocha la tête. Rashid voulait évidemment dire l'opium.

« Ma cargaison entière débarque à Shuwaikh. Je veux entrer dans le port en plein jour. Je n'y suis allé qu'une fois et il est préférable de ne pas y entrer la nuit. Les approches sont trop traîtresses. »

Du bout du doigt, il traça un itinéraire de la haute mer jusqu'à l'entrée ouest du port.

« Il faut y pénétrer par un chenal. Ses limites sont indiquées par des bouées. Il est long d'environ quatre milles et demi et assez large, 500 pieds. À cause de tout ce qu'on construit au Koweït, le port est souvent congestionné. C'est une autre des raisons pour lesquelles je ne veux pas y entrer la nuit. Je n'ai pas la moindre idée de la place que va nous assigner l'officier du port, mais ça sera probablement dans le secteur nord-ouest. Il s'y trouve des quais capables d'accommoder facilement un petit navire comme celui-ci. En passant au large de Bahrain, demain matin, j'expédierai un message à l'officier du port pour lui demander de prévenir Shuwaikh de nos intentions. Je dois lui fournir une heure d'arrivée, le tirant d'eau du navire, affirmer que la cargaison est dédouanée, que les appareils de déchargement du navire sont en bon état et, puisque je suis en mesure de le faire avec ma propre grue, que la cargaison sera entièrement manipulée par l'équipement du navire. Le problème, c'est qu'une fois précisée l'heure d'arrivée, je dois m'y tenir. Quand vous m'aurez expliqué ce que vous voulez, nous pourrons nous entendre sur une heure d'arrivée. »

Le leader de l'OLP voyait au-delà :

« Comment s'arrange-t-on pour le carburant, les provisions et l'eau, à Shuwaikh ?

— Le carburant ne constitue bien entendu pas un problème au Koweït. S'ils nous installent près des postes d'amarrage en eau profonde numéros un à sept, nous pouvons nous réapprovisionner grâce aux boyaux qui s'y trouvent. Dans le cas contraire, nous devrons nous déplacer, mais le carburant ne constitue pas un problème. Nous pouvons obtenir de l'eau fraîche. Les gens du Koweït sont très bien organisés. Tout ce dont vous avez besoin, c'est d'argent. »

Le capitaine changea son poids de jambe, tendit la main devant Saïd et tira la carte de Mina-al-Ahmadi devant eux par-dessus la carte du Koweït.

« À Mina-al-Ahmadi, il y a deux quais de chargement et un terminal. Le quai sud comprend six portes d'amarrage pour pétroliers d'une profondeur de cinquante pieds. Le quai nord en comprend cinq de soixante pieds. Le terminal en comprend sept. Au large, un terminal spécial qui comprend deux postes d'amarrage d'une profondeur de quatre-vingts pieds s'occupe des très grands et des superpétroliers. On peut s'y occuper d'à peu près tout ce qui flotte. C'est ici que le Koweït fait fonctionner sa grande raffinerie. Celle-ci raffine

149

à peu près 800 000 barils de pétrole par jour... La production quotidienne du pays par jour est d'environ un million et demi de barils. Le pays a ralenti la production récemment parce qu'il pense qu'il est préférable de conserver son pétrole dans le sol.

« Quand nous arriverons à Mina-al-Ahmadi, nous allons certainement trouver tous les postes d'amarrage occupés, ce qui donne environ vingt navires, pour la plupart des très grands et des superpétroliers. Il y en aura une vingtaine d'autres à l'ancre qui attendent leur tour. Ils seront dans cette région. »

Il montra du doigt une région située à deux ou trois milles au large des quais et du terminal.

Rashid se dirigea vers l'autre extrémité de la table, ouvrit un petit tiroir devant sa chaise, en tira une feuille de papier et retourna aux côtés de Saïd.

« Pour ce qui est de ma cargaison spéciale, mes instructions sont... »

Puis il lut sa feuille de papier :

« Rendez-vous à minuit le soir de l'arrivée à Shuwaikh. Lieu du rendez-vous : cinq milles au nord-est du quai nord de Mina-al-Ahmadi. Code lumineux : trois longues, deux brèves. »

Il plia la feuille de papier et l'enfonça dans la poche de son pantalon puis indiqua de l'index de sa main droite un point sur la carte en disant :

« C'est ici que je dois me trouver, à cinq milles au nord-ouest du quai nord, suffisamment loin de la région où les pétroliers attendent. Le Koweït avait coutume de surveiller les pétroliers de près pour des raisons de sécurité, mais j'ai entendu dire qu'il avait relâché sa surveillance. De toute façon, nous allons nous tenir loin.

— À minuit le soir de l'arrivée, répéta Saïd.

— Exact. Qu'allez-vous faire maintenant ? Quelles sont vos intentions ? »

Saïd n'avait jamais, tout au long du voyage, parlé de son opération avec le capitaine, même si à la longue celui-ci avait une bonne idée de leur objectif. Tout de même, Rashid n'était pas certain.

Saïd examina la carte un bon moment.

« Allez-vous l'ancrer ici ?

— Oui, j'aimerais y être assez tôt, quelque part entre dix et onze heures. Oui, je vais l'ancrer.

— Quand nous passerons devant Mina-al-Ahmadi en route pour Shuwaikh, pouvons-nous passer près des pétroliers qui sont à l'ancre, ceux qui attendent d'être chargés ? J'aimerais leur jeter un coup d'oeil.

— Oui, sans problèmes.

— Est-ce qu'il fera jour ?

— Oui. Ça devrait être entre quinze heures et seize heures demain après-midi.

— Parfait.

— Eh bien, dit le capitaine perplexe, et votre opération ? Qu'est-ce que vous avez l'intention de faire ?

— Je peux l'intégrer dans votre horaire sans le moindre changement, dit Saïd en haussant les épaules. Si nous sommes ancrés à cinq milles au large du quai nord à dix ou onze heures, comme vous dites... À quelle heure voulez-vous lever l'ancre et partir ?

— À minuit, répondit Rashid d'un ton emphatique. Aussitôt que je me serai débarrassé de ma marchandise.

— Et reçu votre argent.

— Précisément ! »

Saïd réfléchit un moment et ajouta :

« Il est possible que j'aie besoin d'une heure ou deux de plus. Si nous jetions l'ancre à dix heures, j'aimerais disposer de quatre heures, disons jusqu'à deux heures. Je préfère avoir le temps de mon côté. Je ne veux pas me presser. Mes hommes et moi, nous allons devoir travailler dans l'obscurité. Ce sera déjà assez difficile. »

Le capitaine était réticent, mais il comprenait que le jeune homme soit inquiet. Il s'était de plus attaché à Saïd au cours des trois semaines précédentes. Il ressentait à son égard une sorte d'affection paternelle. Il pouvait un peu plier :

« D'accord, deux heures. Mais pas plus tard. Si les gens qui ramassent la marchandise se font prendre et que nous sommes encore là... »

Il hocha la tête.

« Je comprends, l'approuva Saïd. Nous prenons tous les deux des risques, de gros risques. Ces deux heures peuvent faire la différence entre le succès et l'échec.

— Ce que vous allez faire, coupa Rashid, frustré de ne toujours pas savoir ce qu'allaient faire Saïd et son équipe. Vous ne me l'avez pas encore dit.

— Non. Pas encore. »

14

30 mars, 17h 4
Mina-al-Ahmadi, Koweït

Quelques minutes après cinq heures de l'après-midi, le 30 mars, *La Mecque* passait vis-à-vis du quai sud de Mina-al-Ahmadi. À la demande de Saïd, elle filait à demi-régime. Le vieux cargo passa lentement près des pétroliers gargantuesques qui attendaient patiemment, leurs réservoirs de lest vides et, partant, au maximum hors de l'eau, d'être appelés à pénétrer dans le poste d'amarrage qui leur avait été assigné pour le chargement. Ils attendraient quelques heures et, dans le pire des cas, pas plus de deux ou trois jours. L'équipe de l'OLP, munie de jumelles, localisa chaque vaisseau sur des cartes que leur avait fournies le capitaine Rashid. Il était de la plus grande importance aux yeux de Saïd d'enregistrer le nom de chaque vaisseau puisqu'il avait reçu l'ordre formel d'éviter tout vaisseau qui portait les couleurs d'un pays de l'OTAN ou de la France. Au grand étonnement du capitaine, Hassan photographia chaque vaisseau qu'ils dépassaient avec un appareil Polaroid. Lorsqu'ils s'éloignèrent du troupeau de navires géants qui mouillaient tous le nez dans le vent d'est comme des vaches, Saïd gravit les marches de la passerelle de commandement.

« Pouvez-vous me montrer l'endroit où nous jetterons l'ancre quand nous reviendrons demain soir ? » demanda-t-il au capitaine.

Le vieil homme cilla en regardant vers l'ouest les longs quais où l'on chargeait les pétroliers et, au delà de ceux-ci, les tours et les réservoirs de l'énorme raffinerie. Il connaissait sa position : il se trouvait exactement à quatre milles au large du quai nord.

Il se tourna vers le nord, dans l'axe de la proue.

« À environ un mille, droit devant. Nous jetterons l'ancre à environ deux milles au nord du dernier pétrolier que nous avons dépassé.

— L'*Esso Madrid*, dit Saïd, heureux. Fort bien. »

Il ouvrit le livre qu'il avait avec lui, en poursuivant d'un ton facétieux :

« Vous serez ravi d'apprendre, capitaine, que d'après cette publication du département du Commerce des États-Unis intitulée *Navires marchands sous pavillons étrangers appartenant aux compagnies mères américaines*, l'*Esso Madrid* appartient à l'Esso Tankers Inc. Construit en 1976 au Japon, il jauge 380 000 tonneaux, atteint seize noeuds et est enregistré au Liberia. »

Rashid était fasciné.

« Où avez-vous trouvé ça ? » demanda-t-il en pointant le livre.

— Oh, je l'ai tout simplement trouvé dans mes bagages en quittant Beyrouth. J'ai aussi un exemplaire du registre de la Lloyd's dans lequel j'ai appris que tous ces navires se trouveraient ici. Le registre donne aussi leur prochaine destination. »

Peut-être que Saïd allait-il enfin révéler son plan à Rashid. Mais il était superflu de demander. Les grandes lignes de l'opération de l'OLP apparaissaient maintenant clairement au vieux loup de mer rusé, même s'il s'imaginait que l'avenir lui réservait encore quelques surprises avant que Saïd et ses hommes ne disparaissent.

Il avait vu juste.

15

31 mars, 0h 35
Océan Indien

Le 31 mars, peu avant 22h 35 Zoulou, 0h 35 heure locale, le capitaine du *Splendid* appela son centre de communications depuis la salle des commandes.

« Télégraphiste, ici le capitaine.

— Ici le télégraphiste. Je vous écoute, sir.

— Nous approchons de la flottille. Nous nous trouvons à portée des très hautes fréquences. Je vais monter à profondeur de périscope pour que nous puissions jeter un coup d'oeil aux alentours et émettre. Apprêtez-vous à transmettre un message à l'officier amiral de la Deuxième Flottille. Il est à bord du *Tiger*. »

Le *Tiger* était le fameux croiseur porte-hélicoptères de la Marine royale. Le commandant de la flottille, le contre-amiral Rex Ward, était arrivé à son bord une semaine plus tôt pour assumer le commandement effectif de la démonstration de force de la marine britannique destinée aux Soviétiques. Le navire-amiral était accompagné des Troisième et Huitième Escadres de la Deuxième Flottille. La Troisième Escadre avait à sa tête la frégate *Arethusa*, et comportant un destroyer et cinq autres frégates. L'autre escadre, la Huitième, avait à sa tête la frégate *Ajax* ; un destroyer ainsi que trois frégates l'accompagnaient. Pour couronner cette manifestation de puissance, la plus impressionnante que les Britanniques avaient déployée dans l'océan Indien depuis des décennies, la flottille comprenait comme pièce maîtresse le bâtiment le plus récent de la Marine royale, le porte-avions léger *Illustrious*, avec à bord son escadrille d'ADAV (Avions à Décollage et Atterrissage Verticaux) Sea Harriers et dix hélicoptères Sea King, les bêtes de somme de la section aérienne de la flotte britannique.

La flottille avait rejoint la Cinquième Flotte américaine formée et stationnée en permanence dans l'océan Indien pour contrer les menées soviétiques au Proche-Orient. Le porte-avions *Coral Sea* était le principal vaisseau de cette flotte et le seul des dix-sept porte-avions de la marine américaine que celle-ci avait pu lui assigner. Douze de ces porte-avions patrouillaient l'Atlantique et la Méditerranée, cinq, le Pacifique. Le *Coral Sea*, durant quelques années, n'avait pas porté d'escadre à son bord, mais en avait porté une, rassemblée à partir d'escadres assignées à des porte-avions en réparation ou d'autres sources lors de la crise de 1980. La Cinquième Flotte, avec ses deux croiseurs, ses cinq destroyers et ses six frégates récupérés des flottes de l'Atlantique et du Pacifique, avait pénétré dans l'océan Indien vers la fin de février. La coïncidence avait voulu qu'elle serve de surenchère visible au pouvoir de négociation du président au cours de ses discussions avec le Pakistan. À l'instar de la flottille britannique, qui avait pénétré avec les forces américaines dans la mer d'Arabie à la mi-mars, plusieurs sous-marins d'attaque invisibles soutenaient la Cinquième Flotte. Ils avaient pour tâche d'éloigner tout vaisseau ennemi, de surface ou sous-marin, qui se serait approché.

Plus tôt, il avait été question que les forces navales américaines et britanniques participent à des manoeuvres conjointes dans l'océan Indien et la mer d'Arabie avant OKEAN, les manoeuvres soviétiques, dont on croyait qu'elles commenceraient quelque part entre le 1er et le 15 avril dans les océans Atlantique, Pacifique et Indien. Certains éléments des forces américaines et britanniques avaient pour mission de contrôler et de surveiller les forces navales et aériennes soviétiques au cours de leurs manoeuvres. Leur tâche consistait à observer les déplacements et les tactiques des Soviétiques tout en rendant ceux-ci le plus mal à l'aise possible. La filature était l'une de ces activités éprouvantes dans laquelle les Russes étaient devenus des maîtres. Durant des années, les bâtiments de leur marine et de leur marine marchande avaient filé et espionné virtuellement toutes les manoeuvres, tous les exercices et toutes les expériences navales des Alliés tel que le lancement de missiles balistiques par des sous-marins. Les Soviétiques avaient même poussé l'outrecuidance jusqu'à tenter de provoquer des incidents avec des destroyers et des frégates américains dans les eaux internationales. Il était temps de remettre aux Soviétiques la monnaie de leur pièce.

Le moment choisi par les Américains et les Britanniques pour leurs manoeuvres conjointes dans l'océan Indien ne pouvait mieux tomber puisqu'il servait les objectifs pakistanais du président Hansen. La réaction des Soviétiques se faisant par ailleurs de plus en plus violente à la suite du succès de ses négociations avec le Pakistan, la présence des puissantes forces navales conjointes en un point chaud du globe avait un effet salutaire sur la machine de propagande criarde que les Soviétiques avaient lancée contre les intentions impérialistes du président des États-Unis, un «fauteur de troubles» comme le surnommaient les Russes. Elle forçait à plus de pondération les stratèges et les technocrates militaires qui planifiaient leurs mouvements à court et à long terme depuis Moscou. À leurs yeux comme aux yeux de leurs maîtres politiques, la domination mondiale était le but inébranlable du marxisme-léninisme. Ils faisaient bel et bien, sans l'avoir déclarée, la guerre à l'Ouest tant sur le plan idéologique que sur le terrain. La rhétorique, ils la laissaient au Politburo et aux propagandistes. L'usage de la force et de la puissance militaires soviétiques, sur mer et dans les airs, appartenait aux amiraux et aux généraux. Tous, ils comprenaient et respectaient au plus haut point l'instrument unique de leur profession : la force physique. Ils étaient des experts de l'utilisation ou de la menace d'utilisation de puissantes forces navales, aériennes et terrestres en tout temps quel que soit l'endroit. Leur planification reposait sur la capacité reconnue de l'Union soviétique de lancer des armes nucléaires tactiques ou intercontinentales. La présence des armadas américaine et britannique dans la mer d'Arabie au moment même où les forces armées américaines s'apprêtaient à débarquer en grand nombre au Pakistan avait forcé les cerveaux militaires soviétiques à réfléchir.

Le capitaine du *Splendid* parlait lentement et choisissait soigneusement les mots qu'il prononçait dans l'appareil téléphonique de la salle des commandes. À l'autre extrémité, dans son centre des communications, le télégraphiste les notait fébrilement :

« Envoyer un message à l'officier amiral de la Deuxième Flottille, à bord de l'*Arethusa*... »

Bien des années plus tôt, alors qu'il était un jeune lieutenant de vaisseau, Leach avait travaillé sous les ordres du futur contre-amiral, le capitaine Ward, à la base d'entraînement naval de Faslane. Leach était à l'époque responsable de la mise au point de nouveaux sous-marins et de la formation de nouveaux équipages. Il se souvenait fort bien du visage gouailleur de l'amiral, un petit homme aux cheveux gris clairsemés dont les yeux perçants indiquaient l'énergique nervosité. Ward était tout à fait capable de répondre de son grade élevé et de ses responsabilités. Quel dommage de ne pouvoir lui rendre visite à bord de l'*Arethusa*. Il serait même chanceux d'apercevoir la flottille britannique. L'amiral ordonnerait probablement à l'*Arethusa* de se poster à cinquante ou soixante milles de ses vaisseaux. Les Russes, pour leur part, commençaient apparemment à s'assembler à l'extrémité ouest du golfe d'Aden, dans les environs du port d'Aden où ils pouvaient s'approvisionner en carburant et en nourriture. Outre la flotte qui s'assemblait, les photographies par satellite avaient révélé la présence de plusieurs vaisseaux-réservoirs qui accompagnaient des sous-marins soviétiques fonctionnant au diesel. D'autres vaisseaux-réservoirs quittaient les ports des clients des Soviétiques tant sur la côte est que sur la côte ouest de l'Afrique. Environ 160 vaisseaux, presque la moitié de leur flotte de sous-marins, fonctionnaient au diesel plutôt qu'à l'énergie nucléaire. Il était donc essentiel que les Soviétiques aient la possibilité de mouiller, de se réapprovisionner et d'accoster dans le plus grand nombre possible de ports situés dans des régions stratégiques. À travers toute l'Afrique, dans les sables mouvants de politiques impitoyables, plusieurs pays avaient forcé les Soviétiques à négocier l'accès à de nouveaux ports. Il était souvent arrivé, au cours des dernières années, que de nouveaux gouvernements, hostiles, leur aient interdit l'accès aux installations qu'ils y avaient construites ou dont ils se servaient depuis longtemps. Leur recherche, couronnée de succès, de nouveaux ports auxquels ils auraient accès sur les côtes de l'océan Atlantique et de l'océan Indien du continent africain découlait de leur inaltérable volonté, depuis 1962, de devenir la première puissance navale du globe, un objectif tout à fait conforme à la détermination de l'URSS de dominer la planète.

Leach avait fait une pause tandis que certaines de ces données se pressaient dans sa tête. Puis il reprit :

« Le *Splendid* se trouve en ce moment à 60°5'12'' de longitude est et à 13°8'3'' de latitude nord et s'en remet à vous. Heureux de me retrouver sous vos ordres. Il en a coulé de l'eau depuis Faslane. »

Leach fit une nouvelle pause. Il était satisfait.

« C'est tout. Envoyez le message dès que nous serons à profondeur de périscope. Dans environ cinq minutes.

— À vos ordres, sir. »

Il ne fallut pas plus de temps que ne l'avait prévu Leach pour que le périscope d'observation, le mât du radar et l'antenne ne soient levés. Au moment de river son visage au périscope, il regarda l'heure ; il était 22h 45 Zoulou. Le vieux Ward recevrait bientôt son message. Âgé de quarante-neuf ans et de quinze ans l'aîné de Leach, l'amiral Ward n'était pas vraiment vieux. Mais quel que soit son âge, il semblait impossible de parler d'un amiral sans l'appeler « le vieux ».

Balayant l'horizon, il demanda à l'homme de quart chargé du radar s'il percevait quoi que ce soit.

« Oui, sir. Nous avons un contact. Un navire. À 30 et à 32 milles. »

Leach fit pivoter le périscope dans cette direction et aperçut le navire, sans doute un cargo à en juger par sa passerelle de commandement située au centre et aux mâts de ses grues qui tendaient vers le ciel comme des doigts.

« Le captez-vous, sonar ?

— Oui, sir, répondit l'officier marinier Pratt d'une voix forte et claire, et je capte quelque chose d'autre, un sous-marin classifié à 185 degrés et à 1500 verges. »

Le capitaine réagit sur-le-champ :

« Quinze cents verges ! s'exclama-t-il en quittant des yeux l'oculaire du périscope et en se retournant pour crier en direction de la salle du sonar. Jésus-Christ ! Pratt, dormez-vous ? Est-ce que c'est le premier contact ? »

Pratt avait dû capter ce fantôme depuis longtemps à moins que...

Le capitaine s'aperçut qu'il se sentait quelque peu susceptible depuis le début de la journée. Peut-être avait-il réagi trop vivement. Laissant le périscope, il se dirigea vers la salle du sonar. Il s'appuya au cadre de la porte et regarda l'écran. Le sous-marin était bien là, petit éclat de lumière blanche à l'endroit même qu'avait indiqué Pratt, et il ne bougeait pas. Il n'y avait pas le moindre doute : on les filait.

Pratt aperçut du coin de l'oeil la silhouette du capitaine qui regardait l'écran depuis le cadre de la porte puis il regarda de nouveau les éclats qui apparaissaient à l'écran.

« Je pense que nous avons passé par-dessus, sir, dit-il d'un ton où perçait son mécontentement de s'être fait parler vertement sans être en faute. Il était probablement dans les fonds en attendant silencieusement que nous le dépassions et il aura commencé à remonter lorsque nous étions à environ mille verges devant. C'est là que je l'ai capté. En ce moment, il se trouve où vous le voyez, à environ quinze cents verges derrière. »

Le jeune officier était un des meilleurs opérateurs de sonar de la flotte. Et il avait raison : Leach n'aurait pas dû crier.

« Vous avez tout à fait raison, Pratt. Mes excuses. Je n'aurais pas dû élever la voix. »

Pratt lui tournait toujours le dos, mais il leva la main droite et pivota légèrement en lui disant :

« Il n'y a pas d'offense, sir. »

Puis il fit de nouveau face à la console de son appareillage électronique en ajoutant :

« Voici la signature, sir. C'est un Vainqueur II. »

Sale chien de Russe, pensa Leach. Il aurait gagé sa chemise que ce maudit sous-marin allait lui coller aux fesses tant que le *Splendid* voguerait dans l'océan Indien. Il les connaissait bien, les Vainqueur II. Ils pouvaient concurrencer sans problèmes les sous-marins britanniques du genre Swiftsure auquel appartenait le *Splendid*. En plongée, un Vainqueur pouvait officiellement voguer à trente et un noeuds, mais il les soupçonnait d'atteindre une vitesse très supérieure. Avec leurs 323 pieds et leurs 5700 tonneaux, ils dépassaient de beaucoup les 272 pieds et les 4500 tonneaux du *Splendid*. Leur réacteur nucléaire leur conférait une puissance de 30 000 chevaux-vapeur, deux fois plus que les 15 000 chevaux-vapeur du *Splendid*.

Le Vainqueur II voguait très loin de sa base. La plupart des sous-marins de ce genre appartenaient à la flotte soviétique du nord qui manoeuvrait depuis la presqu'île de Kola ; les autres patrouillaient le Pacifique. La proue de ces gros et rapides sous-marins d'attaque, construits dans les chantiers navals de Leningrad, était pourvue de huit tubes lance-torpilles et vingt et une torpilles, sans compter un armement de type SUBROC, constitué de peut-être une dizaine de missiles porteurs d'un chargement qui pouvait être nucléaire. À l'instar du *Splendid,* le Vainqueur qui le suivait avait la capacité de parcourir jusqu'à 40 000 milles marins, un voyage de plusieurs semaines, sans remonter à la surface.

« Quelle est sa profondeur ?

— Environ 300 pieds, sir. »

Le capitaine n'y pouvait rien. Le Russe le suivrait en épiant le moindre de ses mouvements. À tout prendre, il ne ferait rien d'autre que l'agacer. Il ne se transformerait en une menace que si quelque idiot déclenchait une guerre pendant qu'ils jouaient tous les deux à la cachette dans l'océan Indien. Si le capitaine du Vainqueur l'apprenait avant lui, le *Splendid* deviendrait le premier sous-marin coulé lors de la Troisième Guerre mondiale. Leach se rassura en se disant, comme il l'avait souvent fait par le passé lorsque l'éventualité de la guerre lui traversait l'esprit, que ni d'un côté ni de l'autre des hommes le moindrement sensés ne la déclencheraient. Mais au fond, Leach savait qu'il ne croyait pas que personne ne déclencherait la guerre. S'il l'avait cru, il n'aurait pas été le capitaine du *Splendid* le matin du 31 mars.

Il sentit une présence derrière lui, dans le corridor, et se retourna : le télégraphiste lui tendait un message.

« De la part de l'amiral, sir. »

De retour auprès du périscope, Leach lut :

« Bienvenue à l'homme qui colle partout. »

L'amiral avait l'habitude de se référer à lui de cette façon dans le temps. Il semblait s'amuser de ce calembour à partir du nom de Leach *. Il était évident qu'il s'en amusait toujours.

« Le *Splendid* patrouillera l'est du golfe d'Aden, en suivant une ligne habituellement située au nord du cap Guardafui. La flotte soviétique se rassemble à l'ouest d'Aden en vue d'OKEAN. Rapportez-vous quand vous serez à votre poste, puis de six heures en six heures à la minute près après votre premier signal. Un quart d'urgence veillera sur des fréquences déterminées. Méfiez-vous. L'Ours russe montre les dents aux Amerloques à cause du Pakistan. Battez de la queue à votre chien Vainqueur. Nous en avons toute une meute à nos trousses. »

Leach éclata de rire. On pouvait faire confiance au vieux. Il aurait gagé sa chemise qu'on se fendait le cul en quatre à bord du *Tiger* à plonger des sonars dans un rayon de plusieurs milles autour de la flottille. Il savait certainement déjà combien de vaisseaux russes veillaient sur lui et sur les Américains.

Il se dirigea vers la table où se trouvaient les cartes. S'y appuyant des deux mains, il se pencha vers le navigateur qui établissait avec diligence le trajet et la position du *Splendid*.

« Sir ? demanda le pilote en levant la tête.

— Sortez-moi les cartes du golfe d'Aden. »

Le pilote tendit la main vers le plus bas de ses longs tiroirs de rangement. Un instant plus tard, il étala sur la table la carte marine du golfe.

Leach examina la région située au sud de la carte. Il traça de l'index de sa main droite une ligne qui allait du cap Guardafui, au nord, aux rives du Yémen du Sud, un autre État-client des Russes, en passant par l'embouchure du golfe.

---

* N.D.T. : Leach: leech : sangsue.

« Nous allons patrouiller cette région en suivant approximativement cette ligne, dit-il. Trouvez-nous la route à suivre pour nous y rendre et, quand vous aurez un instant, établissez-nous un itinéraire de patrouille. N'oubliez pas de me dénicher sur les deux rives des points de repère que je puisse reconnaître facilement avec le périscope.

— Je peux vous indiquer tout de suite la route du golfe, sir, répondit le pilote en faisant glisser sur la table sa règle parallèle. Essayez 278 degrés, ce qui nous placera dans l'enclave située au nord de Socotra, l'île de Socotra, là. »

Il indiqua une grande île, d'une longueur d'environ cent milles, à l'est du cap Guardafui.

« Bien. »

S'étant redressé, Leach retourna au périscope d'observation et examina l'horizon. Il n'aperçut rien d'autre que le cargo qui s'était vaguement rapproché. Satisfait, il abaissa le périscope et ordonna de plonger à 500 pieds. Une fois les procédures de plongée terminées et le vaisseau en route pour la profondeur désirée, il indiqua le changement de cap qui les ferait abandonner leur trajectoire en direction du nord et bifurquer presque exactement en direction ouest vers le golfe d'Aden.

« Que fait notre Russe ? lança Leach en direction de la salle du sonar lorsque le *Splendid* eut amorcé son long virage vers la gauche.

— Il tourne avec nous », répondit Pratt qui s'attendait à cette question.

Quelques instants plus tard, lorsque le *Splendid* se fut redressé et qu'il filait vers Aden, la voix de l'officier de quart chargé du sonar se fit entendre de nouveau :

« Contact. Sous-marin classifié à 30 degrés, distance trente-cinq milles, vitesse environ trente-cinq noeuds, cap estimé de 355 degrés. »

Quel qu'il soit, il ne se dirigeait pas à l'instar du *Splendid* vers le golfe d'Aden. En lui demandant quelle était sa signature, le capitaine s'attendait à la réponse de Pratt :

« C'est un Russe, sir. Un autre Vainqueur II. »

Ceci expliquait sa grande vitesse.

« Christ, le monde est rempli de sous-marins russes », grommela-t-il en s'asseyant.

16

31 mars
Koweït

Le Koweït donne à qui l'approche par la mer l'impression d'être complètement plat. Les eaux habituellement calmes du golfe Arabique se mêlent au sable fin du désert qui maintient dans la vieille ville les rues, les bâtiments et les êtres. Au cours des dernières années, des édifices à bureaux et des hôtels, élevés et rutilants, ont surgi du sable, grâce au pétrole brut, et témoignent de l'effort entrepris par le Koweït pour se moderniser et prospérer. En longeant le chenal qui mène en direction nord dans le port de Shuwaikh, un navire longe la pointe de Ras Jouza et les tours de Koweït qui occupent les rives sur la gauche, de même que les palais Dasman et Sief ainsi que l'hôtel Sheraton. Les ambassades de la R.D.A., de la Somalie et du Maroc occupent l'entrée du port. L'ambassade des États-Unis se trouve dans le secteur sud de la ville, près de l'hôtel Hilton, en retrait du chemin First Ring. Les ambassades d'Union soviétique et de Grande-Bretagne, à un jet de pierre au nord des tours de Koweït sur la pointe de Ras Jouza, se dressent presque côte à côte à quelques verges des ambassades d'Afghanistan et de son voisin de l'est, la République populaire de Chine.

Les nouveaux bâtiments ne sont pas seuls à briser l'horizon. Il ne font en cela qu'imiter les minarets traditionnels dont la forme a été imitée par les concepteurs de deux châteaux d'eau dont les formes de béton s'élèvent à plusieurs centaines de pieds, chacun pourvu d'un énorme réservoir semblable à un ballon gonflé à mi-chemin du sommet et contenant des centaines de milliers de gallons d'eau potable dessalée par l'usine qui se trouve à leurs pieds, à peu de distance de l'entrée du port.

Très tôt, le soleil avait jailli derrière eux des eaux du golfe alors que *La Mecque* remontait le chenal. Dès huit heures, *La Mecque* avait accosté et Rashid avait réglé avec les autorités portuaires le dédouanement de sa cargaison et les procédures d'enregistrement. La Koweit Stevedoring Company avait envoyé des camions et des hommes sur les quais pour aider l'équipage de *La Mecque* à décharger sa cargaison variée.

Peu après, les hommes de l'OLP descendirent sur le quai par la passerelle. Leurs longues *abas* noires recouvraient de nouveau leurs uniformes. Ils étaient coiffés de chéchias propres qui retenaient des *guptas* noirs unis. Ils se dirigèrent vers l'hôtel Sheraton. En entrant dans le port, Saïd avait aperçu ce haut bâtiment attrayant avec son enseigne bien visible au niveau du toit. Il devait téléphoner. Le Sheraton, qui desservait les Américains et la foule des Européens qui venaient traiter leurs affaires au Koweït, serait en mesure d'établir sans difficultés sa communication téléphonique avec l'étranger. Dans cette éventualité, il s'était muni à Beyrouth d'un approvisionnement de dinars du Koweït ; suffisamment pour un bon repas et un appel interurbain à Beyrouth, estimait-il.

Saïd acheta, dans le foyer de marbre de l'hôtel climatisé, deux cartes de la ville au kiosque à journaux. Il en tendit une à Ahmed en même temps qu'une poignée d'argent et leur dit à tous trois de visiter la ville et de le retrouver à l'hôtel à midi pour le dîner. Il conserva la deuxième carte. Lorsqu'il aurait terminé ses appels téléphoniques, il se promènerait en ville.

Une fois seul, il s'adressa au portier à qui il tendit un numéro de téléphone de Beyrouth et un pourboire en dinars pour accélérer la procédure. Le portier lui dit qu'il l'avertirait lorsque la communication serait établie. Entre temps, s'il voulait bien s'installer dans le foyer de l'hôtel, on lui servirait bientôt du café comme le voulait la coutume.

Il attendit presque une heure avant qu'on ne l'appelle, peu après dix heures. Arafat, son chef, se trouvait à son quartier général. Il attendait le coup de téléphone de Saïd, anxieux de saisir ce qui s'était passé à Haïfa et d'évaluer les chances de succès de l'opération au Koweït. Saïd se précipita vers la cabine et transmit à son maître un rapport détaillé tout en lui promettant que la première phase de l'opération serait terminée la nuit suivante. Si quoi que ce soit tournait mal, il câblerait lorsque *La Mecque* ferait escale à Bahrain.

Arafat l'écouta sans l'interrompre. La ligne était claire et il n'était pas nécessaire de crier. Lorsqu'il eut terminé, Arafat complimenta son second :

« Vous vous êtes vraiment très bien tiré d'affaires, Saïd. L'opération de Haïfa était superbe, absolument superbe. Je suis certain que votre entreprise de ce soir sera couronnée de succès. Qu'Allah vous protège. Mais revenons-en à Haïfa. Les Israéliens sont furieux. Comme vous vous y attendiez sans doute, ils se sont vengés en bombardant nos camps de réfugiés. »

Saïd hocha silencieusement la tête dans sa cabine téléphonique lointaine. Il avait entendu la nouvelle à la radio. Mais qui pouvait les blâmer de se venger ? C'était le cours normal des choses entre ennemis mortels. Le jeune homme sentit pourtant son âme s'emplir d'appréhension lorsque son chef poursuivit :

« Je dois cependant vous prévenir : nos agents m'ont rapporté que les Israéliens savent que vous étiez à bord de *La Mecque* avec votre équipe. Ils sont convaincus que vous êtes responsables de l'attentat. Ils ont envoyé leurs meilleurs tueurs à vos trousses. Pour autant que je le sache, ils ignorent où se trouve *La Mecque* et même s'ils le savaient en ce moment, ils ne pourraient agir puisque l'entrée au Koweït leur est interdite... Saïd, êtes-vous toujours là ?

— Oui, je suis toujours là, répondit-il après une pause. Ce que vous m'apprenez ne me surprend pas.

— Tout ce que je vous dis, c'est d'être prudent !

— Ne vous inquiétez pas. Mon équipe vaut la meilleure des leurs.

— Vous devez être meilleurs que les meilleurs, mon fils. »

Leur conversation terminée, la ligne devint silencieuse. Saïd, le regard vide, raccrocha en ruminant l'avertissement d'Arafat. Il traverserait ce pont lorsqu'il y parviendrait. Il y avait tant à faire. Il devait d'abord terminer la première phase de son opération. Puis il devrait entreprendre un autre long voyage, un voyage dont le capitaine Rashid ne savait encore rien. Puis mener la dernière phase à son terme dans ce port lointain.

Il se redressa. Son équipe pouvait s'occuper des tueurs israéliens, les surpasser tant par la pensée qu'en combat, les tuer.

Il devait donner un autre coup de téléphone. Il s'agissait d'un appel local dans les limites de la ville de Koweït. De nouveau, il s'adressa au portier qui lui tendit le compte de l'appel à Beyrouth et qu'il paya. L'appel local ne coûterait rien. Il pourrait composer directement. Lorsque la communication fut établie, il demanda à la réceptionniste de l'ambassade à parler à l'attaché militaire. Saïd s'identifia en langue arabe à la secrétaire de cet officier. L'attaché militaire, officiellement un lieutenant-colonel des forces armées, appartenait en réalité à l'infâme KGB. Lorsqu'il prit la communication, Saïd lui parla avec éloquence, couramment et sans trace d'accent dans la langue de son père russe, un capitaine de haute mer de la ville nordique de Mourmansk, nichée dans un fjord étroit et profond de la frigorifiante mer de Barents à la limite de l'océan Arctique. Saïd parlait au colonel d'égal à égal. Il était non seulement un lieutenant-colonel de l'Organisation de Libération de la Palestine, ainsi que le savait le capitaine Rashid, mais aussi un membre du KGB, la pieuvre planétaire de l'intrigue, de l'espionnage et du contre-espionnage. Saïd travaillait à la réalisation de l'objectif de domination mondiale du Soviet suprême, un but que ne contredisait en rien celui de l'Organisation de Libération de la Palestine.

Le lieutenant-colonel Saïd, du KGB, transmit essentiellement le même rapport qu'à Yasser Arafat, y compris la date et l'heure de l'exécution de la Phase II, à 13h heure de Greenwich, le 26 avril.

L'équipage de *La Mecque* largua les amarres qui la reliaient aux quais du port de Shuwaikh peu après dix-sept heures cet après-midi-là. Sans sa cargaison, le vieux navire flottait haut. Mais il voguerait à vide jusqu'à Bahrain seulement, le pays arabe insulaire hautement industrialisé situé à une journée de distance sur la route qu'emprunterait *La*

Mecque pour remonter jusqu'à la Méditerranée. Les agents de ses armateurs à Bahrain avaient obtenu un contrat pour transporter deux mille tonnes de lingots d'aluminium de Bahrain à Aden.

Lorsque Saïd et son équipe étaient revenus à bord du cargo, Rashid les avait prévenus de l'escale de Bahrain.

« Combien de temps resterons-nous à Bahrain ? demanda Saïd.

— La cargaison se trouve sur le quai. Ça ne devrait pas prendre plus de trois ou quatre heures pour la charger. »

Le capitaine pensa qu'il était temps de soulever une question :

« Bahrain devrait être un bon endroit pour quitter *La Mecque.* Son aéroport est l'un des mieux équipés du Proche-Orient. Vous pouvez voler sans escale jusqu'à Beyrouth. Je peux rapporter tout l'équipement que vous ne voudriez pas prendre à bord avec vous.

— Dans votre compartiment spécial ?

— S'il le faut, répondit Rashid en souriant.

— J'y penserai », lui dit Saïd sans se compromettre.

Il n'y penserait pas le moindrement. Il attendrait que *La Mecque* se trouve à deux jours d'Aden avant de dire au capitaine Rashid que, plutôt que de voguer à travers la mer Rouge en direction du canal de Suez et de la Méditerranée, *La Mecque* longerait la côte africaine vers le sud. Ces deux jours permettraient à Rashid de tenter d'obtenir par radio une cargaison expédiée d'Aden pour le sud. S'il n'y parvenait pas, *La Mecque* voguerait en lest. Le capitaine et les armateurs recevraient une compensation. Saïd serait très clair sur ce point.

Saïd monta sur la passerelle de commandement au moment où le capitaine Rashid mettait *La Mecque* en route. Ils quittèrent le port de Shuwaikh en remontant le chenal et en longeant les châteaux d'eau et l'hôtel Sheraton baignés dans la lumière cuivrée du soleil couchant.

Le capitaine avait confirmé que *La Mecque* jetterait l'ancre comme prévu au large de Mina-al-Ahmadi aux environs de vingt-deux heures. À compter du moment où *La Mecque* avait quitté le port de Shuwaikh, l'équipe de l'OLP disposait d'un peu plus de quatre heures pour se préparer. Le cuisinier leur servit leur repas à 18h 30. Lorsque le repas prit fin, *La Mecque* voguait lentement vers le sud dans une noirceur totale à l'exception de ses feux de position et de la faible lueur vacillante du gaz naturel des champs pétrolifères du Koweït au loin vers l'ouest. Les quatre Arabes devaient retirer leur équipement et leurs armes du compartiment secret du capitaine sans révéler à l'équipage où ils les avaient cachés durant le long voyage. L'équipage avait été suffisamment surpris de découvrir la présence à bord de quatre hommes de l'OLP après le départ de *La Mecque* de Port-Saïd.

Cette fois-ci, le scénario était différent. Les hommes devaient agir dans les ténèbres. À l'exception de Nabil et du timonier, retenus sur la passerelle de commandement, l'équipage devrait être consigné en un endroit du navire où ils seraient loin du pont. La solution était simple. L'équipe de l'OLP ayant été servie à 18h 30, le capitaine ordonna au cuisinier de ne servir l'équipage qu'une demi-heure plus tard. Il lui ordonna de plus de préparer pour ses hommes la meilleure nourriture et de leur verser du vin mais, cette fois-ci, pas plus d'un litre par tête.

Maan montant la garde au haut des marches de bâbord du pont des cabines, l'opération commença aussitôt que Rashid eut constaté que tous les hommes se trouvaient attablés à la salle à manger devant leur repas spécial. Travaillant fébrilement, Saïd, Hassan et Ahmed vidèrent le compartiment de ce qu'il renfermait d'équipements, sans oublier les sacs d'opium de Rashid, et disposèrent ceux-ci sur le pont situé immédiatement derrière la cabine du capitaine. Au-dessus, sur la passerelle de commandement, Rashid occupait Nabil au cours de la phase critique en lui faisant examiner par le menu les cartes des approches de Mina-al-Ahmadi.

Une fois l'équipement sur le pont, le secret et la nécessité d'une cache perdirent leur raison d'être. Ils poursuivraient leurs préparatifs au vu et au su de l'équipage curieux. Et curieux, l'équipage l'était. Lorsque celui-ci commença à quitter en désordre la salle à manger, fumant et parlant dans la noirceur, l'un des membres de l'équipage se dirigea nonchalamment vers le bastingage de l'avant du pont des cabines pour regarder dans la pénombre ce qui se trouvait dans la trajectoire de *La Mecque*. S'étant adaptés à la noirceur, ses yeux s'agrandirent d'étonnement lorsqu'il aperçut des formes sombres qui se déplaçaient sur le pont inférieur, vagues silhouettes contre la grisaille de la cloison de la cabine du capitaine. Il s'agissait de ces damnés hommes de l'OLP. Que faisaient-ils ? Ayant appelé ses compagnons, lui-même et les autres membres de l'équipage, dont le cuisinier, entourèrent les Palestiniens. Ils étaient fascinés par ce qu'ils voyaient.

À tribord du pont, Saïd et Hassan extirpaient délicatement de leurs emballages de styro-mousse des objets métalliques gris à peu près du format d'une grande assiette. Leur côté inférieur était plat et leur côté supérieur, incurvé en forme de dôme. Un cadran se trouvait au centre. À la droite du cadran, un tube de métal épais d'environ six pouces de longueur était rattaché à la surface par un pivot universel. À la gauche du cadran se trouvait un anneau articulé suffisamment grand pour y introduire un gros index.

L'anneau était rattaché à une tige qui, si elle était tirée, armait l'engin en permettant à deux fils à ressort de faire contact, ce qui générait une charge fonctionnant sur des piles électriques de très grande puissance. Il en résultait deux choses : cette charge déclenchait un puissant champ magnétique à la base de l'engin, un champ qui durerait indéfiniment même après épuisement de la source de courant électrique ; elle complétait de plus le circuit qui activait un minuscule récepteur d'ondes répondant à la fréquence choisie grâce au cadran. Lorsque le récepteur recevrait le signal sur la fréquence choisie, il déclencherait le détonateur. L'engin, bourré d'explosifs incroyablement puissants, exploserait alors. Le tube épais était en fait une antenne télescopique d'une longueur de vingt pieds.

Les objets métalliques étaient des mines électroniques meurtrières, capables chacune de détruire totalement un vaisseau comme *La Mecque* et de le couler en quelques secondes. Ou encore de détruire six canonnières israéliennes. Dix de ces mines, placées au bon endroit le long de la coque d'un superpétrolier, pourraient le transformer en une fraction de seconde en une ruine enflammée, le couler en quelques minutes s'il était chargé ou en quelques secondes s'il était en lest.

À bâbord du pont, Ahmed et Hassan sortirent de leurs housses les deux canots à moteur gonflables, les déroulèrent et les gonflèrent avec des bouteilles de gaz carbonique jusqu'à ce qu'ils acquièrent la rigidité convenable. Les moteurs hors-bord, fonctionnant à la gazoline, durent être testés. Pour ce faire, on les attacha aux montants de bois du bastingage du vieux navire. On inséra les boyaux des réservoirs de gazoline rouges à l'avant de chaque moteur et on pompa la gazoline. Ahmed tira fermement la corde des démarreurs et les moteurs rugirent en expectorant de gros nuages de fumée blanche qui disparurent aussitôt que les moteurs tournèrent régulièrement.

Satisfait de la performance des moteurs, Ahmed les arrêta, les souleva et les riva à l'arrière des deux canots. Il déposa les réservoirs au centre des embarcations pour les équilibrer.

Il fallut ensuite tester les moteurs électriques silencieux, ceux qui serviraient tout au long de l'opération. Les moteurs à gazoline ne serviraient qu'au cas où ils devraient s'enfuir rapidement ou si les piles perdaient de leur puissance. Une fois de plus, les montants de bois servirent de support aux moteurs. Ceux-ci étaient reliés par des fils à deux batteries humides qui se trouvaient sur le pont chacune dans sa caisse de métal munie d'une courroie de cuir qui permettait de les transporter facilement. Les deux moteurs électriques fonctionnèrent parfaitement, leurs hélices tournant librement dans l'air nocturne, n'émettant qu'un faible bruit. Il était évident cependant que leur pile devrait être chargée rapidement pour que les moteurs tournent à leur pleine puissance.

Les deux hommes retournèrent à leurs canots auxquels ils fixèrent leurs rames et les filins qui permettraient à la grue du navire de les soulever et de les déposer délicatement dans l'eau. Jusque-là, les membres de l'équipage s'étaient contentés de rester là à regarder bouche bée ce qui se passait. Puis ils commencèrent à poser des questions. Saïd répondit à presque toutes. Rien ne les obligeait à ne pas savoir. Pour parer à toute éventualité, il s'assurerait qu'ils soient dans l'impossibilité de se servir des informations avant que les deux phases de l'opération ne soient terminées. Ensuite, ils n'y pourraient rien changer. Il leur expliqua le fonctionnement des mines ; comment elles collaient à la surface métallique de la coque d'un navire avec une telle force qu'il était presque impossible de les en arracher ; comment on les armait et de quelle façon les détonateurs seraient activés à grande distance par ondes radio.

Lorsqu'on lui demanda cependant pourquoi ils s'en prenaient aux pétroliers, il se contenta de répondre :

« Pour la libération du peuple palestinien. »

Et lorsqu'on lui demanda quels vaisseaux ils mineraient, il se contenta de répondre :

« Ceux qui ont le bon drapeau. »

Agenouillé sur le pont et apprêtant la dernière des cent mines, Saïd ne s'était pas aperçu en donnant ces réponses que le capitaine s'était joint au petit groupe dans la pénombre. Rashid était atterré par la puissance meurtrière qui luisait sur le pont lorsque des rayons rouges, verts et blancs des feux de position glissaient sur la surface métallique des mines.

« Saïd, vous pourriez faire sauter le monde entier avec ces choses-là !

— C'est exactement ce que j'ai l'intention de faire, capitaine, du moins d'en arriver le plus près possible. »

Calme et douce dans l'air odoriférant de la nuit, la voix de Saïd était à peine audible à cause du rugissement des vieux moteurs de La Mecque et du battement de son hélice.

« Tout ça au nom de la libération du peuple palestinien, reprit Rashid en hochant la tête. Il doit y avoir un autre moyen. »

Peu après vingt et une heures, les lointaines lumières scintillantes de l'immense raffinerie de Mina-al-Ahmadi et les flammes vacillantes du gaz qui s'échappait de ses innombrables cheminées apparurent à l'horizon devant La Mecque. Puis apparurent les premiers signes de vie des feux de position des superpétroliers vides ancrés au large. Une multitude de minuscules rayons rouges, verts et blancs indiquaient sur l'arrière-fond des quais entrecroisés la présence d'une vingtaine de vaisseaux qu'on chargeait d'huile lourde brute ou de pétrole raffiné en les branchant directement sur les oléoducs de la raffinerie.

Quelques minutes avant vingt-deux heures, *La Mecque* arrivait à l'endroit où elle devait jeter l'ancre, à cinq milles au nord-est du quai nord et à deux milles environ du pétrolier qui attendait à l'ancre le plus au nord. Le capitaine Rashid avait réintégré sa passerelle de commandement après avoir jeté un coup d'oeil aux mines et aux canots à moteurs. Nabil s'y trouvait déjà, faisant les cent pas derrière le timonier et craignant pour sa propre sécurité maintenant qu'il avait vu ces effroyables mines. Il examinait en esprit toutes sortes de scénarios pour les navires auxquels elles seraient rivées. Ces sauvages allaient-ils vraiment piéger les pétroliers qu'il devinait au loin ? Il ne pouvait le croire. Pourquoi ? Allaient-ils les faire exploser sur place ? Dans l'affirmative, tout serait détruit : la raffinerie, les quais, les réservoirs. Il pouvait imaginer toute la région exploser comme une bombe atomique.

Aussitôt que le capitaine fut de retour sur le pont, Nabil se mit à le supplier de faire appareiller *La Mecque* dès que la marchandise spéciale serait livrée. Il l'implorait d'abandonner les Palestiniens s'ils n'étaient pas de retour alors. Nabil frôlait la panique lorsqu'il aperçut Saïd, vêtu d'une combinaison de plongée noire, qui gravissait les marches de l'aile bâbord de la passerelle de commandement. Cette apparition ne fit qu'augmenter sa peur. Il battit en retraite jusqu'à l'extrémité de l'aile tribord de façon à être le plus éloigné possible du leader de l'OLP.

Le capitaine ordonna de ralentir. Dans la pénombre, il pouvait à peine apercevoir les hommes d'équipage sur le gaillard d'avant qui s'apprêtaient à jeter l'ancre. Dans trois ou quatre minutes, il ordonnerait de couper les moteurs.

« Êtes-vous prêt ? demanda-t-il à Saïd en se dirigeant vers lui.

— Tout est prêt, répondit Saïd, à l'exception de la dernière pile. Elle devrait l'être dans quelques minutes. »

Rashid s'aperçut tout à coup, dans la faible lueur des panneaux d'instruments, que Saïd ne portait pas ses éternels verres fumés. Il s'agissait de l'un de ces rares moments où il pouvait regarder, bien qu'à peine, directement dans les yeux du jeune homme. Il crut y déceler une lueur d'affection.

« Rashid, lui dit Saïd, cette opération sera dangereuse. Quelque chose pourrait mal tourner. Je suis certain que tout ira bien. Mais je voudrais que vous sachiez à quel point... à quel point je vous suis reconnaissant. Vous me comprenez ? »

Un sourire éclaira le visage ridé du capitaine qui mit la main sur l'épaule noire de Saïd.

« Bien sûr que je comprends. Bien sûr. Et qu'Allah vous protège, Saïd. »

Saïd détourna son regard au moment où le capitaine enlevait sa main. Puis les yeux bleus se rivèrent de nouveau sur ceux de Rashid.

« Je dois cependant vous prévenir que j'ai dû prendre quelques précautions. J'ai pensé le faire à Port-Saïd, mais ce n'était pas nécessaire tant que l'opium se trouvait à bord. Je dois maintenant les prendre puisque je dois être absolument certain que *La Mecque* attendra que nous ayons terminé. Une fois débarrassé de votre cargaison, rien ne vous retiendra, rien ne vous forcera à attendre.

— Mais, protesta Rashid, vous avez ma parole !

— Et je l'accepte. »

Il regarda Nabil et jugea que celui-ci ne pouvait entendre leur conversation. Il éleva donc la voix pour que le second n'en perde pas le moindre mot.

« Mais peut-être se trouve-t-il à bord quelqu'un qui pensera différemment. Vous êtes seul contre neuf, capitaine. Alors pour m'assurer que *La Mecque* ne bougera pas, j'ai caché une mine. Elle est amorcée. Voici la tige. »

Il éleva la main droite, et l'ouvrit, la paume vers le haut. Son index était passé dans un anneau d'acier d'où pendait la tige de sécurité de la mine cachée. Le capitaine la regarda sans sourciller, mais Nabil, ses yeux globuleux dilatés par la peur, en eut le souffle coupé.

« Vous êtes cinglé ! Vous allez nous tuer !

— Si *La Mecque* reste ici, vous n'avez rien à craindre. Si vous partez, vous êtes morts. L'émetteur se trouve dans mon canot. Peu importe où vous serez, nous n'avons rien d'autre à faire que d'appuyer sur un bouton. »

Ces mots s'adressaient à Nabil qui tremblait. Saïd avait pris une autre précaution.

« Et nous avons mis votre émetteur hors d'état. »

Saïd se retourna vers le capitaine Rashid.

« Je regrette », dit-il.

La silhouette noire disparut par les marches. Rashid évalua sa position et ordonna de couper les moteurs.

Nabil, plongé dans un état d'effondrement moral à peu près complet, ne répondit pas. Le capitaine, l'ayant repoussé, plaça les commandes en position d'arrêt. Il put entendre mourir le rugissement des moteurs aussitôt que le chef mécanicien, dans son enfer particulier de la salle des machines, plaça le volet de commande au neutre.

Sur le pont, à l'arrière du cargo, Ahmed fit démarrer le moteur de la grue. Une fois celui-ci bien lancé, il manipula habilement les leviers de commande de façon à amener le câble et le crochet vis-à-vis des canots et cinq pieds au-dessus du premier qu'il soulèverait. Trois silhouettes vêtues de noir passèrent immédiatement les boucles des filins autour de l'extrémité pointue du crochet. Cinq filins retenaient le canot : l'un à l'avant, l'un à chaque coin de la poupe et l'un de chaque côté, un peu en avant du milieu de l'embarcation. Saïd donna le signal à Ahmed en levant la main, la paume à l'horizontale. Le câble commença à remonter, tendant les filins, dans le bruit irrégulier du moteur de la grue. Le canot, muni de ses deux moteurs, s'éleva lentement au-dessus du pont. Sans attendre les instructions de Saïd, Ahmed arrêta de lever le canot lorsqu'il fut à hauteur d'homme et tira le levier de direction de droite. Il balança lentement le canot au-dessus du bastingage de tribord et le porta jusqu'à un point situé à une dizaine de pieds au-delà. Puis il poussa le levier de descente et regarda disparaître le canot sous le niveau du pont.

Ahmed regardait maintenant les mains de Saïd. Le leader de l'OLP s'était penché au-dessus du bastingage et Ahmed, dans la pénombre, distinguait à peine sa silhouette sombre mais il apercevait ses mains blanches et brunes, écartées le plus possible verticalement du côté droit de Saïd. Maan, les mains disposées de la même façon, se trouvait au bas de la passerelle de service abaissée. Lorsqu'il eut le sentiment que le fond du canot ne se trouvait plus qu'à environ trois pieds de l'eau calme et étale — et il était difficile d'en juger dans les ténèbres —, il commença à rapprocher lentement ses mains pour indiquer que le canot s'en rapprochait. Saïd reprenait ses gestes qu'Ahmed ainsi voyait. Les deux mains ne furent bientôt plus écartées que d'un pied, puis réunies lorsque le fond du canot atteignit l'eau.

Maan, sur la passerelle de service, était prêt. Dès que l'embarcation eut atteint l'eau, à pas plus de deux pieds de la passerelle, il y sauta et décrocha les filins. Ceux-ci seraient enroulés dans le fond du canot et serviraient à le remonter à bord de *La Mecque* quand ils reviendraient. Maan signala à Saïd qu'il avait libéré le crochet, puis il s'assit entre les rames et dirigea l'embarcation vers la poupe du navire laissant ainsi la voie libre au deuxième canot. Celui-ci apparut quelques moments plus tard et glissa doucement vers l'élément liquide. Hassan menait l'opération comme Maan avant lui l'avait fait.

En moins de dix minutes, les deux embarcations étaient à l'eau. Hassan sauta dans la seconde depuis la passerelle, la détacha et l'amena bord à bord. Il la partagerait avec Ahmed. Mais elle devrait d'abord être chargée de cinquante mines. Formant une chaîne à trois, Ahmed prit chacune des mines sur le pont et les tendit à Saïd à mi-chemin dans la passerelle ; celui-ci les porta de la plate-forme à Hassan. Ils agirent de même avec l'émetteur radio, leurs bouteilles d'oxygène, leurs masques, leurs palmes et leurs gants noirs. La première embarcation était prête.

Hassan rama juste assez pour s'éloigner de *La Mecque* et permettre à Maan de se ranger bord à bord avec la deuxième embarcation. Elle fut rapidement chargée des quarante-neuf autres mines, de l'équipement de plongée de Saïd et de Maan et, enfin, de Saïd lui-même. Maan se déplaça vers la proue tandis que Saïd s'installait à l'arrière d'où il piloterait l'embarcation. Ils n'avaient pas à attendre l'autre embarcation. Chacun savait où se diriger et quoi faire. Saïd lança le moteur électrique à toute vitesse puis regarda en direction du bastingage de *La Mecque* où l'équipage en entier les observait, le visage à peine visible dans la noirceur. Il pouvait distinguer le large visage de Rashid qui se tenait à l'écart de ses hommes au haut de la passerelle. Il salua le vieux capitaine qui ne lui rendit pas son salut dans les ténèbres.

L'embarcation noire, lourdement chargée, s'enfonça silencieusement dans la nuit. Seul un trait d'écume luisante indiquait sa trajectoire qui pointait vers les feux des monstres ancrés au sud.

Hassan revint avec son embarcation jusqu'au bas de la passerelle de service où Ahmed l'attendait. Lorsqu'il se fut installé à la poupe de l'embarcation, celle-ci s'enfonça en silence dans les ténèbres.

Saïd avait exposé son plan en détail à ses hommes lorsqu'ils étaient rentrés à bord de *La Mecque* au cours de l'après-midi. La veille, il avait soigneusement indiqué à l'endos d'une de ses cartes l'emplacement des superpétroliers ancrés. Selon ses prévisions, huit à dix des vingt superpétroliers se seraient déplacés vers les quais de Mina-al-Ahmadi pour y être chargés. Les autres seraient toujours ancrés au même endroit. Chacun de ces navires serait enregistré au Liberia ou à Panama et constituerait une cible acceptable puisque ni l'un ni l'autre de ces pays n'était membre de l'OTAN. Quelques-uns seulement des plus de 700 superpétroliers qui erraient sur les océans de la planète battaient pavillon du pays de leurs propriétaires. Ils battaient plutôt un pavillon de circonstance, celui du Liberia ou de Panama.

Au cours de son exposé, Saïd avait tenté de rendre son plan d'attaque le plus simple possible. Il avait tracé une ligne brisée du nord au sud sur sa carte en y indiquant la position de chacune des dix cibles. Maan et lui-même s'occuperaient des navires pairs. Ahmed et Hassan s'occuperaient du premier puis des impairs. Pour éviter d'être vus, ils aborderaient chaque pétrolier dans son axe par la proue. Il était peu probable qu'un membre d'équipage les repère puisque les quartiers d'habitation des trente ou quarante hommes se trouvaient toujours à la poupe, à mille pieds ou davantage de la proue. Une fois bord à bord avec l'une de leurs cibles, les embarcations se retrouveraient en fait sous le navire. Chacun des pétroliers se serait vidé de son lest et serait presque entièrement hors de l'eau. Leurs coques s'incurvaient brutalement sous la ligne de flottaison et leur structure se trouvait en porte-à-faux. Les deux petites embarcations pourraient agir sans qu'on les aperçoive du pont.

Dans la nuit calme et étale, Saïd pouvait s'apercevoir par leurs feux de position que les pétroliers ne pointaient pas tous dans la même direction. Il dirigea son embarcation très à l'est du premier navire. Il s'agissait de la première cible d'Hassan et Ahmed. Bien que se trouvant à un demi-mille, Saïd et Maan avaient l'impression que le bâtiment massif s'estompait dans le lointain. Sur la cheminée de la poupe, le symbole si fier de son propriétaire, ESSO, était éclairé. Ils passèrent derrière le superpétrolier en sachant qu'au moment même Ahmed et Hassan se trouvaient à sa proue, prêts à amorcer leur tâche.

Au delà du pétrolier de la Esso, ils bifurquèrent légèrement vers le rivage et mirent le cap sur leur première cible qui se trouvait à 300 verges au sud, la proue pointant directement vers eux. Le manteau de ténèbres de la nuit sans lune était légèrement adouci par la lueur jaunâtre des flammes lointaines de la raffinerie. La nuit était si noire qu'une paire d'yeux sur le pont très élevé du gaillard d'avant de l'un des superpétroliers ancrés aurait été incapable de découvrir l'embarcation de caoutchouc noir, ses passagers ou sa cargaison meurtrière. Il eût peut-être été possible d'apercevoir le mince trait phosphorescent, mais rien d'autre.

L'enseigne de la Esso qui brasillait fièrement dans la nuit, de même que sa superstructure particulière, avaient permis à Saïd de l'identifier. Il savait, grâce au souvenir des photographies de la veille et à la position du navire sur la carte qu'il avait dessinée, qu'il s'agissait du *Esso Italia*. Il appartenait à la famille des 250 000 tonneaux et était enregistré au Liberia. Après cette identification capitale, le souvenir qu'il avait de sa carte lui fournit le nom et les détails pertinents des neuf navires suivants de la file d'attente. Tout autre navire serait arrivé depuis la veille.

Il revit rapidement ceux auxquels ils rendraient visite au cours de la nuit. Leur première cible, le deuxième navire de la file, était le *Afran Zodiac*, propriété de la Gulf Oil, jaugeant environ 227 000 tonneaux, battant pavillon libérien. Le troisième était le *Fairfield Jason*, propriété de Fairway Tankers, jaugeant environ 170 000 tonneaux, battant pavillon libérien. Le quatrième, le *Conoco Europe*, de même tonnage environ que le *Fairfield Jason*, battait pavillon libérien. Il ne parvenait pas à se souvenir qui en était le propriétaire. Le cinquième, le *Chevron Edinburgh*, propriété de Chevron Transport, de mêmes dimensions, battait pavillon libérien. Le sixième, le *Esso Malaysia*, jaugeait environ 200 000 tonneaux, appartenait à Esso Tankers Inc., et battait pavillon panaméen. Le septième, le *Saint Marcet*, propriété d'il ne savait plus qui, jaugeait environ 280 000 tonneaux et battait pavillon libérien. Le huitième, le *Mobil Magnolia*, jaugeant lui aussi environ 280 000 tonneaux, appartenait à la Mobil Oil, et battait pavillon libérien. Le neuvième, le *Charles Pigott*, propriété de la Bank of California National Association, jaugeait environ 270 000 tonneaux, et battait pavillon libérien. Le dernier, enfin, l'*Amoco Singapore*, propriété de la Amoco Transport Company, jaugeait environ 230 000 tonneaux et battait pavillon libérien. Pas un seul ne battait pavillon d'un pays de l'OTAN.

La chaîne massive de l'ancre de l'*Afran Zodiac* glissa si près d'eux qu'ils auraient pu la toucher. Quelques secondes plus tard, ils aperçurent l'énorme bulle hydrodynamique sous la proue que sa peinture orange rendit visible au moment où ils atteignaient le navire. Maan coupa aussitôt le contact. La surface flexible de l'embarcation de caoutchouc frappa doucement la coque du navire. Ils étaient prêts à commencer. Aucun mot ne serait prononcé.

Saïd mit ses palmes, ses gants, son masque et, avec l'aide de Maan, attacha sa bouteille d'oxygène peinte en noir. Il se laissa glisser par-dessus le plat-bord de son embarcation et se retrouva dans l'eau entre celle-ci et l'immense proue de l'*Afran Zodiac*. Son embout d'oxygène solidement dans la bouche, il tendit les bras vers Maan qui lui remit la première mine. Il la serra des deux bras contre lui, le côté plat qui devait être magnétisé vers l'extérieur. Il plongea jusqu'à une profondeur d'environ trois pieds et, des deux mains, poussa fermement la mine contre la coque métallique. L'y retenant de la main gauche, il explora de la droite la surface arrondie de l'engin, trouva l'anneau de la tige d'amorçage, y inséra l'index et tira. La mine fut immédiatement magnétisée et amorcée, solidement fixée au ventre du monstrueux navire.

Il ne restait plus qu'une formalité à accomplir. Il trouva prestement l'antenne télescopique et la déploya entièrement contre la coque en la dirigeant vers la poupe. Les ailerons situés à l'extrémité de l'antenne soulèveraient celle-ci jusqu'à la surface lorsque le navire filerait. Saïd remonta et s'agrippa au câble du plat-bord pendant que le moteur électrique menait l'embarcation vers la poupe à une centaine de pieds plus loin le long de la coque incurvée. Une mine y fut fixée de la même façon puis d'autres mines jusqu'à la dixième et dernière qui fut fixée près de la poupe sous la salle des machines. Ils avaient terminé. Avec l'aide de Maan, Saïd remonta à bord de l'embarcation. Grâce à son moteur électrique, celle-ci remonta silencieusement jusqu'à la proue sous le porte-à-faux protecteur de la coque, dépassa la chaîne de l'ancre et se dirigea dans la noirceur vers le *Conoco Europe*.

Saïd regarda sa montre. Il lui avait fallu vingt-deux minutes pour miner l'*Afran Zodiac*. Il était 22h 53. Il lui restait quatre autres navires à piéger sans compter la dizaine de minutes qu'il fallait pour se rendre de l'un à l'autre et les quarante minutes pour rentrer à bord de *La Mecque*, vers 1h 40, donc, avec vingt minutes d'avance sur l'horaire fixé par Rashid si tout allait bien. Jusque-là, du moins, tout allait effectivement bien.

Guidés par les feux de position des navires ancrés, ils dépassèrent le troisième navire, le *Fairfield Jason*, en se demandant tous deux comment Ahmed et Hassan se tiraient d'affaire. Ils devaient normalement avoir amorcé leur travail.

Saïd et Maan approchèrent du *Conoco Europe* de la même façon que de l'*Afran Zodiac*. Les mines y furent fixées sans incident, mais cette fois Maan s'en était occupé. Puis ils poursuivirent leur tâche avec l'*Esso Malaysia*, le *Mobil Magnolia* et, enfin, l'*Amoco Singapore*.

Saïd ayant miné les navires de la Mobil et de la Esso, il revenait à Maan de terminer l'ouvrage. Il avait déjà fixé huit mines à la coque de l'*Amoco Singapore*. La suivante serait la dernière des quarante-neuf mines qu'ils avaient emportées depuis *La Mecque*. Saïd mena son embarcation vers la poupe, sous la salle des machines. Ils se trouvaient ainsi dans l'axe des six lames massives de la puissante hélice du navire.

Au moment même où Maan plongeait en serrant contre lui la dernière mine, Saïd perçut le tintement des cloches de la salle des machines. Un grondement lourd se fit aussitôt entendre depuis l'intérieur du navire en même temps que ses puissants moteurs diesels accéléraient en imprimant à l'arbre de transmission de l'hélice un mouvement de rotation de plus en plus rapide. Il sembla à Saïd qu'il ne s'était pas passé plus d'un instant avant que l'eau ne se transforme tout autour de lui en un tourbillon de fureur. Les lames vicieuses de l'énorme hélice se trouvaient juste sous la surface de l'eau à une vingtaine de pieds et tournaient de plus en plus rapidement en aspirant l'eau avec une force sans cesse accrue. Saïd sentait déjà que l'hélice tirait à elle son embarcation. Réagissant instinctivement, il lança aussitôt son moteur électrique à pleine puissance, poussant le gouvernail de toutes ses forces à bâbord de façon à diriger l'avant de l'embarcation vers la droite, loin du tourbillon qui s'élargissait. Mais il était trop tard. La succion eut raison du faible moteur de l'embarcation légère même si elle était parvenue à s'éloigner d'une verge du navire avant d'être renversée par la puissance énorme de l'eau qu'attiraient les lames battantes à l'abri de leur bouclier circulaire.

Il n'était plus possible de contrôler la petite embarcation. Saïd savait qu'il était inexorablement attiré vers le tourbillon d'écume blanche. Il se leva et plongea le plus loin possible du pétrolier. Mais en atteignant l'eau, il comprit qu'il n'était pas sauvé. Culbuté, il était entraîné. Il sentait avec quelle violence sa bouteille d'oxygène était aspirée. Ses bras et ses jambes se tordaient tandis qu'il coulait, sucé par le vide noir et blanc d'eau écumante. Le bruit du battement de l'hélice l'assourdissait. Une violente douleur éclata dans son bras et son épaule gauche au moment où il était projeté contre le flanc du navire. Puis aussi rapidement qu'il avait coulé, il fut rejeté à la surface, cherchant son souffle dans le tourbillon. Il se trouvait à environ trente verges de l'énorme pétrolier dont la masse énorme avançait lentement pour lever l'ancre et se diriger vers l'emplacement qui lui avait été assigné.

Saïd chercha désespérément à apercevoir Maan. Celui-ci ne se trouvait nulle part aux environs. Mais l'embarcation, miraculeusement intacte, à l'exception d'une entaille dans le matériau du plat-bord de tribord, flottait à quelques pieds de lui. L'entaille n'avait toutefois endommagé que l'un des nombreux compartiments de l'embarcation gonflable. Celle-ci pouvait toujours servir. Il s'y hissa.

Où était Maan ? Saïd ne l'appela pas. Il ne pouvait que regarder et espérer. Là, sur la gauche. Quelque chose flottait à une trentaine de pieds. Saïd fit démarrer le moteur silencieux et se dirigea vers l'objet noir et brillant. En se penchant pour l'atteindre, il eut un mouvement de recul. C'était un bras enfoncé dans la manche d'une combinaison de plongée noire. Le sang s'en échappait toujours et tachait l'eau blanche. À l'index, il portait un anneau d'acier noir.

17

Le président Romanov avait explicitement donné l'ordre au contre-amiral Smirnov de se préparer à déployer dans les océans la totalité de sa flotte de sous-marins. Le déplacement des vaisseaux depuis leurs ports d'attache devait se faire dans le plus grand secret. Les services d'espionnage de l'OTAN ne devaient pas se douter le moindrement, avec leurs satellites ou autrement, que les submersibles quittaient leurs bases. Romanov était préoccupé de ce que les satellites seraient en mesure de les suivre à la trace dès qu'ils quitteraient leurs bases. Mais l'amiral l'avait assuré que malgré le radar et la photographie à infrarouge il mènerait à bien sa tâche sans éveiller les soupçons. Il avait dans sa manche un plan de déploiement qui tromperait les yeux des véhicules spatiaux ennemis.

Le passage de la flotte de sous-marins de la presqu'île de Kola dans le détroit du Danemark, entre l'Islande et le Groenland, et dans les eaux qui séparaient l'Islande de la Norvège, ne constituait pas un problème selon Smirnov qui rappela au président l'activation du système de brouillage de son, le SONINT, mis à l'essai avec les meilleurs résultats du 11 au 21 mars. Il s'en servirait pour masquer la sortie de la flotte de sous-marins du nord et de celle de la mer Baltique à compter du 3 avril. Une fois activé grâce à un signal transmis par satellite, le système SONINT fonctionnerait automatiquement durant onze jours et rien ne pourrait l'en empêcher. Cette période de temps lui serait amplement suffisante pour déployer dans l'océan la totalité de sa flotte de sous-marins dont la plus grande partie se retrouverait au sud du tropique du Cancer, hors du territoire que patrouillaient les forces navales de l'OTAN. Dès la mi-avril, d'ailleurs, plusieurs sous-marins, dont les plus rapides, mus à l'énergie nucléaire, seraient à leur poste soit auprès de la flotte atlantique en vue d'OKEAN, soit le long de la route des pétroliers dans l'Atlantique Sud ou l'océan Indien. Telle était la nature des ordres de Romanov.

Celui-ci avait convoqué Smirnov à son bureau du Kremlin le 17 mars. En présence d'Oustinov et de trois autres membres votants du Politburo, Kirilenko, Gromyko et le général d'armée You Andropov, Romanov lui avait donné, à la suite d'un exposé de la situation, une série d'ordres qui l'avaient à la fois sidéré et électrisé. La présence des autres membres du Politburo indiquait que celui-ci avait approuvé les ordres de Romanov. Smirnov devait faire en sorte que ses sous-marins se déploient et soient à leur poste dans l'Atlantique ou dans l'océan Indien au plus tard le 20 avril. La première phase de l'opération que Romanov avait appelée le Plan Andropov se déroulerait entre le 20 et le 26 avril. La date exacte en serait communiquée plus tard à Smirnov. La deuxième et dernière étape se déroulerait le 1er mai, à l'occasion de la fête la plus importante du calendrier de la Russie communiste.

Romanov s'assura que son contre-amiral comprenait bien l'arrière-fond idéologique et les buts que le Politburo poursuivait. Il ne faisait aucun doute que leur action les mènerait à un cheveu d'une guerre avec les Américains et leurs alliés de l'OTAN. Aux yeux du Politburo et de Romanov, cependant, l'Union soviétique n'avait pas le choix. Le nouveau président américain et le président du Pakistan venaient d'annoncer la conclusion d'un accord qui permettrait aux Américains de débarquer au Pakistan avec armes et bagages à compter du 7 mai. La présence des impérialistes américains dans le golfe Persique consituait une menace que l'Union soviétique ne pouvait tolérer.

Le premier objectif de Romanov était d'arrêter les Américains. S'il n'y parvenait pas grâce aux Nations unies, aux négociations diplomatiques ou aux menaces, il devrait user de la force et il était prêt à le faire. Il le dit clairement à Smirnov.

Le deuxième objectif était d'assurer à l'Union soviétique et à ses satellites affamés d'énergie du bloc de l'Est une nouvelle source d'approvisionnement de brut. Le Plan Andropov était audacieux, décisif et radical. Il ne laissait place ni à l'erreur ni à l'échec. La mise était beaucoup trop élevée. La responsabilité entière de son exécution reposait sur les épaules du contre-amiral Nikolaï Ivanovitch Smirnov. Celui-ci dirigerait depuis ses bureaux de Moscou non seulement les manoeuvres d'OKEAN mais aussi l'opération d'Andropov. Les capitaines de sous-marins constituaient ses pièces maîtresses. Le succès reposerait en définitive sur leurs épaules.

Le soleil s'était couché à 21h 35 dans l'Arctique le soir du 7 avril. Dès sa disparition, le rythme de l'activité dans la base de sous-marins de la marine soviétique de Mourmansk, dont le port était dégagé des glaces, atteignit son pinacle. Les équipages des derniers sous-marins utiles se préparaient à les mener vers l'océan.

Le capitaine du sous-marin Vainqueur II numéro 501, Boris Chernavine, releva le collet de sa lourde vareuse pour protéger ses oreilles du froid perçant de la nuit de Mourmansk. Il aboya ses ordres depuis la petite passerelle située devant la tour massive du 501 qui se dressait un peu à l'avant du milieu du puissant vaisseau nucléaire. Les amarres à l'avant et à l'arrière furent larguées. Le sous-marin de 323 pieds, noir, en forme de cigare, avança silencieusement, doucement dans la noirceur vers le chenal principal du fjord de Kola en virant lentement sur le tribord.

Le capitaine se retourna lorsqu'il entendit derrière lui, dans l'eau du quai que le 501 venait de quitter, trois lourds bruits d'éclaboussement. Trois énormes ballots dansaient sur l'eau qu'éclairaient les lampadaires du port, reliés chacun par de longs boyaux au niveau du quai où une bande de matelots s'occupaient à faire démarrer un compresseur d'air portatif. Lorsque celui-ci tourna rondement, on y rattacha le boyau du premier ballot qui commença à se dérouler sous la pression. Il atteignit rapidement sa dimension, sa base produisant un autre éclaboussement en se tendant. Il s'agissait d'une réplique en plastique de la poupe du 501. Il ne fallait pas plus d'une demi-heure pour gonfler les trois parties de la réplique et les assembler.

Smirnov avait veillé personnellement à l'exécution de ce décor. Au cours de l'année précédente, il avait fait fabriquer des répliques en plastique de tous ses sous-marins. Une fois gonflés, ses accessoires au fond plat et au corps dodu présentaient aux yeux des satellites une image en tous points identique à celle d'un véritable sous-marin. La flotte de sous-marins de Smirnov, du moins les derniers 110 sous-marins diesels ou nucléaires des 162 qui avaient leur port d'attache à Mourmansk, seraient remplacés par leurs doubles dès leur départ. Smirnov était convaincu qu'il tromperait les caméras des satellites grâce à cet artifice si les sous-marins plongeaient rapidement, quelques minutes après avoir quitté leurs jetées.

Chernavine était désappointé. Il aurait aimé voir la copie de son vaisseau mais une demi-heure après leur départ, son sous-marin et lui-même auraient parcouru une bonne distance. Il se trouverait à cinq milles au nord dans le chenal, au large de Zelenii-Mys et s'apprêterait à suivre les lumignons des bouées du chenal et à mettre cap sur l'est en direction de Waenga.

Boris Chernavine espérait que lorsque son 501 réintégrerait Mourmansk après les manoeuvres d'OKEAN un message le préviendrait qu'il accédait à l'Académie navale Maréchal-Grechko de Leningrad. Un tel poste signifierait qu'il pourrait gravir jusqu'aux plus hauts échelons de la marine soviétique. Son père, un contre-amiral à la retraite, serait heureux et fier si Boris recevait l'honneur d'être admis à l'Académie navale. Sans doute avait-il usé d'une influence non négligeable auprès de ses anciens collègues de la marine pour s'assurer que son fils soit choisi. Capitaine du 501 à vingt-huit ans, Chernavine avait gagné rapidement ses galons, ce qui était courant chez les sous-mariniers, l'élite de la Marine rouge de 450 000 hommes dont Boris Chernavine savait et croyait qu'elle était la plus importante, la meilleure et la plus puissante de la planète.

Au moment où le 501 approchait du chenal de 150 pieds de profondeur, Chernavine donna l'ordre de plonger. Moins de huit minutes après avoir largué ses amarres, le sous-marin était immergé, invisible, protégé des yeux fouineurs de n'importe quel satellite par la surface noire des eaux impénétrables du fjord de Kola.

Naviguant avec l'aide de son sonar actif, de son périscope d'attaque et de son radar, Chernavine plaça son vaisseau un demi-mille derrière le 476, le sous-marin de type Echo qui était accosté derrière son 501. Les yeux de son écran de sonar révélaient électroniquement en éclats blancs de lumière une file de vingt-huit sous-marins nucléaires immergés en avant du 476. La colonne invisible se déplaçait sans bruit dans l'eau d'ébène en dépassant les feux de position vacillants des nombreux cargos, pétroliers, petites et grandes barges qui venaient charger ou décharger à Mourmansk, de même que les navires-usines et les chalutiers de la flotte de pêche qui venaient décharger leurs cargaisons frigorifiées, de même que les chantiers maritimes. Le trajet depuis Mourmansk vers la mer de Barents au nord en passant par le fjord de Kola représentait une quarantaine de milles et prendrait environ cinq heures.

À deux heures, le matin du 8 avril, la file silencieuse de sous-marins qui se terminait avec le Vainqueur numéro 501 laissait derrière elle le port de Poliarnyi. Une heure plus tard, en haute mer au delà de l'entrée du fjord, Chernavine fit descendre son sous-marin à une profondeur de croisière de 300 pieds. Le brouillage avait frappé son sonar, comme il s'y attendait, quelques minutes après que le 501 eut quitté le fjord. À l'instar de ses collègues, Chernavine devrait naviguer sans « voir » jusqu'à ce que le brouillage prenne fin. Il ne s'attendait d'ailleurs pas à refaire surface avant plusieurs semaines. En réalité, le 501 ne remonterait plus jamais.

18

8 avril, 18h 7
Moscou

Le général Andropov lut le long message que venait de lui faire parvenir son principal agent du KGB à Washington. Il n'y avait pas le moindre doute : il fallait que le président en prenne connaissance sur-le-champ, d'abord à cause de l'urgence et de l'importance de son contenu, ensuite parce qu'il fournissait la preuve du haut niveau de compétence des services d'espionnage que le KGB avait mis au point aux États-Unis. Le fait qu'au même moment des centaines de milliers d'Américains lisaient essentiellement la même chose dans le *New York Times* ne diminuait en rien la fierté qu'éprouvait Andropov à l'idée de la supériorité de sa propre agence de renseignements.

Il était un peu plus de dix-huit heures à Moscou. Ayant fait retracer les allées et venues du président par son aide de camp, Andropov téléphona lui-même à Romanov à sa somptueuse *dacha* riveraine dans ce boisé particulier à l'intérieur de Moscou qu'affectionnait la haute gomme du parti. La *dacha* d'Andropov se trouvait d'ailleurs dans la même région. Peut-être ferait-il le détour avec le message en rentrant.

Un domestique répondit que le président était à table, mais Romanov avait entendu la sonnerie et prit la communication dès qu'il sut qu'il s'agissait d'Andropov. Tania et lui achevaient leur repas. Le nom de Tania éveilla dans l'esprit d'Andropov l'image d'une femme d'une très grande beauté. De dix ans plus jeune que son mari, elle ressemblait d'une façon frappante à une étoile de cinéma du temps de la jeunesse d'Andropov, l'exquise beauté suédoise Greta Garbo. Tout âgé qu'il fût, le chef du KGB n'avait rien perdu de son oeil pour les femmes. Une visite, même brève, à la *dacha* des Romanov lui serait agréable, ne serait-ce que pour voir la charmante Tania avant de rentrer auprès de sa femme grassouillette.

Vingt minutes plus tard, il était attablé dans la salle à manger familiale des Romanov. Ceux-ci prenaient ensemble leur repas du soir dans cette pièce intime et richement décorée quand ils ne recevaient pas. Le caractère intime du repas était rehaussé ce soir-là par la lueur des chandelles qui jouait sur l'argenterie étincelante, les assiettes incrustées d'or et les gobelets de vin de cristal. Les gobelets étaient remplis du rosé spécial de Romanov, un délicieux digestif qu'il préférait parfois au Courvoisier aussi piquant que doux qu'accompagnait habituellement son unique havane de la journée. Assis entre les époux, tournant entre ses doigts son gobelet de vin, Andropov parlait avec la magnifique Tania. Ils discutaient de l'escalade avec les Américains, dont elle se montra parfaitement renseignée, tandis que Romanov tirant à l'occasion sur son cigare ou lampant une gorgée de vin, concentrait son attention sur le message qu'il lut dans la lueur vacillante des trois chandelles. Ses lunettes cerclées d'or perchées sur l'arche de son nez, il laissa son esprit se pénétrer du message washingtonien du KGB. Il était daté du même jour, le 8 avril :

« Les agents du KGB rapportent le départ du pont maritime transportant les forces militaires d'intervention américaines au Pakistan. Celui-ci comprend des paquebots réquisitionnés pour le transport des troupes ; des bâtiments amphibies pour les chargements, des quais flottables et des débarcadères flottants pour les tanks ; l'armement de soutien, des magasins, des navires-hôpitaux, de réapprovisionnement et de réparations, ainsi que les nouveaux transporteurs de conteneurs. Tous ces navires ont quitté entre 6h et 11h, heure locale, leurs bases de Mayport, en Floride ; de Charleston, en Caroline du Sud ; de Norfolk, en Virginie ; de Little Creek, en Virginie ; de Brooklyn, dans l'État de New York ; de Newport, au Rhode Island et de Boston, au Massachusetts.

Tous ces navires ont rendez-vous au large des Bermudes où ils formeront un convoi escorté par deux porte-avions équipés pour la guerre antisubmersibles, dix destroyers et dix frégates.

Le pont maritime transportera trois divisions d'infanterie, une division blindée ainsi que la 25e Division d'infanterie hawaiienne de réserve, de même que la totalité des tanks, des véhicules, de l'équipement de soutien et des approvisionnements. Le nombre d'hommes de la force d'intervention est estimé à 100 000. Elle devrait arriver au large du Pakistan le 6 mai.

À compter du 7 mai, en même temps que les premières troupes débarqueront à Karachi, les États-Unis commenceront à transporter par voie des airs la 82e Division aéroportée, de même que deux bataillons de Marines de 1800 hommes chacun, vers les points stratégiques des frontières qui séparent le Pakistan de l'Afghanistan et de l'Iran. La 82e Division aéroportée comprend 16 000 hommes, 50 tanks de reconnaissance légers et une centaine d'hélicoptères dont 33 sont équipés de missiles antitanks.

Vingt-six escadrilles de chasseurs du Tactical Air Command et rattachés aux forces d'intervention se déploieront aussitôt que leur support logistique sera disponible après le premier débarquement. En attendant, les escadrilles du TAC stationnées sur les porte-avions de la Cinquième Flotte, dans l'océan Indien, augmenté des porte-avions d'escorte du convoi, apporteront leur soutien aérien.

L'identité de chacune des unités de la force d'intervention suit. »

Le président Romanov tendit le message à Andropov en lui disant de laisser Tania y jeter un coup d'oeil.

Tandis que le chef du KGB tendait à celle-ci le document Romanov enleva ses lunettes, contempla son cigare à demi fumé et vida d'un trait son gobelet de vin.

« Il faut rendre justice aux Américains, You. Ils ont rassemblé et mis en route leur force d'intervention en trois semaines. Pas mal pour une intervention improvisée.

— Improvisée, c'est le mot, grommela Andropov. Les Américains me fascineront toujours, incapables qu'ils sont de prévoir ce genre de crises. Ils semblent tout à fait inaptes à planifier leurs stratégies à long terme.

— Peut-être est-ce dû au fait que leur gouvernement change à tous les quatre ou huit ans, suggéra Romanov, et que le président et son administration s'inquiètent sans cesse de l'élection suivante. Nous, notre système repose sur la stabilité. Des hommes comme Brejnev, Souslov et, bien sûr, Gromyko ont fait partie du Politburo durant plus de vingt ans.

— Ça pourrait être une des raisons, admit Andropov en levant son verre et en regardant la robe sombre du vin dans la flamme de la chandelle la plus proche. Mais ce que je veux dire, Grigori, c'est qu'ils remplacent une intelligente planification stratégique à long terme par la réaction. C'est dans la nature même du peuple américain. C'est dans la nature de leur gouvernement et, par conséquent, dans celle de leurs militaires. Au cours des vingt-cinq dernières années, pendant que nous mettions sur pied notre marine grâce à Gorshkov et que nous en faisions la plus imposante et la plus puissante de la planète, la marine américaine passait de 900 bâtiments à moins de 500. Sa flotte de réserve qui comptait plus de deux mille bâtiments n'en compte plus qu'environ 300 dont plusieurs tout juste bons pour la ferraille. Comme si ça ne suffisait pas, le nombre de leurs bases à travers le monde est tombé d'une centaine à moins de trente.

— À notre avantage, commenta Tania qui avait fini de lire le message.

— À notre avantage, en effet. Et nous allons profiter le plus possible de cet avantage. Laissez-moi vous donner un autre exemple. Quand Carter a menacé d'intervenir militairement pour nous interdire l'accès du golfe Persique, les chefs de l'état-major interarmées américains et le secrétaire de la Défense lui ont dit que la seule force qu'il pouvait déployer rapidement dans le golfe Persique était la 82e Division aéroportée. Le message la mentionne. »

Il pointa le document qui reposait sur la table devant Tania.

« Sur la recommandation des chefs de l'état-major interarmées, le secrétaire a proposé de rassembler une force de sept bâtiments équipés pour le combat, une force qui resterait dans les boules à mites mais qui serait néanmoins prête à servir à court terme. Elle comprendrait des tanks, des camions, des armes, ce genre d'équipement. Cette force logistique devait être stationnée à Diego Garcia d'où elle pourrait voguer...

— Où est Diego Garcia ? demanda Tania.

— C'est une base américaine située sur une île britannique qui se trouve à environ mille milles au sud de l'Inde. Par voie maritime, il faut à peu près cinq jours pour opérer la jonction avec les troupes de combat aéroportées dans le golfe Persique. Il s'agissait d'une proposition simple qui n'impliquerait que peu de dépenses. Mais elle n'a jamais eu de suite. Pourquoi ? Parce que la marine américaine ne voulait pas dépenser quoi que ce soit pour un pont maritime qui servirait à transporter l'armée. Elle voulait dépenser son argent pour ses propres navires de combat et c'est ce qu'elle a fait. Ainsi aujourd'hui, et de nouveau à notre avantage, les Américains ont-ils dû improviser le rassemblement d'une force d'intervention, la mettre à bord et attendre vingt-huit jours son arrivée au Pakistan, sans compter le débarquement.

— Est-ce que je pourrais revoir le message ? » demanda Romanov à sa femme.

Il le déposa devant lui, vérifia un point sur la première page, puis demanda à Andropov :

« Quand nos sous-marins commenceront-ils à les suivre ?

— D'après Smirnov, le premier contact sera établi sur les lieux du rendez-vous près des Bermudes. La filature, tant par sous-marins que par satellites, commencera à ce moment-là. Lorsque les Américains contourneront le cap de Bonne-Espérance, loin au sud pour éviter les routes des pétroliers, de même qu'ils remonteront vers le nord bien à l'est dans l'océan Indien, vingt-cinq à trente de nos sous-marins devraient les filer. »

Le président approuva en silence.

« Et les manoeuvres d'OKEAN ? demanda-t-il. Est-ce que Smirnov a l'intention d'intercepter le convoi avec sa flotte atlantique ?

— Non. Comme vous le savez, OKEAN commence le 15 avril. D'après mon plan — et il fit une pause pour souligner le mot *mon* — tous les sous-marins en état de service ont quitté la péninsule de Kola entre le 3 et le 7 sous le couvert du système de brouillage SONINT. Le dernier a pris la mer hier. Ils devraient avoir franchi la limite sud de la juridiction de l'OTAN, le tropique du Cancer, le 14 ou le 15. La flotte atlantique assignée à OKEAN poursuivra ses manoeuvres dans cette région au cours des deux semaines suivantes. Smirnov tient à ce qu'elle serve à tromper les satellites et tous les navires américains ou britanniques qui prendraient l'initiative de traverser le tropique du Cancer. La plus grande partie de notre flotte de sous-marins se déploiera entre temps dans l'Atlantique Sud et dans l'océan Indien. Nos flottes offensives et défensives qui participeront aux manoeuvres d'OKEAN dans l'océan Indien quitteront par ailleurs le golfe d'Aden dans une semaine. Elles procéderont à des manoeuvres navales et aériennes simultanées à la vue de la Cinquième Flotte américaine et de la flottille britannique pour leur montrer que nous avons du muscle. Puis elle ira vers le sud intercepter la force d'intervention américaine en la harassant comme nous seuls savons le faire au cours des quatre ou cinq jours qui la sépareront encore du Pakistan. »

Romanov était ravi. Il écrasa le mégot de son cigare dans un cendrier d'argent en s'exclamant :

« Excellent ! Mais si le Plan Andropov fonctionne... »

Le chef du KGB se gonfla d'orgueil à la mention de son idée.

« S'il fonctionne, il n'y aura plus de force d'intervention en route vers le Pakistan que nous puissions harasser le 1er mai, n'est-ce pas, You ?

— Non, monsieur, il n'y en aura plus ! ne put que reconnaître le général Andropov en souriant d'aise.

— Buvons à son succès », lança Tania en levant son verre.

Son mari, l'un des deux hommes les plus puissants de la planète, et son fier ministre se levèrent avec enthousiasme et tous trois firent tinter leurs verres tandis que Grigori Romanov formulait ce voeu :

« Au Plan Andropov. À sa glorieuse réussite ! »

19

Du 1er au 10 avril
Port de Manama, Bahrain
et golfe d'Aden

Les mines meurtrières du lieutenant-colonel Saïd Kassem et de son équipe de l'OLP avaient été fixées à la coque des dix superpétroliers qu'ils avaient choisis pour cibles à Mina-al-Ahmadi la nuit du 31 mars. Le lendemain soir, *La Mecque* accostait dans le port de Manama, la capitale animée de l'état insulaire de Bahrain, pour y prendre un chargement de lingots d'aluminium à destination d'Aden. Les Palestiniens, touchés par la disparition de leur camarade et inquiets à l'idée que les membres d'équipage peu fiables de *La Mecque* puissent quitter le navire et prévenir les autorités du sabotage, les avaient consignés à bord et leur avaient interdit d'adresser la parole aux caliers qui redescendaient à terre.

Le chargement s'était fait rapidement et *La Mecque* avait quitté Bahrain aussitôt après vers l'est en longeant l'île Maharraq et les énormes chantiers navals arabes avec leurs cales sèches où il était possible de réparer les plus grands superpétroliers.

La Mecque se trouvait à trois jours d'Aden lorsque, le 8 avril, Saïd annonça au capitaine Rashid qu'après avoir déchargé à Aden, le navire contournerait la corne de l'Afrique par l'océan Indien et se dirigerait vers Durban. Il se dépêcha d'ajouter que cet arrangement avait été fait par Arafat avec les armateurs du navire à Beyrouth.

Le capitaine et l'équipage recevraient une prime substantielle à la suite de ce long voyage en Afrique du Sud. Cette modification à l'itinéraire ne dérangea pas le capitaine Rashid. Il faisait après tout ce métier pour gagner sa vie. Pour autant que lui-même, les armateurs et l'équipage soient payés, il mènerait *La Mecque* n'importe où. Saïd l'avait prévenu du changement avant d'arriver à Aden pour que Rashid ait la possibilité d'entrer en communication avec les agents qui représentaient le navire dans ce port. Ceux-ci trouveraient une cargaison destinée à la côte africaine. Hassan avait momentanément remis l'émetteur radio à très hautes fréquences en état de fonctionner. Le message fut transmis à Aden par l'intermédiaire des autorités portuaires de Merbat, sur la côte sud d'Oman, alors que *La Mecque* passait à une dizaine de milles au large de ce port.

Le *Splendid* patrouillait le golfe d'Aden depuis neuf jours. Lorsqu'il avait pris sa position dans l'étendue d'eau de cinquante milles de largeur qui allait de l'extrémité nord de la Somalie aux rives du Yémen du Sud, le capitaine Leach avait décidé de patrouiller en suivant le tracé d'une piste de course. La direction de la trajectoire serait inversée à chaque changement de quart.

En déterminant son itinéraire de patrouille, Leach s'était inquiété de ce que vingt-six seulement des cinquante milles environ de largeur du golfe se trouvaient en eaux internationales. S'il se rapprochait à moins de douze milles des côtes, au nord ou au sud, il pénétrerait dans les eaux territoriales du Yémen du Sud ou de la Somalie. Le pays offensé pourrait l'arrêter ou le chasser avec toute la puissance dont il disposait.

Le navigateur lui avait aussi fait remarquer que l'eau était très peu profonde à l'extrémité nord de l'itinéraire qu'il se proposait de suivre. La profondeur n'y était pas de plus de cent pieds. Un vaisseau de la taille du *Splendid* aurait de la difficulté à y manoeuvrer. Sa hauteur, de son fond bombé au sommet de sa tour, était de cinquante-cinq pieds, à quoi il fallait ajouter vingt-cinq pieds quand le périscope était levé. À naviguer dans des eaux si peu profondes, le sous-marin se rendrait très vulnérable.

Moins de vingt-quatre heures après leur arrivée à l'embouchure du golfe, le *Splendid* et son équipage s'étaient installés dans une routine qui durerait plusieurs jours. Au cours de ses laborieux mouvements de va-et-vient dans le golfe, Leach avait conservé son vaisseau à profondeur de périscope et faisait jaillir son oeil de verre à la surface de façon à bien observer les navires dont les hommes de quart du sonar ou du radar signalaient la présence lorsqu'ils étaient au plus près. Quand l'occasion de photographier de près un navire de la Marine rouge s'offrait, il faisait accélérer brièvement le *Splendid* pour s'en rapprocher le plus possible. Au bon moment, il faisait lever le périscope d'observation et prendre rapidement les photographies. Le périscope disparaissait immédiatement sous la surface après avoir été soigneusement capté par les techniciens du radar du navire photographié. Les techniciens du sonar de ces navires, incapables de capter le *Splendid* à sa vitesse de croisière lente de trois noeuds, s'étonnaient de découvrir, au moment de son accélération, une cible qui sortait de nulle part et qui disparaissait sitôt apparue.

Trente secondes avant l'heure exacte qui avait été assignée au *Splendid* pour ses rapports au navire-amiral, son mât de radar et son antenne apparaissaient à la surface. À une telle proximité de la flottille et sous le contrôle opérationnel direct de son officier amiral, il était essentiel que le télégraphiste et son équipe procèdent à une écoute complète et vigilante, les écouteurs sur les oreilles, des fréquences qu'utilisait la flottille. Le *Splendid* devait recevoir chaque message qui lui était destiné. Il ne pouvait se permettre d'erreur. Il n'y avait que quelques messages.

Il n'y avait aucune erreur.

L'équipe de télégraphistes de quart était en mesure d'enregistrer tous les messages qu'échangeaient tous les vaisseaux de la Marine royale de même que ceux qu'ils échangeaient avec la flotte américaine. Leach avait donc une idée assez juste de ce qui se déroulait. Chaque matin, l'officier des communications faisait son rapport au capitaine, au second et à tous les officiers qui, n'étant pas de quart, le désiraient. Ce rapport portait sur les messages qu'avaient échangés les navires de la flottille, du moins sur ceux qui semblaient à l'officier des communications les plus utiles et les plus importants.

Le sous-marin soviétique Vainqueur II maintenait toujours sa filature en fouettant de temps à autre le *Splendid* de son sonar activé. Le vaisseau russe s'était posté à l'ouest de l'itinéraire du navire britannique. Le Vainqueur, filant comme le *Splendid* ses trois noeuds, était tout aussi silencieux. Le britannique lui rendait à l'occasion la pareille en le fouettant d'ondes sonores qui lui revenaient. Il agissait ainsi pour confirmer la présence de l'autre et localiser sa position.

Au milieu de l'avant-midi du 9 avril, alors que le *Splendid* atteignait l'extrémité nord de son itinéraire de patrouille tant de fois répétée dans le golfe d'Aden, l'officier du sonar fit un rapport :

« Contact. 75. 10 000 verges et se rapproche. Cap 265. Environ dix noeuds. On dirait une espèce de cargo. »

Puis il ajouta :

« Dans quarante-cinq minutes, nous devrions être au même endroit. »

Marcus Leach, qui lisait dans sa couchette un policier bourré d'érotisme, entendit le rapport. Il décida de se divertir en regardant passer le cargo. Il se voyait déjà crampé de rire à l'idée de la trouille qu'il flanquerait à son équipage lorsqu'un périscope surgirait sous son nez. Il régla la sonnerie de sa montre pour quarante minutes plus tard et reprit sa passionnante lecture.

À 9h 36, l'avant-midi ensoleillé du 9 avril, un périscope apparut donc à environ trente degrés à bâbord de la proue et à cent verges au sud de *La Mecque.*

Le capitaine du sous-marin aurait été désappointé d'apprendre qu'il n'avait pas étonné le capitaine du vieux navire. Les puissantes lentilles du périscope d'attaque lui permirent d'apercevoir clairement le vieux capitaine sur l'aile de bâbord de sa passerelle de commandement qui regardait nonchalamment l'oeil brillant du sous-marin qui l'observait. Non, il n'était pas étonné. Un marin qui a passé toute son existence sur la Méditerranée sait depuis toujours apercevoir les périscopes et, ce faisant, leur faire des gestes rustres, ce que fit précisément le capitaine Rashid, le poing fermé, les jointures tournées vers le sous-marin, deux doigts dressés en forme de V. Il leva le poing plusieurs fois, reproduisant ainsi l'un des gestes obscènes les plus universels.

De l'autre côté du périscope, Marcus Leach éclata de rire :

« Vous de même, capitaine ! »

En observant la poupe du navire délabré qui s'éloignait à l'ouest, Leach put enfin lire son nom. Le nom de *La Mecque* fut ainsi consigné pour la première fois dans le livre de bord du *Splendid*. Il le serait de nouveau le 11 avril lorsqu'il ressortirait du golfe.

Ce qui ne fut pas consigné dans le livre de bord était encore inconnu : que le sort du *Splendid* était lié à celui de l'indéfinissable *La Mecque* et de trois hommes qui se trouvaient à son bord.

La Mecque arriva à Aden le matin du 10 avril. Il fallut une journée entière pour échanger les chargements. L'agent avait obtenu un chargement de balles de coton. Le déchargement des lingots, le chargement du coton, de même que le réapprovisionnement en carburant, en eau et en nourriture prirent tant de temps qu'il ne lui fut pas possible de se remettre en route avant l'avant-midi du 11. Le départ fut davantage retardé par le refus de Saïd de laisser le capitaine accoster son navire. Comme il l'avait fait à Bahrain, Saïd consigna l'équipage à bord et ne lui laissa pas la moindre occasion de révéler quoi que ce soit au sujet des pétroliers piégés. *La Mecque* fut donc amarrée dans le port intérieur à une bouée et à un quai flottant relié au rivage par un oléoduc sousmarin qui permettait de s'y réapprovisionner. Une barge transportant de l'eau et plusieurs petites embarcations chargées de provisions circulèrent comme une procession entre *La Mecque* et le rivage. Le capitaine avait demandé à l'agent un jeu de cartes maritimes qui lui permettraient de naviguer dans des eaux qu'il ne connaissait pas. Elles le mèneraient en toute sécurité le long de la côte africaine parallèlement mais à bonne distance des routes maritimes qu'empruntait la file interminable des superpétroliers qui faisaient la navette entre le golfe Arabique et les ports de l'Europe de l'Ouest ou de l'Amérique du Nord.

L'interdiction de descendre à terre à Aden avait mené Nabil au bord du désespoir. Il avait assisté au départ de l'opération menée par les hommes de l'OLP contre les superpétroliers. Puisqu'il faisait partie de l'équipage de *La Mecque*, était-il impliqué ? La mort de Maan l'avait aussi secoué.

À Bahrain, l'équipage avait été consigné à bord du navire. Puis il y avait eu l'apparition soudaine d'un périscope menaçant. Maintenant, Aden. Et pour couronner le tout, l'annonce que les hommes de l'OLP forçaient *La Mecque* à descendre jusqu'à Durban. Nabil avait son voyage. Trop, c'est trop. Il s'en ouvrit à Rashid.

« Je comprends, je comprends. »

Le capitaine comprenait en effet.

« Mais aussi bien te le dire, Nabil, Saïd ne te laissera pas partir. Il ne peut pas se le permettre. Tu en sais trop long. Je ne te l'ai pas encore dit, mais ils nous donnent une prime pour faire le voyage de Durban. »

L'expression renfrognée de Nabil disparut aussitôt.

« Une prime ? Combien ?

— Qu'est-ce que tu dirais de trois mois de salaire ? »

Un large sourire éclaira le visage de l'Égyptien en découvrant ses dents.

Rashid était toujours étonné de ce que l'argent pouvait faire.

20

8h 23, heure de Greenwich
(12h 23 heure locale)
Golfe d'Aden

Le 15 avril à 8h 23, le capitaine Leach déjeunait au carré des officiers lorsqu'il entendit un déclic suivi d'un bruit d'égratignure dans le haut-parleur qui se trouvait derrière lui sur la cloison.

« Capitaine, ici le sonar. »

La voix de l'officier des communications, habituellement placide, était tout excitée.

« Contact à l'ouest. Ça ressemble à la totalité de la damnée marine russe, à quarante-cinq milles et se rapprochant. Ils foncent vers l'est en colonne, sir. Ils voguent quatre de front. »

Leach fit claquer sa fourchette et son couteau sur la table. Il se rendit en quelques pas à la salle du sonar, bouche bée devant les brillants éclats de lumière qui entraient par la gauche dans l'écran du sonar et qui avançaient régulièrement vers le point blanc qui s'y trouvait au centre, et indiquait la position du *Splendid* lui-même qui filait en direction nord.

Dans la salle des commandes, il appela le télégraphiste aussitôt et prépara à l'intention de l'amiral un message sur la situation.

« Pilote, dans combien de temps l'avant-garde sera-t-elle ici ? Donnez-moi votre meilleure estimation. »

La réponse arriva sur-le-champ :

« À cinq minutes près, dans deux heures cinq minutes.

— Bien, dit Leach qui regarda l'heure. Estimons rencontrer avant-garde à 10h 30 Zoulou », ajouta-t-il au message.

A 10h Greenwich, la flotte russe qui se rapprochait était tout entière visible sur le sonar. L'ordinateur avait identifié ses signatures acoustiques. Mais il n'y avait aucune comparaison possible entre son approche sur l'écran et la vision majestueuse des vaisseaux qui remontaient les eaux étales et bleues du golfe qu'agitait à peine une brise sous un ciel dégagé. Leach avait fait lever son périscope d'observation et ses puissantes lentilles donnaient l'impression que l'immense flotte se trouvait juste au-dessus de lui. Il voyait les porte-avions nucléaires *Minsk* et *Kharkov* avec, sur leurs parts, chacun douze chasseurs STOL Forger et une nuée d'énormes hélicoptères Hormone.

L'avant-garde était flanquée de deux destroyers de type Kashin, le *Skory* à bâbord et le *Strogy* à tribord. Précédant l'avant-garde, une douzaine d'hélicoptères Hormone envahissaient l'air jusqu'à environ 500 pieds, estima Leach. Pendant qu'il observait, deux d'entre eux se dirigèrent vers l'endroit où se trouvait le *Splendid*. Ils connaissaient sa position. Ils avaient perçu avec leurs propres radars son périscope et son mât de radar. Leur équipage pouvait apercevoir sa masse sombre qui se profilait à quelques pieds sous la surface de l'eau claire du golfe d'Aden.

Le *Splendid* venait de terminer son virage en direction sud à l'extrémité de son itinéraire vers le nord. Leach avait fait stopper son vaisseau pour observer la procession. Il baignait dans 150 pieds d'eau et son fond ne se trouvait qu'à 70 pieds du fond du golfe d'Aden. Il ne pouvait, conséquemment, guère manoeuvrer en profondeur. Leach était par contre certain qu'il n'aurait pas à le faire. Le vaisseau était dans les eaux internationales, bien qu'à seulement quelques centaines de verges des eaux territoriales du Yémen du Sud comme l'avait confirmé le pilote. Le Royaume-Uni et l'Union soviétique n'avaient pas ouvert les hostilités. À cause de ces raisons, il croyait qu'il n'avait pas à s'inquiéter de se trouver dans des eaux aussi peu profondes. Par ailleurs, il se souvenait que dans son message l'amiral avait affirmé que l'Ours russe montrait les dents.

Il était temps de laisser son équipage jouir du spectacle. Celui-ci après tout avait fait une longue route et enduré l'ennui mortel de patrouiller Aden.

« Barreur ?

— Sir. »

Il n'avait guère fallu plus d'une fraction de seconde pour que le barreur se retrouve à ses côtés, semblait-il.

Leach s'éloigna de l'oculaire.

« Je veux que tous les matelots voient le spectacle.

— Tous, sir ? demanda le barreur en ouvrant grand les yeux.

— Oui, tous les quatre-vingt-quatre. Et vous aussi si vous vous en occupez rapidement. Je vous donne dix minutes. Pas plus de quelques secondes chacun. Puis ça sera au tour des officiers. »

En onze minutes et quinze secondes, chaque membre de l'équipage du *Splendid* avait eu un bref aperçu de la procession majestueuse de la flotte de la Marine rouge qui filait dans le golfe d'Aden, une colonne de vaisseaux blancs et gris de huit milles de longueur qui brillaient dans le soleil matinal. Derrière l'avant-garde venait le premier navire de combat nucléaire soviétique, le *Khirov*, un croiseur de 30 000 tonneaux. Ses missiles sol-sol et sol-air de la nouvelle génération, ses deux grosses mitrailleuses, son canon anti-aérien, ses fusées à têtes chercheuses anti-sous-marins et ses torpilles étaient hérissés sur ses ponts et sa superstructure. Un nouveau croiseur Kresta III, le porte-hélicoptères *Leningrad*, l'un des premiers croiseurs du type Sovietsky Soyouz, qui venait à peine d'être lancé, flanquait le *Khirov*. Puis suivaient des destroyers du type Kashine, des frégates Krivak, des corvettes Tarentule équipées de missiles et plusieurs plus petits bâtiments, eux aussi équipés de missiles, de type Nanuchka. À l'arrière de la colonne apparemment sans fin, venaient les bâtiments d'approvisionnement et de transport et, parmi eux, le pétrolier *Boris Chilkine*.

Après avoir jeté un coup d'oeil dans le périscope, le dernier homme demanda au capitaine :

« Où pensez-vous que sont leurs sous-marins d'attaque ?

— Dans la mer d'Arabie ou quelque part dans l'océan Indien à les attendre. Ils n'auraient pas pu descendre le canal de Suez. »

Leach savait que les trois quarts de l'armada russe étaient descendus de leurs bases du nord par l'Atlantique puis avaient bifurqué vers l'est dans la Méditerranée avant d'entreprendre le canal de Suez. Certains éléments venaient du Pacifique, c'était vrai, mais ils venaient pour la plupart des flottes du nord et de la mer Méditerranée.

Leach estima que des quatre bâtiments celui qui se trouvait le plus au nord passerait à environ un mille au sud du *Splendid*. Pendant le déroulement de la procession, il se servirait des caméras de son vaisseau pour prendre le plus possible de photographies. Il se demanda s'il ne ferait pas mieux de remonter à la surface, mais il désobéirait ainsi à un ordre de l'amiral. Il avait reçu cet ordre peu après avoir stoppé son vaisseau. L'amiral le lui avait donné un peu comme s'il avait une arrière-pensée. Leach fixait avec son périscope l'avant-garde de la colonne qui filait maintenant ses vingt noeuds à environ un mille à l'ouest de son itinéraire de patrouille.

Leach sentit un afflux d'adrénaline lorsqu'il entendit la voix de Pratt, l'officier de quart responsable du sonar :

« Contact. Quatre petits navires se sont détachés de l'arrière de la colonne, sir. Ils remontent l'un derrière l'autre à trente noeuds. Ils foncent sur nous. Ils sont à trois milles à 65 degrés.

— Les voyez-vous, radar ?

— Oui, sir.

— Des quoi ? jappa-t-il en tournant son périscope vers les navires.

— D'après la signature, des Grisha.

— Christ ! » s'exclama Leach.

Il n'y avait pas de quoi rigoler. Les Russes appelaient les Grisha des *maly protivolodochny korabl*, ce qui signifie petits navires antisubmersibles. Ils étaient munis de quatre tubes lance-torpilles et transportaient vingt et une torpilles. Même si on les disait petits, ils étaient presque aussi longs que le *Splendid* avec leurs 236 pieds et, comme lui, rapides.

À quoi diable voulaient-ils en venir ? Par le périscope, il vit le V de l'écume que produisait la proue mince et élancée du premier Grisha qui fendait les flots et, derrière la proue, les fusils, les roquettes, et le radar qui tournait sur son axe sur la passerelle de la courte tour au milieu du bâtiment. Derrière celui-ci, il devinait les trois autres navires qui suivaient en file indienne.

« Un mille, sir. »

Le capitaine était toujours intrigué. Encore une fois, à quoi voulaient-ils en venir ? Allaient-ils attaquer avec des roquettes, des charges de profondeur ou des torpilles ? Dans ce cas, le *Splendid* était mort. Mais on n'était pas en guerre. Attaquer le *Splendid* en provoquerait une. Ils pourraient foncer sur lui et affirmer qu'il se trouvait dans les eaux territoriales du Yémen du Sud. Mais les Grisha étaient trop petits, leur tirant d'eau était trop faible pour qu'ils puissent heurter son vaisseau à profondeur de périscope ; et s'ils le heurtaient malgré tout, ils se détruiraient eux-mêmes.

Il s'agissait sans doute d'un exercice. La chance s'offrait à ces navires antisubmersibles meurtriers de démontrer leur adresse. Leach décida que telle était la réponse à ses interrogations.

« Abaissez le périscope d'observation. Levez le périscope d'attaque à deux pieds seulement au-dessus de la tour. Je répète : de la tour. Abaissez le radar. »

Il voulait voir venir les Grisha d'en dessous. En ne levant le périscope d'attaque que de deux pieds, il leur laissait encore beaucoup d'espace.

« Périscope d'observation abaissé. Périscope d'attaque levé à deux pieds au-dessus de la tour. Radar abaissé, sir. »

Leach pouvait entendre le grondement des puissants moteurs des Grisha qui augmentait régulièrement. Puis tout à coup, le bruit tomba presque complètement.

« Ils ont réduit leur vitesse, sir, lança-t-on depuis la salle du sonar. Cinq noeuds. Ils sont toujours à la file, à environ cent pieds l'un derrière l'autre. Ils nous fouettent... ils laissent tomber quelque chose derrière leurs poupes. Je ne peux pas vous dire ce que c'est, sir. »

Étrange, pensa le capitaine. Ses yeux rivés au périscope regardaient à tribord et au nord-ouest. Un navire soviétique approchait de sa poupe. Oui, le ventre du premier vaisseau s'offrait à son regard.

« Cinquante verges, sir. »

Leach suivit des yeux la longue quille étroite du premier Grisha. Son périscope était presque à la verticale. Au moment où la poupe, le gouvernail et les deux hélices passaient au-dessus de lui, Leach vit quelque chose qu'il n'avait encore jamais vu. Le vaisseau de guerre traînait sous la surface une membrure d'environ trente pieds de large. À intervalles de six pieds sur la membrure, pendaient comme des arcs, ce qui ressemblait à de lourds câbles d'acier. Leach suivit avec son périscope de nouveau horizontal de plus en plus profondément les câbles dans l'eau qui s'assombrissait. Les câbles se rapprochaient toujours davantage de son vaisseau. Puis au niveau même du périscope il aperçut les énormes grappins que traînaient les câbles. Il inclina rapidement le périscope vers le bas. Il y aperçut dans l'obscurité six lourds blocs de ciment qui tendaient les câbles et les déplaçaient à une profondeur très au-dessous du dessous du sous-marin. Il pouvait à peine en croire ses yeux.

« Abaissez le périscope et vite ! cria-t-il. Ils vont nous accrocher ! En avant, toute ! »

Le chant des câbles contre la douce coque ronde du sous-marin venait à peine de commencer lorsque le périscope heurta le fond de son puits et que la première houle de l'hélice du *Splendid* murmura dans le sous-marin.

Le sifflement des câbles qui raclaient le métal fut remplacé par le retentissement du lourd métal des premiers crochets contre le flanc du vaisseau près de la poupe. Le bruit disparut tout à coup. Au même moment, le gouvernail de profondeur fit un tour complet vers la gauche et vers le timonier. Il ne put pas l'empêcher de tourner.

« Le gouvernail, sir ! Le gouvernail ! »

L'officier de quart se pencha par-dessus lui pour l'aider à le redresser et à le repousser. Il était bloqué.

Christ ! ils ont eu le gouvernail de profondeur et la barre de plongée de la poupe, pensa Leach.

La poussée du moteur du sous-marin commençait à le lancer lorsque le rugissement puissant des moteurs jumeaux du Grisha envahit la coque du *Splendid*. Un instant plus tard, l'élan du vaisseau russe, tirant la poupe vers bâbord, se heurta à la poussée en avant du *Splendid* lancé de toute sa puissance, plaçant ainsi les deux vaisseaux cul à cul, le sous-marin en direction sud, le Grisha en surface pointant vers le nord. Sa poupe était presque immergée, attirée par le poids et la poussée des puissantes hélices du *Splendid*. L'un ou l'autre devrait céder.

En surface, leurs appareillages prêts à servir, les trois autres Grisha attendaient à une centaine de verges à l'ouest. Leur équipage fut sidéré devant la scène qui se déroulait sous leurs yeux. Leur vaisseau de tête luttait pour vaincre le sous-marin invisible comme un chalutier de pêche pour vaincre une énorme baleine.

Les bossoirs de la poupe du navire, auxquels les membrures et les câbles étaient rattachés, cédèrent dans un bruit assourdissant de métal déchiré, emportant avec eux tout le blindage de la poupe. Celui-ci s'éloigna vers le sud en planant sur l'eau comme une planche de surf. Puis il disparut sous les eaux lorsque le *Splendid*, libéré de l'entrave de ses presque ravisseurs, accéléra dans les eaux peu profondes. Le *Splendid*, son hélice libre, entraîna derrière lui dans un tourbillon les crochets, les câbles, la membrure et le blindage de la poupe du Grisha.

À la surface, dans son sillage, les soixante membres de l'équipage du Grisha endommagé s'apprêtaient à abandonner le navire qu'envahissait l'eau par la poupe. Les capitaines des trois autres vaisseaux antisubmersibles, stupéfaits, abandonnèrent la poursuite et secoururent leurs camarades.

À bord du *Splendid*, le barreur lui-même tenait les commandes. Le capitaine et son second regardaient anxieusement par-dessus son épaule. À cause de la position des commandes, le premier mouvement du navire libéré fut de se porter sur bâbord. Le barreur tentait de toutes ses forces de ramener le gouvernail vers la droite et de le repousser. Le capitaine, sur sa droite, l'aidait à ramener les commandes et le second, sur sa gauche, l'aidait à les repousser. Celles-ci, sous l'effort conjugué des trois hommes, commencèrent à tourner lentement. Puis tout revint d'un seul coup à la normale. Le gouvernail était libéré de même que les barres de plongée. Le barreur repoussa la roue juste à temps pour que le lourd vaisseau ne jaillisse hors de l'eau. Le sommet de sa tour émergea à une centaine de mètres au sud des Grisha qui tournaient en rond et disparut de nouveau sous la couverture réconfortante du golfe qui s'approfondissait en direction du dernier vaisseau de la colonne soviétique. Les navires de l'avant-garde de la majestueuse colonne voguaient résolument vers l'entrée du golfe Arabique où la Cinquième Flotte américaine et la Deuxième Flottille britannique les attendaient.

21

15 avril, 6h 45
La Maison Blanche
Washington, D.C.

Peu après avoir emménagé à la Maison Blanche, John Hansen avait décidé qu'il passerait le plus clair de son temps dans le cabinet de travail du président. Il lui fallait un endroit où il pourrait disposer dossiers et documents, publications et livres, tout ce dont il se servait, sur son pupitre ou sur les tables de travail. Le Bureau Ovale de l'aile ouest servirait lors des incessants entretiens officiels, chargés de décorum, avec les chefs d'État, les membres de son cabinet, les ambassadeurs, les leaders du Congrès, les diverses délégations représentant le monde ordinaire, ainsi que pour la signature des mesures législatives. La table de travail du Bureau Ovale était toujours dégagée tandis que celle du cabinet, une autre pièce ovale, était toujours encombrée.

Le cabinet de travail du président était commodément situé dans les quartiers d'habitation de la Maison Blanche, au deuxième étage. Les chambres à coucher se trouvaient dans la partie sud-ouest de ces quartiers. Une porte donnait directement de la chambre à coucher principale au cabinet de travail à l'est. La proximité de cette pièce faisait que John et Judith Hansen en avaient tous deux fait une extension de leurs quartiers d'habitation et que John y travaillait. Il y conviait aussi à des rencontres informelles son état-major personnel ou les chefs des différents départements tant pour des discussions que pour des exposés. Il s'y sentait plus à l'aise que partout ailleurs à la Maison Blanche.

Le lundi 15 avril, tandis que les premiers rayons dorés du soleil matinal pénétraient par les hautes fenêtres aux baies incurvées, le président se trouvait déjà à sa table de travail.

Vêtu de son pyjama, de sa robe de chambre et de ses pantoufles, il buvait sa première tasse de café décaféiné, tout en lisant la première page du *New York Times*. Il croyait toujours que la lecture religieuse du *Times* et du *Washington Post* permettait de garder le contact avec ce qui se passait dans le pays. Après le *Times*, il lirait le *Post*.

Au cours de la semaine qui commençait, il n'aurait pas une minute de libre. Deux réunions de l'exécutif du Conseil national de la sécurité étaient prévues, la première le mardi et l'autre, le vendredi. Il était essentiel que ses membres soient prévenus des développements de la confrontation avec Romanov. Les rencontres permettaient de se mettre à jour grâce aux exposés de la CIA et d'évaluer les activités politiques et militaires de l'Union soviétique, de ses satellites du bloc de l'Est, des pays du golfe Persique et du Proche-Orient, de même que les points chauds en Afrique où les Cubains s'amusaient toujours à intervenir au nom de leurs maîtres soviétiques.

Au cours de sa réunion du vendredi précédent, l'exécutif avait entendu des exposés sur différents sujets. Le premier portait sur la progression de l'immense convoi de navires de la marine et de la flotte marchande américaines, le plus important convoi de bâtiments américains à prendre la mer depuis la Deuxième Guerre mondiale. Au cours de la semaine du 8 avril, l'événement le plus important avait été le départ de la force d'intervention pour le Pakistan. Le rassemblement des hommes, de l'équipement, des navires et des approvisionnements au cours des trois semaines qui avaient suivi le 15 mars avait constitué une tâche monumentale pour le Pentagone. La hiérarchie militaire avait coordonné les départements gouvernementaux impliqués et les principales compagnies américaines de transport qui pouvaient fournir les paquebots et les cargos susceptibles d'ajouter aux bâtiments de la marine. Les gens du Pentagone avaient travaillé jour et nuit. Certaines unités de réserve de l'armée et de l'aviation, choisies d'un bout à l'autre du pays, avaient repris du service, les unes pour participer à la force d'intervention elle-même, les autres pour remplacer les unités régulières et le personnel de soutien qui s'en allaient au Pakistan. Au cours de la phase préparatoire, le président avait exercé une pression sans relâche sur le Pentagone et les secrétaires des différents départements. Il avait usé de plus de toute son influence sur les chefs des principales entreprises qui fourniraient les approvisionnements en nourriture, en carburant, en navires, en équipement et en moyens de transport capables de véhiculer les marchandises vers les différents points d'embarquement de la côte est.

Hansen ne s'était embarrassé ni de scrupules ni d'hésitations en cherchant des appuis à la force d'intervention. Le président avait affirmé aux Soviétiques et au monde entier que les forces armées américaines débarqueraient au Pakistan le 7 mai tant par mer que par air. Il en avait fait un objectif national dans un pays, le plus puissant du monde, qui s'était autrefois rallié derrière John Kennedy quand celui-ci lui avait donné pour objectif d'envoyer un homme sur la Lune. Cette détermination avait été soulignée non seulement dans les éditoriaux de la presse nationale mais par la célérité avec laquelle le Congrès avait approuvé l'accord avec le Pakistan. Le 25 mars, le Sénat et la Chambre l'avaient approuvé presque à l'unanimité sans trop ergoter sur les détails. Hansen l'avait appris peu après sa rencontre avec le vieil ambassadeur soviétique, Kouznetsov, à qui il venait de remettre sa réponse à la note belliqueuse de Romanov, datée du 16 mars.

Les navires de guerre et de transport de même que les autres navires qui formaient la force d'intervention avaient quitté les ports de la côte est parmi les sirènes de centaines d'embarcations et le salut des drapeaux au milieu de scènes qui rappelaient les départs de la Première et de la Deuxième Guerres mondiales, avec fanfares, drapeaux, familles et amis qui saluaient les soldats se trouvant à bord des transports de troupes. La force d'intervention avait quitté sans le moindre retard. Elle laissait derrière elle un pays galvanisé par l'énorme et coûteuse tâche de réapprovisionner et de maintenir cette force à des milliers de milles au delà des océans infestés de sous-marins soviétiques et de navires de guerre.

La marine ne pouvait situer pour le président les sous-marins soviétiques dans l'Atlantique puisque les Russes avaient réactivé leur système de brouillage de sonar, le

SONINT, le 3 avril. Le système avait cessé de fonctionner la veille, le 14 avril. Les ordinateurs auxquels étaient branchés les réseaux de sonar de l'OTAN et des États-Unis qui reposaient au fond de l'Atlantique Nord, localisèrent et identifièrent rapidement les soixante-dix-huit sous-marins russes qui patrouillaient cette région. La marine ne pouvait cependant pas se prononcer sur le cas des vingt-deux autres sous-marins qui patrouillaient cette même région lors de la réactivation de SONINT. Il était possible qu'ils soient rentrés à leurs bases.

« Il est aussi possible qu'ils soient rendus dans l'Atlantique Sud, où l'OTAN n'a pas juridiction et où nous n'avons pas de sonars, avait lancé le président lorsque son secrétaire de la Défense, Robert Levy, lui avait téléphoné vers la fin de l'après-midi du 14 pour lui faire part des derniers développements.

— C'est vrai, reconnut Levy. Nous n'avons pas la moindre idée où ils se trouvent. J'ai l'impression que nous allons les retrouver dans l'ombre de notre force d'intervention. Nous devrions recevoir le rapport du vaisseau-amiral d'un moment à l'autre. Il semble qu'ils soient prêts à commencer les manoeuvres d'OKEAN, probablement le 15. Comme vous savez, ils se rassemblent dans l'Atlantique Sud, au large du Sénégal.

— Au sud du tropique du Cancer ?

— Oui, monsieur le Président. Et dans l'océan Indien, ils se rassemblent dans le golfe d'Aden. Leur flotte défensive se trouve à environ 300 milles au sud-ouest de Bombay. Dans le Pacifique, leur flotte offensive se trouve à l'est des îles Mariannes et leur flotte défensive à une centaine de milles de l'île de Wake.

— Et leur flotte défensive dans l'Atlantique ?

— Elle s'éloigne des îles Canaries vers le sud. Si l'on se fie à leurs précédents exercices, les flottes offensives commenceront à lancer des attaques coordonnées et simultanées, avec le soutien de leurs propres porte-avions et de leurs gros avions anti-sous-marins, contre la flotte des océans Atlantique, Indien et Pacifique. L'amiral Smirnov dirigera lui-même les manoeuvres depuis Moscou.

— Et les bases de sous-marins ? qu'est-ce que les satellites en disent ?

— D'après ce qu'on me dit, les photographies indiquent que tout est normal. La majorité, le nombre habituel, sont amarrés à leurs bases de la Baltique et de la presqu'île de Kola. Ne craignez rien, monsieur le Président, nous les avons à l'oeil. »

Puis il ajouta :

« Mais je n'ose pas penser à ce qui arriverait s'ils étaient lâchés tous les 381 dans la nature.

— Moi non plus, reconnut le président. Mais ils les possèdent, Robert. Ils ne les ont pas construits sans raisons. Certains pourraient nous expédier des missiles nucléaires depuis des plates-formes mobiles difficiles à repérer. Mais la plupart servent à détruire des vaisseaux — d'autres sous-marins, des navires de surface, des cargos, tout ce qui bouge au grand large et au premier chef ceux qui les inquiètent le plus, les pétroliers qui transportent le pétrole brut. »

On lui avait remis juste avant son départ pour Camp David, en route pour Diego Garcia, le rapport qu'il avait demandé au bureau du vérificateur sur les conséquences d'un arrêt des livraisons de brut à l'Amérique du Nord et à l'Europe de l'Ouest. Bien qu'il ne se soit agi que d'un document préliminaire, sa lecture l'avait profondément bouleversé. Il le fut davantage encore lorsqu'il prit connaissance du rapport proprement dit dont on lui remit une copie le 11 avril, le jour même où l'Assemblée générale des Nations unies se réunissait pour discuter de la question pakistanaise. Le rapport ne laissait pas la moindre illusion. Lorsqu'il en eut terminé la lecture, il ne put s'empêcher d'en endosser la conclusion : un arrêt complet de plus de trente jours des livraisons de brut à l'Europe de l'Ouest et aux États-Unis aurait des conséquences désastreuses sur l'économie, la culture et la civilisation du monde occidental. Les conséquences ne cédaient en importance qu'à une guerre nucléaire tous azimuts. Le rapport avait renforcé sa détermination de débarquer au Pakistan. Avec une telle base, il pourrait au besoin défendre les pays du golfe Persique. Il avait ordonné de distribuer la version finale du rapport aux membres de l'exécutif du Conseil national de la sécurité. Il était essentiel que chacun comprenne parfaitement bien ce qu'il prévoyait comme catastrophe si les Américains reculaient de nouveau devant les Soviétiques qui menaçaient le golfe Persique.

Comme l'avait prévu Hansen, les Russes menaient à fond de train leur campagne diplomatique, armés de tout leur arsenal de propagande, pour forcer Hansen à rester hors du Pakistan. Le jeudi 11 avril, 112 membres de l'Assemblée générale des Nations unies votèrent en faveur de la résolution soviétique qui condamnait l'entente américano-pakistanaise sous prétexte que le débarquement de troupes américaines au Pakistan constituerait une menace grave et inacceptable à la paix mondiale. En plus de censurer les États-Unis, la résolution exigeait que ceux-ci rappellent leurs troupes. Le président Hansen s'attendait à ce que les Soviétiques soumettent leur cause aux Nations unies. Il s'attendait aussi au résultat. Celui-ci ne modifia en rien sa détermination.

Le président but une gorgée de son café et passa à la page deux du *New York Times* et parcourut rapidement chaque colonne qui risquait de l'intéresser. Il avait acquis une excellente méthode de lecture rapide à l'époque où la quantité de documents qu'il devait parcourir approchait du point de saturation. Il faillit rater un court article en bas de page. Le titre se lisait ainsi : « Un général dénonce l'entente pakistanaise. » Hansen ne pouvait en croire ses yeux.

> « Le général Glen Young, chef de l'état-major inter-armées, a affirmé, au cours d'une allocution prononcée hier soir, que l'envoi d'une force d'intervention militaire au Pakistan comportait des risques élevés. Selon lui, il serait impossible de soutenir la force d'intervention plus de trente jours. Les problèmes logistiques provoqués par le réapprovisionnement de 120 000 hommes à 13 000 milles des États-Unis pourraient se révéler insolubles compte tenu de la capacité de la flotte marchande américaine actuelle. Young avait exprimé son désaccord lorsque le président avait décidé d'entreprendre des négociations avec le Pakistan. »

Moins de cinq minutes plus tard, le président tenait le chef d'état-major interarmées au bout du fil. Il n'avait pas quitté son domicile.

« Général Young, avez-vous lu le *New York Times* ce matin ?

— Non, monsieur, répondit le général étonné.

— Je vais vous en lire un article. »

Lorsqu'il eut terminé sa lecture, le président lui demanda :

« C'est bien ce que vous avez dit, général ?

— À peu près, oui, mais la citation ne provient pas de mon allocution, monsieur le Président. Je répondais à une question. Comme vous le savez, je vous ai fait part de ces objections dès le départ...

— Et j'ai passé outre, général ! Je veux que vous vous rentriez ceci dans la tête. Je suis le commandant en chef des forces armées des États-Unis d'Amérique et *votre* commandant. J'ai écouté vos objections et j'ai décidé d'agir à leur encontre. Quand je vous donne un ordre, vous n'avez pas à discuter. Vous n'avez qu'à obéir !

— J'ai obéi à vos ordres, monsieur le Président, dit Young d'une voix remarquablement calme, même si je n'étais pas d'accord. »

Young avait raison : il avait obéi.

« Et vos collègues ? Qu'est-ce qu'ils en pensent ?

— Ils sont d'accord avec moi. Nous sommes des professionnels, monsieur le Président. Nous obéissons. Mais il y a quelque chose que vous ne devez pas oublier. Nous sommes des Américains. Nous sommes tout autant que vous concernés par la liberté, la démocratie et la sécurité du peuple américain. À part vous-même, monsieur le Président, il n'existe pas quatre hommes dans ce pays qui aient à cet égard autant de respect que nous. »

Hansen ne pouvait qu'être d'accord.

« Je suis d'accord. Mais il y a une chose ou deux que vous ne mentionnez pas, général. La première a trait à la loyauté. En tant que commandant en chef, c'est le moins que je puisse attendre tant de votre part que de chacun des chefs d'état-major. La deuxième, c'est que je m'attends à ce que vous ne fassiez pas publiquement allusion à nos désaccords. Vous connaissez les règles du jeu mieux que moi, général. Ce sont les politiciens élus qui dirigent ce pays et prennent les décisions. Vous, les militaires, vous obéissez aux ordres. Si vous voulez me critiquer en public, et surtout à propos d'un sujet aussi important que le Pakistan... Voyons la question sous un autre angle. Je serai le plus direct possible. La prochaine fois que vous me critiquerez publiquement, j'attendrai votre démission. »

La voix de Hansen était glacée de fureur.

Cette fureur fut augmentée par l'arrogance et le ton de la voix du chef d'état-major interarmées :

« La prochaine fois, vous l'aurez d'avance, monsieur le Président. »

22

19 avril
Diego Garcia

Après sa rencontre avec le sinistre Grisha, il avait fallu quatre jours au *Splendid* pour parcourir en plongée la distance qui séparait le golfe d'Aden de la plus grande île de l'archipel Chagos, Diego Garcia, où il était arrivé tard dans l'après-midi du 18 avril.

Aussitôt dépêtré du Grisha, Leach s'était dirigé vers l'abri que lui offrait Socotra, à l'extrémité sud de l'embouchure du golfe. Le sous-marin malmené, traînant câbles, grappins et blindage de poupe du Grisha coulé, avait mis quelques heures à y parvenir. Dans l'eau calme, l'officier chargé des services techniques et ses ingénieurs artificiers s'étaient attaqués aux câbles avec des torches à souder qui fonctionnaient aussi bien dans l'eau qu'à la surface. En moins de trois heures, ils s'étaient frayé un chemin à travers les câbles d'acier tordus qui s'enroulaient autour des barres de plongée, du dériveur et du gouvernail.

Heureusement pour le *Splendid*, les quatre pales de son hélice de cuivre aux arêtes tranchantes tournaient à plein régime lorsque les câbles que traînaient derrière lui le Grisha avaient glissé de bâbord à l'arrière au moment où les deux vaisseaux s'étaient arrachés l'un à l'autre de toute leur puissance. Les pales avaient alors tranché net les câbles raides à l'exception des deux qui avaient endommagé l'arête avant de la dérive tout près de son sommet. Les deux câbles étaient restés accrochés au sous-marin, laissant dégagée l'hélice et traînant avec eux la membrure et le blindage de la poupe du malheureux navire anti-sous-marin russe. La plaque de blindage, un trophée tout à fait inhabituel, avait été embarquée à bord du *Splendid* comme souvenir de sa première victoire. Il avait fallu la découper en morceaux, mais qu'importait. Plus tard, lorsque le temps serait venu de l'installer bien en vue à Faslane, on la rassemblerait.

Leach était resté sur la passerelle de son vaisseau tout le temps qu'avait duré cette opération. Tout en la supervisant, il voulait se rendre compte des dommages.

La longue entaille diagonale dans l'arête antérieure près du sommet de la dérive pouvait être facilement réparée, de même que les rayures de l'arête antérieure de la barre de plongée de tribord. Les profondes rainures des arêtes de chacune des pales de l'hélice le préoccupaient par contre au plus haut point. Il en connaissait l'existence depuis le moment même où il avait senti les pales de son hélice trancher les câbles pendant que le *Splendid* se dépêtrait de l'appareillage du vaisseau russe. Depuis la poupe, un grondement inhabituel s'était propagé d'un bout à l'autre du sous-marin. Leach savait par expérience que les câbles avaient endommagé l'hélice. Les rainures et les encoches avaient perturbé l'équilibre délicat de l'hélice, provoquant une vibration constante dans l'arbre de transmission à haute vélocité. À trente noeuds, la vibration devenait insupportable. Le capitaine pensait même qu'à cette vitesse elle était dangereuse. Mais à vingt noeuds elle diminuait au point d'être à peine perceptible.

Lorsque l'équipe d'ingénieurs eut terminé son travail, Leach transmit son rapport au navire-amiral de la Deuxième Flottille. Il y exprimait ses inquiétudes au sujet de l'hélice et de l'incapacité du *Splendid* de filer à plus de vingt noeuds sans endommager gravement le roulement à billes de l'arbre de transmission et la boîte de vitesses qui l'unissait au moteur.

En retour, il reçut les félicitations de l'amiral qui soulignait que « votre victoire contre le Grisha et votre évasion des pièges de la flotte russe s'inscrivent dans la valeureuse tradition guerrière de Nelson et de la Marine royale. Je vous félicite ainsi que tout l'équipage du *Splendid*. Filez à Diego Garcia. Une nouvelle hélice vous y attendra. On (les É.-U.) y sera en mesure de procéder au changement. Prévenir quand ce sera terminé. Le premier Lord de l'Amirauté nous envoie ce message : « Prière de dire à l'équipage du *Splendid* que nous sommes fiers de cette splendide action. »

Lorsque au milieu de l'après-midi du 19 avril le *Splendid* entra lentement par le sud-est dans la passe principale et se dirigea à la surface vers la lagune de Diego Garcia par une pluie chaude et embrumée, le commandant de la base américaine ainsi que ses hommes étaient prêts et l'attendaient. Leur cale sèche était noyée, ses portes ouvertes. Aussitôt que son principal réservoir de lest et ses minces compartiments furent vidés de leur eau, pesant donc deux cents tonnes de moins que son poids de plongée habituel, Leach pénétra lentement dans la cale sèche. Une petite embarcation l'aida en poussant ou en tirant avec sa proue très rembourrée la poupe du *Splendid* pendant tout le temps de son entrée jusqu'à ce qu'il se retrouve exactement au-dessus de l'énorme berceau d'acier où il reposerait lorsque la cale serait vidée de son eau.

Avant que la coque tubulaire du *Splendid* ne soit dégagée, on commença à refroidir son réacteur nucléaire en le raccordant à un boyau. Celui-ci, accouplé à un tuyau par où ressortirait l'eau fraîche réchauffée en passant dans le réacteur, serpentait depuis le sommet de la cale sèche. Un enchevêtrement de câbles, de fils, de boyaux et de tuyaux alimentait de plus le *Splendid* comme des tubes intraveineux qui permettent au corps humain de survivre à une opération majeure.

Ayant constaté que le sous-marin occupait la bonne position, le responsable de la cale referma les portes derrière lui et entreprit le pompage. À minuit, la cale sèche était complètement vidée de son eau. Le *Splendid* reposait dans son haut berceau, sous la lumière aveuglante d'une centaine de projecteurs, sec et nu comme au jour de son lancement. L'équipage entreprit de descendre la demi-douzaine d'échelles que les Américains avaient mises en place au fond de la cale sèche aussitôt que le niveau de l'eau le leur avait permis. Leach descendit le premier, suivi de nouveau du matelot de deuxième classe Smith, lampe de poche à la main, puis de tout l'équipage. Ils étaient tous anxieux de savoir à quel point ces damnés Russes avaient endommagé leur vaisseau. Le capitaine donna l'ordre de déplacer vers la poupe l'échelle qui se trouvait le plus à l'arrière de la tour. Ses montants rembourrés furent appuyés de chaque côté du cône qui recouvrait le centre de l'hélice et s'ajustait à l'arbre de transmission de la même façon que les hélices d'un avion. Le capitaine prit la lampe de poche des mains du jeune matelot et gravit précautionneusement les échelons. Tout de blanc vêtu, il portait des culottes courtes, une chemise à col ouvert et à manches courtes, des souliers à semelles de caoutchouc. Nu-tête, il était, comme le reste de l'équipage, trempé jusqu'aux os par la pluie tiède. Le barreur omniprésent et Smith assuraient la stabilité de l'échelle.

Leach ne s'attendait pas au spectacle qu'il découvrit en arrivant au sommet de l'échelle. Quatre entailles profondes avaient endommagé à intervalles variés chacune des arêtes du tranchant des énormes pales de cuivre. Une entaille profonde signifiait à ses yeux qu'elle était supérieure à un quart de pouce. Celles-ci atteignaient cette profondeur et peut-être davantage. Ce n'était guère reluisant. Ce qui le fit vraiment tressaillir, ce fut de découvrir sur la pale qui se trouvait à sa droite et légèrement au-dessus de lui, les quatre entailles regroupées à un demi-pouce environ les unes des autres. De cet endroit situé à environ cinq pieds du moyeu de l'hélice, une fissure de la minceur d'un cheveu mais néanmoins parfaitement visible sous l'éclairage de sa lampe de poche courait en diagonale sur la face luisante de l'hélice vers son axe. Sans être un ingénieur, Leach devina — et on confirma plus tard la justesse de son intuition — que si l'impact des câbles avait été plus grand ou que s'il avait tenté de se diriger vers Diego Garcia en faisant tourner son hélice à plein régime, l'énorme tension infligée à l'hélice aurait causé la dislocation de sa partie extérieure. Le résultat aurait été catastrophique. Les vibrations causées par l'hélice déséquilibrée tournant à plein régime auraient probablement arraché l'arbre de transmission à son système de roulement à billes, éventré les moteurs et permis à l'eau de mer d'envahir instantanément et à haute pression la poupe du navire. Le *Splendid* avait survécu, mais à la limite des dégâts d'une fissure.

Tel que promis par l'amiral, la nouvelle hélice du *Splendid* l'attendait à son arrivée à Diego Garcia. Le matin même, un cargo Hercule de l'Armée de l'air royale avait transporté le chef-d'oeuvre de métal poli et brillant.

Au bas de l'échelle, Leach tendit la lampe de poche à David Scott, son principal technicien, un homme que l'on nomme habituellement Chef à bord des sous-marins britanniques. Il attendait avec son équipe d'officiers et d'ingénieurs qui serait responsable du changement d'hélices pour rendre le *Splendid* de nouveau navigable.

« C'est pire que j'imaginais, Chef. Examinez bien la pale qui se trouve en haut à droite. Il y a une fissure de neuf pouces qui court depuis le tranchant. »

Le Chef fut pris de court :

« J'ai pourtant bien examiné les pales en enlevant les câbles. Je n'ai rien vu de semblable.

— Peut-être que vous l'aurez manquée. Après tout, lors de votre examen, vous étiez à plusieurs pieds sous la surface. Ou bien la fissure sera apparue pendant que nous nous en venions ici. De toute façon, elle est là et nous sommes vraiment chanceux que ça ne se soit pas complètement déglingué. »

Le lendemain, dès le lever du jour, les travaux commencèrent. Tandis que le reste de l'équipage s'occupait de travaux d'entretien, une équipe fut chargée de nettoyer la coque du *Splendid* des végétations marines qui s'y étaient déjà accumulées. Cette nuit-là, Leach et ses officiers décidèrent de préparer un barbecue sur la plage et alimentèrent leur feu de camp avec des morceaux de caisses, celles-ci constituant la seule source de bois de l'île. Les matelots profitèrent tous de l'alcool que leur dispensa le capitaine, mais seuls trois ou quatre d'entre eux durent recevoir de l'aide pour remonter à bord et retrouver leurs couchettes.

Le 21 avril, le Chef déclara que le *Splendid* pouvait repartir. Les cordons ombilicaux furent tous coupés à l'exception de ceux qui servaient au refroidissement du réacteur. Ceux-ci le seraient dès que le vaisseau flotterait. Les valves ouvertes, l'eau commença à s'engouffrer dans la cale sèche. Elle le soulèverait de son berceau pendant que l'eau monterait jusqu'au niveau de la lagune. Les matelots étaient tous excités, surtout ceux qui n'étaient pas de quart et qui avaient obtenu la permission de monter sur la passerelle pendant que le vaisseau s'élevait un peu comme si on en lançait un nouveau. Moins d'une heure plus tard, après avoir salué comme il convient les équipes de la cale sèche et de la base de cette île solitaire, le *Splendid* quittait la lagune de Diego Garcia.

À la demande de Leach, le Chef ne bougea pas de la salle des commandes pendant que le vaisseau plongeait. Le capitaine avait ordonné de descendre à deux cents pieds à une vitesse de quinze noeuds. Une fois le sous-marin stabilisé à cette profondeur, il ordonna :

« En avant, toute.

— En avant, toute, sir.

— Eh bien, Chef, c'est l'heure de vérité », lança-t-il à son officier responsable de la technique.

Le ronronnement des moteurs électriques et des pales de l'hélice augmenta progressivement. Une vibration se fit entendre tout à coup. De haute fréquence, elle venait de la poupe. Elle monta en volume lorsque l'hélice atteignit sa plus grande vélocité.

« Arrêtez les moteurs ! » ordonna le capitaine.

Les moteurs furent aussitôt arrêtés et la vibration cessa.

« Alors, Chef ? »

Le lieutenant de vaisseau David Scott hocha la tête :

« Ça ne va pas, sir. Le système de roulement principal a dû être endommagé. J'ignore ce que ça peut être mais il est évident que je ne puis pas le réparer. J'ai l'impression que vous pouvez filer vos vingt noeuds, mais au delà... »

Il haussa les épaules.

« Maudit baptême ! cracha Leach, furieux. Si je ne peux pas lui donner tout son jus, ça ne vaut pas la peine d'en parler. »

Appuyé au périscope, il mit la main à son front en prenant la seule décision possible.

« Je n'ai pas le choix, dit-il d'un ton résigné. Je dois le ramener à la maison.

— L'amiral ne sera pas très heureux, sir, répondit le Chef.

— Tant pis pour l'amiral ! »

23

23 avril, 9h
au large du Cap-Vert

Le capitaine de deuxième classe Boris Chernavine était d'une humeur massacrante pour trois raisons. D'abord, son vaisseau et son équipage avaient fait piètre figure au cours des manoeuvres d'OKEAN. Ensuite, il ne s'entendait pas du tout avec son zampolit, l'officier politique du vaisseau qui était malheureusement son égal en grade. Enfin, ayant partagé une bouteille de vodka, son zampolit et lui s'étaient lancés dans une engueulade qui avait duré jusqu'à deux heures du matin lorsque le zampolit s'était précipité, ivre et furieux, hors de la cabine du capitaine. Celui-ci avait un mal de tête lancinant.

Le zampolit était un nouveau du nom de Vargan. Court, trapu, âgé d'environ quinze ans de plus que Chernavine, chauve et le visage rond, il exhalait sans arrêt une odeur de transpiration qui le précédait toujours. Il s'était joint à l'équipage du 501 une semaine avant son départ de Mourmansk. Au cours des sept jours suivants, il avait réussi à semer la zizanie parmi l'équipage et à ennuyer passablement le capitaine.

Un zampolit se trouvait à bord de chaque vaisseau de guerre soviétique. Il veillait à l'endoctrinement idéologique et évaluait la fiabilité des officiers et de l'équipage sur le plan politique. Il supervisait la compétition socialiste. Il s'assurait que les décisions du parti étaient respectées. Il faisait observer la discipline ou, du moins, il devait le faire. Il agissait aussi bien comme « aumônier » que comme travailleur social pour que les troupes aient bon moral. Le Parti communiste avait mis sur pied au sein de la structure de commandement naval des groupes formés d'une part du commandant d'un vaisseau et de ses officiers et, d'autre part, de l'officier politique et des organisations du parti. Aux yeux de Chernavine, un tel système ne pouvait que provoquer le chaos. Vargan, un homme dont l'expérience navale était presque inexistante, avait commencé à critiquer la façon dont lui, Chernavine, traitait son équipage au cours des manoeuvres d'OKEAN. En tant que membre du parti, le capitaine était soumis comme tout autre membre de l'équipage à la critique et à la discipline. Imbu de lui-même, Vargan ne tolérait pour sa part pas le moindre reproche. Au cours de leur beuverie, ses attaques à l'endroit de Chernavine s'étaient faites vives. Lorsque le capitaine avait protesté en affirmant que Vargan ne possédait pas d'expérience navale susceptible de conférer la moindre valeur à ses critiques, le zampolit avait rabattu son poing sur la table en avançant qu'il avait passé dix ans de sa vie au large, qu'il partageait avec le capitaine la responsabilité du succès des manoeuvres du vaisseau et de sa performance, que le comportement du 501 et de son équipage comptait à ses yeux plus que tout et que son futur dépendait de ce genre de compétition socialiste.

Chernavine savait que le petit homme avait raison mais son ivresse l'avait rendu furieux et lui avait fait perdre le contrôle. Parlant sur le même ton et gesticulant autant que Vargan, il affirma en termes clairs au zampolit qu'il était, lui, Chernavine, le capitaine de ce vaisseau, qu'il en était l'officier naval et qu'il n'avait pas besoin qu'un amateur vienne lui donner de leçons. À partir d'un tel tremplin, la discussion s'était poursuivie sur un ton survolté jusqu'à ce que le petit homme, dans un éclat de fureur, quitte la cabine du capitaine. Chernavine devrait tenter une réconciliation, mais pas avant que son mal de tête ne soit passé.

Sa rancoeur venait surtout de ce que Vargan avait raison au sujet de la performance du sous-marin.

Le 501 avait été assigné à la flotte d'attaque de l'Atlantique au cours des manoeuvres d'OKEAN. Chernavine avait reçu l'ordre de rejoindre la flotte d'attaque à cent milles du Cap-Vert, au large du Sénégal. Il ignorait encore où se trouvait la flotte défensive. Son vaisseau et lui-même seraient alors sous les ordres directs de l'officier amiral de la flotte d'attaque, bien qu'aussi sujets à des ordres directs du quartier général de Moscou. Des flottes d'attaque et de défensive similaires se trouvaient dans les océans Indien et Pacifique.

Il avait pris note, lors de l'exposé qui avait précédé le départ de Mourmansk pour OKEAN, que plus de deux cents bâtiments de guerre, tant de surface que submersibles, étaient assignés à l'exercice. Ces bâtiments allaient des porte-avions et des croiseurs à des bâtiments aussi petits que des corvettes de type Grisha, sans compter les vaisseaux d'approvisionnement, d'entretien et de réparation. Une centaine environ des 381 sous-marins utilisables qui prendraient la mer au cours de cette période participeraient aux manoeuvres. Leur nombre serait probablement connu des Américains et des Britanniques qui les prendraient en filature. Les autres sous-marins, par contre, se cacheraient, tranquilles, sur les lieux mêmes qui leur avaient été assignés dans l'Atlantique, l'Atlantique Sud et l'océan Indien.

Le 501 avait reçu pour tâche de protéger la zone de défense antisubmersible de la flotte d'attaque, la zone *protivolodochnoy oborony*, en l'occurrence l'étendue d'eau autour de la flotte d'attaque où les forces défensives chercheraient à détruire les sous-marins ennemis, accomplissant ainsi leur mission de protéger la flotte contre toute attaque venue de sous les eaux. Le 501 s'était vu assigner un secteur loin en avant de la flotte d'attaque qui procédait vers le nord dans le but de découvrir et de détruire la flotte défensive. Un sous-marin d'attaque de la flotte défensive parvint toutefois à se glisser sans être repéré à travers la zone assignée au 501 et à lancer ses torpilles d'exercice contre le vaisseau-amiral de la flotte d'attaque. Chernavine avait réprimandé le sous-officier-chef du sonar qui s'était plaint du peu d'expérience de ses hommes de quart au sonar et de ce que la même chose risquait de se reproduire tant qu'ils n'en auraient pas acquis. Ils auraient bien dû apercevoir le sous-marin qui s'en venait mais il n'était pas de quart à ce moment-là. Il ferait de son mieux pour améliorer les capacités des hommes qui avaient la charge du sonar.

Chernavine avait eu quelque difficulté à expliquer aux arbitres des manoeuvres les raisons de l'échec du 501. Il avait reçu un message de l'officier amiral lui-même, l'après-midi du 22 avril, où celui-ci exprimait son extrême mécontentement d'avoir été coulé et prévenait le capitaine de second rang Boris Chernavine qu'il s'attendait à une explication en tête à tête à la première occasion.

Toutes ces raisons contribuaient à l'humeur massacrante du capitaine du 501, exacerbée par son regard brumeux. Pour envenimer les choses, il devait prendre ce matin-là connaissance de son ordre de mission ultra-secret. Tous les autres capitaines de sous-marins soviétiques devaient faire la même chose au même moment, à neuf heures. Les ordres venaient du commandant en chef, l'amiral Smirnov.

Chernavine fit tourner le cadran du coffre-fort de sa cabine. Il dut s'y reprendre à trois fois. De ses mains tremblantes il ouvrit la grande enveloppe rouge si terriblement officielle avec le sceau rouge du commandant en chef gravé au coin supérieur gauche. Il en tira un document de deux pages soigneusement dactylographié contenant les ordres de l'amiral pour l'Opération Coulage. Il déposa les ordres devant lui, s'appuya des deux coudes sur sa table de travail et mit son front dans ses deux mains. Puis il entreprit sa lecture.

Tout en laissant lentement glisser ses yeux sur la première page, il se redressa. Les trois premiers paragraphes rappelaient l'escalade de la confrontation entre l'Union soviétique et les Américains. Ceux-ci avaient fait un pas de plus en planifiant le débarquement de leurs premières troupes au Pakistan le 7 mai. Ce préambule rappelait aussi la nécessité où était l'Union soviétique de mettre la main sur une nouvelle source de brut. La production domestique des champs pétrolifères de Sibérie diminuait et aucune découverte importante ne s'annonçait à l'horizon, tandis que la demande, tant en URSS que dans les pays satellites du bloc de l'Est, atteignait de nouveaux sommets.

Le message indiquait à Chernavine que son vaisseau, le 501, faisait partie d'une opération d'envergure, connue sous le nom de Plan Andropov, grâce à laquelle le président

Romanov avait l'intention de régler les deux problèmes à la fois.

Les tâches du 501, de même que les détails de leur exécution, s'y trouvaient précisées : le lieu, la date, l'heure exacte, la direction de l'approche, les précautions à prendre au cas où il serait sous observation, la cible de sa fusée sol-sol et l'intervalle entre les torpilles.

Il restait huit jours avant que Chernavine n'exécute sa tâche, le glorieux 1er mai, à douze heures précises, heure de Greenwich.

Lorsqu'il eut terminé sa lecture, son esprit embrouillé en arriva à la conclusion que le président était ou bien un génie ou bien un fou. Il ne vint pas à l'esprit du capitaine de sous-marin que le camarade Romanov, secrétaire général du Parti communiste, président du Praesidium du Soviet suprême et maréchal de l'Union soviétique, puisse être à la fois l'un et l'autre.

24

26 avril, midi
Durban, Afrique du Sud

La Mecque, ses provisions de carburant presque épuisées, arriva au large de Durban à midi le 26 avril. L'équipage avait été confiné à bord de l'horrible vieux navire depuis si longtemps que sa patience s'était presque complètement émoussée. Son ressentiment à l'endroit des Palestiniens menaçait de déborder. Le capitaine Rashid lui-même, un homme d'une infinie patience, serait ravi d'être débarrassé de Saïd et de ses deux derniers hommes. Il rêvait du jour où *La Mecque* reprendrait du service dans les eaux familières de sa Méditerranée bien-aimée. Il n'avait pas la moindre idée des raisons qui avaient incité les hommes de l'OLP à parcourir une telle distance. S'ils voulaient se rendre de Bahrain à Durban, pourquoi n'avaient-ils pas pris l'avion ? À cette question, il croyait connaître la réponse. C'était ce damné émetteur dont ils s'étaient servis pour faire sauter la canonnière israélienne dans le port de Haïfa. Ils ne pouvaient l'emporter avec eux sur un avion de ligne. Il serait presque certainement détecté. Il n'y avait pas de meilleur moyen de transport que *La Mecque* pour l'avoir à portée de la main au moment voulu. Était-ce la véritable raison de leur venue à Durban ? Rashid ne pouvait qu'émettre des hypothèses. Il n'y avait aucun moyen de le savoir. Mais ses interrogations n'allaient plus tarder à recevoir une réponse.

À 14h 45 (12h 45, heure de Greenwich), *La Mecque* se trouvait à cinq milles au nord-ouest du port de Durban, dans la baie de Natal, et se dirigeait vers l'entrée. De l'aile tribord de sa passerelle, le capitaine apercevait des plages de sable blanc et, derrière celles-ci, les édifices à bureaux et les églises du centre-ville. Les hautes collines de Durban se dressaient à l'arrière-plan, tressées de routes et de voies rapides. Il percevait la lueur des maisons parmi la verdure de la forêt. C'était une grande ville, beaucoup plus grande qu'il ne l'aurait cru. Il apprécierait la semaine qu'il s'était promis d'y passer. Une semaine entière dans le meilleur hôtel. Des vêtements propres, de la bonne nourriture. Avec un peu de chance, une sympathique compagne de lit. Pourquoi une ? Peut-être deux ou trois. Tout ça, bien sûr, si Saïd lui permettait de débarquer. Il serait sûrement débarrassé du trio de l'OLP ici même à Durban.

À l'arrière, près du gouvernail, Hassan procédait sur son émetteur de très hautes fréquences aux mêmes essais qu'au large de Haïfa, la nuit où ils avaient déchiqueté les Israéliens. Même si le vieux navire se frayait un chemin vers Durban dans une mer houleuse, Hassan avait décidé d'installer son émetteur sur la table de bois dont il s'était servi quelques semaines plus tôt dans des eaux plus calmes. Ahmed l'avait une fois de plus réquisitionnée à la salle à manger et transportée avec beaucoup de soin de bâbord à tribord du pont des cabines. Hassan voulait enfoncer le bouton orange de son émetteur en plein air pour que celui-ci atteigne sa portée maximale de mille milles en direction nord jusque dans le chenal du Mozambique, entre l'île de Madagascar à l'est et l'Afrique continentale à l'ouest. Et en direction sud, jusqu'au cap de Bonne-Espérance. Des centaines de superpétroliers, chargés ou en lest, sillonnaient l'océan Indien sur les deux mille milles. Dix d'entre eux portaient à l'insu de leurs armateurs une autre charge que du brut ou du pétrole liquide : des mines électroniques de fabrication russe qui attendaient pour sauter un signal radio. Le premier dépassait en ce moment même le Cap et pénétrait dans l'Atlantique Sud. Il s'agissait de l'*Amaco Singapore* dont l'hélice avait eu raison de Maan. Le dernier, l'*Esso Malaysia*, se trouvait encore dans le chenal du Mozambique. Autour de chacun de ces vaisseaux, l'horizon était dégagé. À vue d'oeil, ils étaient fin seuls sur les eaux.

Si le capitaine Rashid ou son second, Nabil, avait regardé vers l'arrière entre 14h 45 et 15h, heure locale, il aurait aperçu les trois soldats de l'OLP groupés autour de la boîte noire de leur puissant émetteur. À 14h 49 (12h 49, heure de Greenwich), Hassan avait terminé ses essais. Il était satisfait. Sans regarder Saïd ni Ahmed, il dit :

« Ça va. »

Trente secondes avant 13h (heure de Greenwich), Hassan commença le compte à rebours en se servant de la montre précise d'Ahmed dont l'heure correspondait à celle du poste radiophonique de Durban. Au moment où apparaissaient les petits chiffres de 13h, Hassan enfonça de l'index le bouton orange de la boîte noire. L'événement constituait un anticlimax aux yeux des trois hommes de l'OLP. S'ils avaient pu apercevoir une boule de feu comme à Haïfa, ils auraient su qu'ils avaient réussi. Mais ils avaient simplement appuyé sur un bouton à trois milles au large de Durban sans vraiment savoir ce qui se passait au delà de l'horizon. Ils étaient étrangement désappointés en mettant un terme à une opération commencée deux mois plus tôt, le 9 mars, et qui leur avait tant coûté.

Hassan enleva ses écouteurs et se tourna à gauche vers Saïd et à droite vers Ahmed. Il haussa les épaules en ouvrant les mains. C'était fait. Mais était-ce une réussite ou un échec ?

À ce moment, un roulement lointain comme celui du tonnerre arriva du sud-est. Il semblait ne plus vouloir s'arrêter. Presque en même temps, un autre roulement lourd se fit entendre à l'est, mêlé au premier, bientôt suivi de roulements plus forts au nord-est.

Aux oreilles des habitants de Durban qui entendirent ces bruits lointains, ils n'étaient rien d'autre que le fracas des lointains orages sur les étendues sans fin de l'océan Indien. Il n'y avait pas là de quoi fouetter un chat.

Aux oreilles des hommes de l'OLP, cependant, ils représentaient le roulement des tambours d'une victoire glorieuse, unique dans l'histoire de la nation palestinienne. Le trio vécut près du gouvernail de *La Mecque* un moment d'exaltation en s'embrassant les uns les autres. Il y avait dans leurs yeux des larmes, des larmes d'exaltation et de joie mêlées à des larmes de douleur et d'angoisse en songeant à Maan qui avait payé de sa vie ce moment ultime de douce satisfaction triomphale.

Moins d'une heure plus tard, *La Mecque* se trouvait dans les eaux calmes de la baie de Natal. Le capitaine accosta sans difficulté à la jetée Maydon, à l'ouest du port, en vue du monument Congella et à portée d'oreille du lourd trafic de l'autoroute du sud qui passait à une centaine de verges à l'ouest. Une averse légère avait commencé à tomber au moment d'entrer dans le port de Durban sous un ciel bas et gris. Saïd et ses compagnons s'étaient réfugiés dans le couloir situé sous l'aile de tribord de la passerelle de commandement. Ils quitteraient le bord dès que la passerelle de service le leur permettrait et rentreraient à Beyrouth par avion dès qu'ils pourraient réserver leurs places. Saïd s'attendait à voyager sans problèmes à bord d'un appareil de la Lufthansa ou de la British Airways pour Francfort ou Londres et, de là, à rentrer à Beyrouth. Il saurait bientôt quelles possibilités s'offraient à eux.

Le capitaine Rashid rapporterait à Beyrouth l'émetteur de l'équipe, son travail terminé du moins au cours de cette mission, de même que les canots de caoutchouc, les moteurs, les armes automatiques et l'équipement de plongée sous-marine. Chaque homme garderait sous sa chemise un pistolet dans un étui. À l'aéroport, ils placeraient leurs armes dans leurs sacs de marins et enregistreraient ceux-ci comme bagages.

Saïd se souvenait de l'avertissement d'Arafat à propos de l'équipe d'assassins d'Israël. Il avertit Ahmed et Hassan d'ouvrir l'oeil, mais il ne croyait pas vraiment que les Israéliens tenteraient d'avoir leur peau à Durban. L'Afrique du Sud serait offensée par toute attaque sur son territoire. Sans compter que Durban se trouvait à plusieurs milliers de milles d'Israël. L'endroit où lui-même, Ahmed et Hassan seraient les plus vulnérables était tout près d'Israël. Il s'agissait de Beyrouth.

Ils avaient fait leurs adieux à l'équipage. Le moment s'était avéré particulièrement difficile pour Saïd et le vieux capitaine. Les deux hommes s'étaient beaucoup rapprochés au cours du mois et demi qu'ils avaient passé ensemble. Rashid promit à Saïd qu'il le reverrait à Beyrouth, sans doute un mois plus tard.

Les trois Arabes palestiniens, vêtus de leurs uniformes kaki propres, se tenaient sous la passerelle. Ils ne portaient pas de coiffes. À Durban, le port de la *chéchia* aurait semblé incongru. Ils aperçurent le taxi qu'ils avaient appelé sur la radio du navire. Le taxi remontait les quais depuis le nord et ses phares brillaient dans la pluie tandis qu'il passait entre des rangées d'entrepôts et les cargaisons dont on chargeait et déchargeait les autres navires amarrés le long de la jetée Maydon. Le taxi roulait en se méfiant des équipes de débardeurs, des camions et des véhicules à fourches sous le balancement des grues de ce port occupé. Un officier sud-africain des douanes et de l'immigration attendait lui aussi, l'air misérable sous la pluie, que l'on installe la passerelle de service. Il portait un imperméable de plastique par-dessus son uniforme et sa casquette. Le taxi s'arrêta derrière lui près des portes ouvertes d'un entrepôt sombre et vide situé à quelques pas du bord de la jetée.

L'équipage amarra finalement la poupe et la proue du navire à la jetée. Le capitaine quitta la passerelle de commandement et se tint près des Palestiniens pendant que la passerelle de service était installée. Il accueillit l'officier sud-africain lorsque celui-ci monta à bord. Rashid l'invita à entreprendre l'inspection des documents relatifs à son navire dans sa cabine mais lui demanda d'avoir l'obligeance de libérer d'abord trois membres de son équipage qui quittaient son bord et rentraient au Liban. Affable, le Sud-Africain examina leurs passeports et leurs certificats de vaccination. Tout était en ordre. Il estampilla les passeports. Ils n'avaient rien à déclarer, mais l'officier demanda à Ahmed d'ouvrir son sac. N'y découvrant rien de répréhensible, il leur donna la permission de quitter le navire.

Après une dernière poignée de mains à Rashid, le trio commença à descendre la passerelle de service, leurs sacs de marins sur l'épaule gauche, et se dirigea vers le taxi qui les attendait. Ses phares brillaient toujours. Ses essuie-glace battaient méthodiquement et dégageaient le pare-brise.

La passerelle était peu inclinée. Les trois hommes regardaient la surface mouillée et glissante et essayaient de conserver leur équilibre en tenant la rampe de cordage de la main droite. Ni l'un ni l'autre n'aperçut le mouvement de deux silhouettes dans la noirceur de l'entrepôt situé juste devant eux. Ils n'aperçurent pas non plus la lueur métallique des fusils.

Rashid avait ouvert la porte de sa cabine et s'apprêtait à y laisser entrer l'officier des douanes lorsqu'il entendit le premier son étouffé. Il comprit immédiatement qu'il s'agissait de la détonation d'une carabine munie d'un silencieux. Pendant qu'il se retournait, il entendit une saccade de sons étouffés. Les flammes des carabines luisaient violemment contre la noirceur de l'entrepôt. La première balle traversa le coeur de Saïd et pénétra dans l'estomac d'Ahmed. La deuxième lui entra dans l'oeil droit, en perçant proprement ses verres à miroirs, et lui arracha l'arrière de la tête. Cette balle-là s'enfonça dans le torse d'Ahmed.

Rashid était pétrifié d'horreur. La trajectoire des balles de haute vélocité se déplaça légèrement vers Ahmed et, derrière lui, vers Hassan. Sous la force de l'impact, les membres des victimes volaient tandis que celles-ci étaient repoussées dans les tenailles de la mort. Ahmed bascula au-dessus de la rampe puis tomba couché sur le quai.

Hassan fut repoussé jusqu'au haut de la passerelle et son corps s'affaissa lourdement contre le pont et la cloison de la cabine du maître. Son sac de marin, maculé de sang, tomba à ses pieds.

La forme désarticulée de Saïd gisait en travers de la passerelle de service et se contractait convulsivement. Puis elle ne bougea plus. Le sang coulait de ses blessures sur la passerelle et se mêlait silencieusement à la douceur de la pluie.

25

26 avril, 13h, heure de Greenwich
Cap de Bonne-Espérance

À 13h, heure de Greenwich, le 26 avril, le *Splendid* qui rentrait à son port d'attache de Faslane, filait ses vingt noeuds à 150 pieds de profondeur. Il se trouvait à 311 milles au sud du cap Sainte-Marie, situé à l'extrémité sud de l'île de Madagascar, et voguait vers le cap de Bonne-Espérance en maintenant son cap à 245 degrés. Si le *Splendid* s'était à ce moment-là trouvé à la surface et son capitaine sur la passerelle, celui-ci aurait pu entendre le rugissement des explosions devant son vaisseau et à tribord au delà de la ligne d'horizon. Quelques instants plus tard, il aurait probablement vu monter des mêmes endroits des nuages de fumée noire dans un ciel moucheté de nuages.

Leach et son équipage ne devaient cependant pas apprendre avant 15h, heure Zoulou, ce soir-là qu'ils se trouvaient dans la région où venait de se produire ce qu'on appelait déjà le pire désastre maritime de l'histoire. Fidèle à ses habitudes, Leach avait fait diffuser à l'intention de l'équipage sur le système de communications de son vaisseau le bulletin de nouvelles de 18h, heure du Royaume-Uni, de la BBC.

Dans sa cabine, où sa guerre de papier l'occupait encore, le capitaine cessa d'écrire et concentra son attention sur ce qu'il entendait aussitôt que la voix mielleuse et britannique de l'annonceur de la BBC, distortionnée par la longue distance qu'elle devait parcourir, commença à lire la principale nouvelle du jour :

« Dix des plus grands superpétroliers ont été coulés aujourd'hui au large de la côte est de l'Afrique et quinze

233

autres superpétroliers sont disparus dans l'Atlantique sans laisser de traces. Il s'agirait de l'acte de terrorisme le plus haineux et le plus destructeur de l'histoire. À Beyrouth, tôt cet après-midi, l'Organisation de Libération de la Palestine a revendiqué les attentats en soulignant qu'ils avaient pour but de contribuer à la libération des Palestiniens et à la réintégration de leurs terres.

Les vaisseaux coulés dans l'océan Indien naviguaient tous sur la route maritime encombrée du cap de Bonne-Espérance en provenance du golfe Persique où ils avaient fait le plein de brut ou de produits pétroliers destinés à l'Europe de l'Ouest et à l'Amérique du Nord. Ils filaient tous de deux cents à cinq cents milles au large de la côte est de l'Afrique entre l'île de Madagascar au nord et le cap de Bonne-Espérance au sud. Les explosions destructrices ont provoqué la formation de nuages de fumée visibles à plusieurs milles à la ronde. Les vaisseaux qui se sont précipités sur le lieu des catastrophes ont rapporté que tous les pétroliers ont coulé en moins d'une demi-heure après avoir été éventrés par les explosions.

Quinze autres superpétroliers sont aussi disparus sans laisser de traces dans l'Atlantique Sud, apparemment victimes eux aussi des torroristes de l'OLP. Selon la Lloyd's de Londres, les quinze pétroliers avaient livré leur chargement de brut ou de produits pétroliers en Europe et en Amérique du Nord et retournaient en lest dans le golfe Persique. Les vaisseaux se trouvaient tous dans les routes maritimes entre le Sénégal au nord et le Cap au sud. La Lloyd's rapporte aussi que les photographies prises par satellites au cours de l'après-midi dans cette région de l'Atlantique Sud ne montrent pas la moindre trace de ces quinze superpétroliers. »

Le lieutenant de vaisseau et second, Paul Tait, passa la tête par la porte du capitaine pour s'assurer que Leach était éveillé et écoutait les sombres nouvelles de la BBC. Leach lui signifia en silence de s'asseoir sur la couchette.

« Les autorités estiment qu'en plus des centaines de millions de livres sterling de pertes matérielles — et un rapport préliminaire fait état de dégâts d'un milliard à un milliard et demi de livres — environ mille hommes et femmes d'équipage se trouvaient à bord de ces vaisseaux.

On ne rapporte pour l'instant aucun survivant. D'après la Lloyd's, aucun de ces navires ne transportait d'équipages britanniques et tous battaient pavillon libérien ou panaméen où ils sont enregistrés, bien qu'on croie qu'ils appartenaient tous à des intérêts américains. Le premier ministre a dénoncé l'action de l'OLP... »

Leach savait ce que dirait le premier ministre. Il se tourna vers Tait lorsque l'annonceur de la BBC passa à une autre nouvelle.

« Alors, Paul, qu'est-ce que tu en penses ?

— Incroyable. Absolument incroyable. Vingt-cinq pétroliers. Qu'est-ce que l'OLP essaie de prouver ?

— Ou, plus précisément, comment a-t-elle fait ? Il fallait que ce soit des mines, des mines activées par ondes radio. Ils les ont probablement obtenues des Russes. Les vaisseaux de l'Atlantique étaient en lest. Il suffit d'un trou pour qu'un de ces vaisseaux coule en moins d'une minute. L'huile des pétroliers chargés fait habituellement flotter la coque peut-être une demi-heure, dépendant du genre d'explosif utilisé. »

Tait était d'accord :

« J'en ai vu couler un l'année dernière avec sa charge. Une espèce d'explosion l'avait heurté. La Lloyd's pensait qu'il s'agissait d'un coup monté par les armateurs pour obtenir le montant de l'assurance. De toute façon, il a coulé en quarante-cinq minutes. Avant de couler, c'était un enfer de flammes.»

Les deux officiers parlaient avec une oreille tendue vers le bulletin de nouvelles de la BBC au cas où l'une ou l'autre des nouvelles risquerait de les intéresser. Ce qui fut le cas.

Au moment où il résumait les principales nouvelles, l'annonceur se tut un instant puis reprit :

« Je viens de recevoir à l'instant une dépêche. Le chef de l'OLP, Yasser Arafat, rejette toute responsabilité au sujet des quinze pétroliers qui sont disparus dans l'Atlantique et affirme que l'OLP n'est responsable que de ceux qui ont coulé dans l'océan Indien cet après-midi. Ainsi s'achève le bulletin de nouvelles internationales de la BBC. »

« Je me demande si quiconque croira Arafat, s'interrogea Leach. D'après moi, les pétroliers qui ont coulé dans l'océan Indien étaient minés. Avec des mines activées par radio. Il aurait pu envoyer une équipe s'occuper de ceux dont il savait qu'ils seraient dans l'océan Indien et une autre équipe miner ceux dont il savait qu'ils seraient dans l'Atlantique Sud. Ces grosses brutes mettent environ quatre-vingts jours, presque trois mois, à faire le voyage aller-retour du golfe Persique à l'Europe en passant par le Cap. Leurs horaires sont stricts. Il suffit qu'un cerveau brillant vérifie chaque jour à Londres le registre de la Lloyd's. »

Cette extraordinaire publication donne quotidiennement la position de tous les navires qui se trouvent en mer.

« Il ne faut pas être un génie pour calculer avec une règle, une carte du monde et un bon crayon quel amas de pétroliers se trouvera en lest dans l'Atlantique Sud à tel moment donné en route pour le même port arabe du golfe Persique. Vous envoyez ensuite votre équipe dans ce pays avec ses mines. Tant qu'il y aura des bateaux, il y aura moyen de passer en contrebande des hommes, des mines ou n'importe quoi d'autre. Il suffit d'attendre que les pétroliers choisis se présentent et, ni vu ni connu, vous les piégez pendant qu'ils attendent d'être chargés. »

Cette explication ne satisfaisait pas tout à fait le second :

« Mais dans ce cas, pourquoi Arafat le nierait-il ? Il assume la responsabilité des dix naufrages de l'océan Indien. Pourquoi refuserait-il celle de l'Atlantique ?

— Je l'ignore, répondit Leach en hochant la tête. Je ne comprends pas comment fonctionne le cerveau des Arabes. Le poids des réactions négatives qu'il a sans le moindre doute provoquées à travers le monde peut l'avoir fait paniquer. Après tout, comment savoir la vérité puisque les pétroliers de l'Atlantique sont disparus sans laisser de traces. Lorsqu'ils sont en lest, remplis d'eau, une bonne explosion peut les couler en moins de quarante secondes. Et il est probable qu'ils sont tous au fond de la faille Atlantique où personne ne peut les voir ou découvrir ce qui les a détruits.

— Mais s'il s'en trouve sur le plateau continental à deux ou trois cents pieds...

— Il faut bien qu'il coure ce risque », reconnut le capitaine.

Tait ne lui renvoya pas la balle. Il avait quelque chose d'autre à dire.

« D'après moi, les Soviétiques sont impliqués dans ce qui s'est passé dans l'Atlantique.

— Les Soviétiques ! s'exclama le capitaine avec dérision. Pas de danger. Ils risqueraient de déclencher la Troisième Guerre mondiale. »

Il y mettait beaucoup d'emphase et hochait vigoureusement la tête.

« Pas de danger. C'est l'oeuvre de ces maudits Arabes, de ces Palestiniens. Ça ne peut être qu'eux ! »

26

26 avril, 7h 55
La Maison Blanche
Washington, D.C.

Le président venait de s'installer derrière sa table de travail dans son cabinet. Il était huit heures moins cinq le matin du vendredi 26 avril. Jim Crane lui communiquerait à huit heures son horaire de la journée et certains dossiers qui serviraient au cours de ses rendez-vous. Hansen ouvrit le dossier intitulé *Propositions du département de l'Énergie pour une révision du rationnement de l'essence.* Son premier rendez-vous officiel, avec le secrétaire de l'Énergie Georges Enos et ses principaux conseillers, aurait lieu ce matin-là à neuf heures dans le Bureau Ovale. Le président avait lu leur mémoire mais se proposait de relire les propositions qu'il contenait. Il venait d'en ouvrir la première page et de commencer sa lecture lorsque Crane, qui n'arrivait jamais trop tôt, entra précipitamment dans le cabinet en agitant une feuille de papier.

« Regardez, monsieur ! » s'exclama-t-il anxieux.

En prenant connaissance de son contenu, Hansen comprit l'anxiété de Crane. Il s'agissait d'une nouvelle transmise par télex en provenance de l'agence Reuter qui rapportait le naufrage des pétroliers au large de Durban.

Le président n'en croyait pas ses yeux.

« Dix superpétroliers chargés et en même temps ! Qu'est-ce qui se passe ? »

Sa question, purement pour la forme, reçut une réponse partielle lorsqu'une dépêche annonça plus tard qu'Arafat revendiquait comme une victoire de l'OLP le naufrage des superpétroliers. Moins d'une heure plus tard, une nouvelle dépêche annonça la disparition des quinze autres vaisseaux

238

dans l'Atlantique Sud. Presque aussitôt arriva la nouvelle qu'Arafat déclinait la responsabilité de ces naufrages. Les nouvelles furent suivies des noms, des propriétaires et des pavillons des vingt-cinq pétroliers. Ils appartenaient tous aux Américains. Ils battaient tous pavillon libérien à l'exception d'un seul qui battait pavillon panaméen. Ceux qui avaient coulé dans l'océan Indien étaient chargés. Ceux qui avaient coulé dans l'Atlantique Sud filaient en lest vers le cap de Bonne-Espérance et devaient le contourner avant de se diriger vers le golfe Persique à travers l'océan Indien. On n'avait reçu ni communication ni message d'aucun des vingt-cinq vaisseaux. Le fait que tous les pétroliers semblaient avoir été frappés en même temps, à 13h, heure de Greenwich, ne faisait que confirmer l'affirmation d'Arafat selon laquelle il s'agissait d'une importante victoire de l'OLP dans sa lutte pour être reconnue, pour son propre territoire et pour la libération de son peuple.

Le démenti d'Arafat à toute participation de l'OLP dans les naufrages de l'Atlantique sonna cependant l'alarme dans l'esprit de Hansen, au Pentagone et au quartier général de la CIA. La question de savoir « si » fit aussitôt surface. Et si Arafat disait la vérité ? Si l'OLP n'était effectivement pas impliquée dans les naufrages de l'Atlantique Sud ? Et si les Brigades rouges japonaises, dont les terroristes sauvages avaient déjà travaillé de concert avec l'OLP en semant la mort et la désolation dans les aéroports et en détournant des avions à travers l'Europe, étaient impliquées ? Il s'agissait d'une possibilité qu'il faudrait examiner sérieusement. Peut-être s'agissait-il de l'horrible bande de terroristes allemands. Étaient-ils devenus les partenaires de l'OLP ?

Pour Hansen, la seule autre possibilité, si l'on ajoutait foi au démenti d'Arafat, était tout à fait incroyable. C'était que les sous-marins soviétiques étaient les responsables.

Le 26 avril, tard dans l'après-midi, tant d'informations troublantes lui étaient parvenues et tant de questions demeuraient sans réponse que le président décida de tenir une réunion d'urgence de l'exécutif du Conseil national de la sécurité. Si le pire des scénarios s'avérait exact, les Soviétiques étaient responsables du naufrage délibéré de quinze super-pétroliers appartenant à des Américains et de tout leur équipage... ! Mais rien ne permettait de remonter jusqu'aux Soviétiques à part le fait que l'OLP s'était servie de mines de fabrication russe. Le sabotage de la canonnière de Haïfa l'avait démontré. Les quinze vaisseaux coulés dans l'Atlantique Sud avaient pu être minés n'importe où, dans le golfe Persique ou dans les ports d'Europe, au cours des semaines précédentes. Il était évident que chaque cible avait été choisie avec soin : elles appartenaient à des Américains et battaient pavillon de pays étrangers. Plus : des pavillons étrangers de pays qui n'étaient pas membres de l'OTAN. Leur position en lest le long de la côte ouest de l'Afrique avait pu être facilement calculée pour telle journée particulière plusieurs semaines auparavant en consultant les horaires de leurs déplacements.

Même si sa raison lui commandait de ne pas croire à la responsabilité des sous-marins soviétiques, ce qui entraînerait une revanche et les précipiterait dans les affres de la Troisième Guerre mondiale, le président Hansen ne pouvait se défaire du doute qui le tenaillait. Il avait besoin que les cerveaux du Conseil national de la sécurité cherchent avec lui les indices. Il s'agissait par ailleurs d'un acte d'agression à découvert contre les intérêts et la propriété des Américains. Que le responsable soit l'OLP, l'Armée rouge japonaise ou l'Union soviétique, il fallait agir de telle sorte que pareille agression ne puisse plus se reproduire. Rendu à ce point, le président n'avait pas la moindre idée de ce qu'il devait faire.

Par ailleurs, les vaisseaux arboraient tous des pavillons de pays qui n'étaient pas membres de l'OTAN. Ils se trouvaient dans les eaux internationales. Ils appartenaient à des intérêts américains, mais leurs coques et leurs cargaisons seraient remboursées par les assureurs, la Lloyd's, de Londres, et le nouveau groupe américain qui avait commencé à intégrer le même champ d'activités. Pourquoi alors le président des États-Unis s'en mêlerait-il ? John Hansen ne pouvait répondre entièrement à cette question sans laisser les principaux membres du Conseil national de la sécurité examiner la question. Aussi longtemps pourtant qu'il y avait la moindre possibilité que les Soviétiques aient participé au naufrage simultané de vingt-cinq superpétroliers américains, le sujet devait constituer une stricte priorité pour son administration.

Immédiatement après le lunch où il recevait un chef d'État africain, il rencontra dans le Bureau Ovale Jim Crane et Peterson, le secrétaire de presse de la Maison Blanche, qui lui affirma qu'à son avis jamais la réaction du public n'avait été aussi négative depuis l'incident des otages en Iran. Aux yeux tant de la population que de la presse, il s'agissait de navires américains, quel que soit leur pavillon. Leur naufrage, peu importe qui l'avait provoqué, exigeait une réplique du président et, au besoin, des forces armées. C'est ainsi que Peterson comprenait les coups de téléphone et les télégrammes que recevaient les membres du Congrès et qui inondaient la Maison Blanche. En fait, il s'agissait du même genre de réaction que ressentait John Hansen lui-même. Les chiens sales de l'OLP ne s'en tireraient pas si facilement. D'une façon ou d'une autre, les États-Unis se vengeraient.

La réunion d'urgence de l'exécutif du Conseil national de la sécurité commença à cinq heures cet après-midi-là. Les membres étaient tous présents à l'exception du général Young. Le président avait demandé à Crane de ne pas l'inviter mais de prévenir le chef des opérations navales, l'amiral Taylor, de se tenir près du téléphone.

Une fois qu'il eut évalué tous les éléments d'information dont il disposait, le comité exécutif en arriva à l'unanimité à la conclusion qu'Arafat, même s'il rejetait la responsabilité des naufrages de l'Atlantique, était probablement responsable du naufrage des vingt-cinq pétroliers comme il l'avait tout d'abord affirmé. Son démenti tardif résultait probablement de la réaction mondiale hostile. On signala que l'Union soviétique n'avait encore fait aucune déclaration condamnant les attentats et ne les avait pas non plus approuvés.

On demanderait à tous les pays membres de l'OTAN et ayant une marine de participer, sous la responsabilité des forces navales américaines, à un programme d'inspection des coques de tous les pétroliers qui sillonnaient la route qui contournait le cap de Bonne-Espérance depuis le golfe Persique. L'examen des bâtiments dans les ports américains ou ouest-européens de même que dans le golfe Persique serait relativement facile. Mais l'examen de ceux qui sillonnaient les mers serait ardu et prendrait du temps. 710 pétroliers seulement de la flotte mondiale en comptant environ 3300 appartenaient à la catégorie des 200 000 tonneaux ou plus. On décida de s'occuper d'abord des superpétroliers qui appartenaient à des Américains tout en battant pavillon libérien ou panaméen.

L'exécutif partageait avec le président Hansen l'opinion que si le démenti d'Arafat à propos du naufrage des quinze superpétroliers dans l'Atlantique était conforme à la vérité, cela signifiait qu'une autre organisation travaillait en liaison avec la sienne. Il devait s'agir de l'Armée rouge japonaise, du groupe de révolutionnaires allemands ou de quelque nouvelle organisation révolutionnaire. La dernière possibilité était que les sous-marins soviétiques aient procédé aux naufrages en se servant de l'OLP comme couverture.

Même s'il était difficile de croire que les Russes aient pu se livrer à une telle agression, le comité exécutif recommanda cependant à l'unanimité au président de discuter de la question avec le gouvernement soviétique et de lui demander l'assurance qu'il n'était pas impliqué. Hansen avait accepté la recommandation en affirmant qu'il parlerait au président Romanov sur la ligne rouge dès que possible. Le président leva alors la séance en disant :

« Même si j'obtiens de lui l'assurance qu'ils ne sont pas impliqués, j'ignore si je puis le croire tellement plus qu'Arafat. »

27

27 avril, 17h
Moscou

Le président Romanov s'attendait à ce que le président Hansen veuille bientôt lui parler sur la ligne rouge. Il ne fut donc pas surpris lorsque son principal secrétaire pénétra dans son bureau pour l'avertir que le président avait demandé à lui parler une heure plus tard, à 18h, heure de Moscou, ou 10h, heure de Washington. Le secrétaire rappela à son chef qu'il avait rendez-vous à dix-huit heures avec une délégation du parti en Géorgie et avec Shevardnadze, le membre non votant du Politburo qui était responsable de ce groupe. Ils pouvaient attendre. La conversation avec l'Américain ne durerait pas longtemps.

À 18h, Romanov était assis à son bureau devant l'émetteur-récepteur audio-visuel de la ligne rouge. L'interprète se trouvait à sa droite. À l'extrémité du bureau, entre celui-ci et le mur, se trouvait le technicien en communications. Les trois hommes de confiance du président, Gromyko, Andropov et Oustinov, chacun dévoué à la cause et aux buts du communisme marxisme-léninisme, au parti, et à la domination du monde par l'Union soviétique, étaient assis devant lui. Ils étaient des hommes d'expérience et peut-être jaloux à leur façon de leur cadet Romanov, mais néanmoins loyaux et dignes de confiance, du moins jusqu'à ce que survienne une situation où, à l'instar de Khrouchtchev, il perdrait la face.

À l'heure prescrite, tous étaient silencieux, impassibles, attendant le premier contact qui devait survenir quelques secondes après l'heure prévue lorsque le visage du nouveau président, Hansen, qu'aucun d'eux ne connaissait, apparut à l'écran de télévision. Les premières paroles de Hansen furent amicales comme le requiert le protocole entre les chefs des deux superpuissances. Les préliminaires entre ces deux hommes sensiblement du même âge furent brefs. Chacun disposait sur l'autre d'une énorme quantité d'informations grâce aux exposés de leurs agences de renseignements respectives, complétées par le département d'État aux États-Unis et par le ministère des Affaires étrangères de Gromyko à Moscou. Le président Romanov devait relever le défi et se faire une opinion personnelle du géant de six pieds cinq pouces dont la voix grave et modulée lui parvenait depuis le Bureau Ovale de la Maison Blanche. John Hansen devait faire de même.

De telles discussions ne leur étaient pas aussi pénibles qu'à leurs prédécesseurs puisque, pour la première fois, l'image était transmise par un satellite spécial qui avait été récemment lancé par les deux pays. Bien que les mots et les images aient été brouillés pour des raisons de sécurité au cours de la transmission, ils parvenaient clairement aux interlocuteurs. Le président des États-Unis et le président de l'Union soviétique pouvaient, pour la première fois de l'histoire, se voir en même temps qu'ils discutaient, ce qui était à l'avantage de chacun lorsqu'il s'agissait de négocier à distance des sujets d'importance vitale pour le monde.

De prime abord, Romanov fut favorablement impressionné par l'affabilité de Hansen. Il sentait, en amorçant la conversation, qu'en d'autres circonstances leurs rapports eussent pu être chaleureux.

La conversation progressait lentement à cause des inévitables interventions des interprètes. Puis les deux hommes comprirent qu'il était temps d'en venir au fait.

« Et maintenant, monsieur le Président, je présume que vous voulez me parler du Pakistan et me dire que les États-Unis sont prêts à abandonner cet acte d'agression inconsidéré. Dans ce cas, il est possible que nous pensions à donner quelque chose en retour. Aussi bien vous dire clairement ce qui vous a déjà été transmis par voie diplomatique : je considère l'intervention américaine au Pakistan de la même façon que le président Carter considérait les interventions que nous aurions pu faire en Iran ou dans les pays du golfe Persique. Il affirmait que les États-Unis nous en empêcheraient par la force. Il considérait par conséquent toute action que nous aurions pu entreprendre en ce sens comme une *causus belli*. Je veux que vous compreniez parfaitement bien qu'à nos yeux, à mes collègues et à moi-même, le Pakistan constitue une région d'un intérêt vital pour l'Union soviétique et que toute intervention militaire de la part des États-Unis constituera une *causus belli*.

— Je comprends votre position, reconnut Hansen. Je ne crois pas qu'elle soit justifiée, mais je la comprends. Ce n'est toutefois pas à cause du Pakistan que j'ai appelé. Peut-être pourrons-nous en parler au cours des prochains jours...

— Il n'en reste pas beaucoup, monsieur le Président.

— Il en reste suffisamment. Je voudrais vous entretenir du naufrage des pétroliers survenu hier. Monsieur le Président, j'imagine qu'on vous a mis au courant de l'action de l'OLP, qui a fait exploser dix pétroliers chargés dans l'océan Indien et des quinze autres dans l'Atlantique Sud, ceux qui étaient en lest et qui ont apparemment coulé sans laisser de traces, bien qu'on ait retrouvé des débris sur les lieux où ils se trouvaient. »

Hansen se tut pour laisser à l'interprète de Romanov le temps de le rattraper.

« Oui, monsieur le Président, reconnut Romanov, nous sommes parfaitement au courant.

— Vous savez donc, monsieur le Président, qu'Arafat a rejeté toute responsabilité dans le naufrage des quinze de l'Atlantique. »

Le président le reconnut en hochant la tête. Mais il posa une question :

« Pourquoi ces vaisseaux vous intéressent-ils, monsieur le Président ? Ils ne sont pas américains mais battaient pavillon libérien, sauf un qui battait pavillon panaméen. Si je me souviens bien, ils se trouvaient tous dans les eaux internationales, à des milliers de milles des États-Unis. »

Romanov pouvait sentir que le président novice était mal à l'aise.

« Vous avez tout à fait raison. Mais chacun de ces vaisseaux appartenait à des Américains, qu'il s'agisse de corporations ou d'individus. »

Romanov leva la main.

« C'est un expédient capitaliste, inventé par les Américains, qui permet d'enregistrer les vaisseaux au Liberia ou à Panama de façon à contourner votre loi qui exige des navires enregistrés aux États-Unis qu'ils n'engagent que des équipages américains, une loi qui, si elle n'était pas contournée, rendrait les équipages deux ou trois fois plus dispendieux. Sans compter, monsieur le Président, que la plupart de ces bâtiments appartiennent à des multinationales qui s'étendent sur la planète en ravageant l'économie. Leurs bureaux officiels comme leur drapeau officiel sont américains puisque c'est ce pays qui offre les meilleurs avantages à leurs têtes dirigeantes. Ces multinationales ne font rien d'autre que de sucer l'économie des producteurs de pétrole, de votre gouvernement et des populations du monde occidental. »

Lorsque l'interprète eut terminé, il poursuivit :

« Alors je trouve difficile, monsieur le Président, d'accepter la validité de votre position si le sort de ces pétroliers ne vous intéresse que parce qu'ils sont présumés appartenir à des intérêts américains. »

Le Président sentit qu'on lui touchait la main gauche. Il se tourna vers Gromyko puis regarda de nouveau l'écran de télévision et la caméra.

« On vient de me rappeler qu'aucun équipage d'aucun de ces navires n'était américain. Alors je vous demande quel est votre intérêt, monsieur le Président, et quel est l'intérêt des États-Unis dans cette affaire ? »

Il leva la main pour indiquer qu'il voulait ajouter quelque chose à sa question lorsque l'interprète aurait terminé.

« Et si vous avez un intérêt que je puisse reconnaître comme valable, ma question suivante est : Qu'attendez-vous de moi ? »

Hansen répondit en choisissant soigneusement ses mots.

« La propriété de ces navires, le fait qu'ils appartiennent à des Américains, me confère non seulement un intérêt légitime mais me préoccupe énormément. La destruction massive de la propriété américaine, où que ce soit dans le monde, par un acte de guerre ou d'agression doit être prise très au sérieux par le gouvernement des États-Unis et constitue une importante préoccupation. Malgré votre évidente volonté de l'outrepasser, il s'agit d'une réalité. Abstraction faite des questions légales, il en va de nos intérêts vitaux que le flot de pétrole ne soit pas interrompu entre le golfe Persique et les États-Unis, que les approvisionnements de n'importe quel pays membre de l'OPEP, que ce soit dans le golfe Persique, au Venezuela, en Malaisie ou ailleurs ne soit pas interrompu par un blocus ou par la menace d'une agression navale. Nous devons sans arrêt faire face à la possibilité qu'un fournisseur important cesse de nous approvisionner à cause de son instabilité politique comme en Iran. Le risque est inhérent à nos relations avec la plupart des membres de l'OPEP. Nous pourrions probablement nous reprendre ailleurs en augmentant nos approvisionnements dans un autre pays. Ce qui me préoccupe, en fait, c'est l'existence du moyen de transport, la flotte mondiale des pétroliers, qui transporte le brut de l'OPEP et du Mexique jusqu'à nos côtes. Comme vous le savez, nous importons plus de quarante pour cent de ce que nous consommons et toutes nos importations nous arrivent par pétroliers.

— Je comprends vos préoccupations à propos des pétroliers, l'assura Romanov, mais vous ne croyez quand même pas que l'OLP pourrait menacer la flotte mondiale ?

— Non, je ne crois pas. Elle pourrait chercher à bloquer le détroit d'Ormuz en le minant, mais nous pourrions rétablir rapidement la situation. Ou encore elle pourrait couler un groupe de pétroliers avec votre aide comme elle l'a fait hier.

— Nous accuseriez-vous d'être impliqués dans ces naufrages ? demanda Romanov en se hérissant.

— Je ne vous accuse de rien, monsieur le Président. Mais nous savons que les terroristes de l'OLP se sont servis de mines de fabrication soviétique. La même équipe de terroristes de l'OLP s'est servie du même genre de mines à Haïfa au début du mois dernier. »

Le président attendit que Hansen laisse tomber son second pavé dans la mare, cette fois à propos de l'appartenance au KGB du chef du commando de l'OLP que les Israéliens avaient tué à Durban. Mais le président n'en dit rien et il se demanda s'il le savait.

« Nous savons aussi que le gouvernement soviétique fournit une aide précieuse à l'OLP depuis plusieurs années. Fournir de l'aide à quelqu'un et s'impliquer directement dans une action sont des facteurs très différents. Je n'accuse pas les Soviétiques de s'être impliqués dans les naufrages d'hier après-midi.

« Ce qui m'inquiète, c'est... la raison pour laquelle je vous ai appelé est la suivante : Arafat a nié toute responsabilité de l'OLP pour les quinze pétroliers qui ont fait naufrage dans l'Atlantique Sud. Si l'OLP n'y a pas pris part, peut-être un autre groupe révolutionnaire l'a-t-il fait. À défaut d'un tel groupe, le seul pays au monde capable de couler ces vaisseaux à l'heure exacte où l'OLP faisait exploser ceux de l'océan Indien, c'est l'Union soviétique. Je tiens à vous assurer, monsieur Romanov, que je ne crois pas Arafat. Je le crois responsable de l'ensemble de l'opération. Le gouvernement des États-Unis serait par contre soulagé si j'obtenais votre assurance que l'Union soviétique... un grand nombre de vos sous-marins patrouillent l'Atlantique Sud en ce moment... si vous pouviez nous donner l'assurance que la marine soviétique n'a pas coulé les quinze pétroliers de l'Atlantique. »

Renversé par la franchise de la question bien que ne le montrant pas, Romanov répondit sur-le-champ. Il n'ignorait pas qu'il s'agissait d'une partie du Plan Andropov. Et il pouvait s'appuyer sur le précédent des réponses qu'avait fournies le président Khrouchtchev au président Kennedy lors de la crise des missiles cubains en 1962.

« Vous comprendrez, monsieur le Président, que je suis profondément choqué par l'arrogance qu'implique votre croyance que je devrais rendre compte aux États-Unis des actions que la marine soviétique peut avoir ou ne pas avoir entreprises. Ceci dit, dans le but de poursuivre la coexistence pacifique, un but que l'Union soviétique a toujours eu à coeur, vous avez mon assurance à ce sujet. »

28

1er mai
Océan Atlantique

La surface de l'océan Atlantique, à cinquante milles au large du Cap, était agitée d'un fort roulis, bien que sans vagues, ce 1er mai. Le ciel était parsemé de cumulus plats qui filaient vers l'est à environ 3000 pieds, poussés par un vent régulier de cinq noeuds, et brillaient dans le soleil matinal.

À 8h 36, heure Zoulou, le pilote du *Splendid* déclara que celui-ci, voguant toujours à 150 pieds sous l'eau, se trouvait par le travers du Cap, à cinquante-deux milles à l'ouest de son phare. Au même moment, l'officier des communications entra dans la salle des commandes et tendit un message au capitaine :

« C'est un message de l'officier amiral des sous-marins, sir. »

L'amiral ! Le capitaine Leach lut immédiatement la feuille de papier rose ultra-secrète. En gros, le message se lisait ainsi :

« *Splendid* rejoindra *Esso Atlantic* pour procéder inspection coque possiblement minée. Instructions désactivation et neutralisation mine possiblement fabrication soviétique suivent. Position *Esso Atlantic* 14°10'15" est 34°8'2" sud, file 16 noeuds. »

C'était à deux pas. Il devrait apparaître sur l'écran du sonar d'une minute à l'autre, pensa Leach en poursuivant sa lecture.

« Approcher *Esso Atlantic* prudence maximale. Raison naufrages massifs Atlantique 26 avril encore incertaine. Plus important déploiement sous-marins soviétiques océans Atlantique Indien. Impossible établir positions. »

Pour être là, ils sont mauditement là, pensa Leach. Depuis qu'au large de Durban, le 27, le *Splendid* suivait la route des pétroliers, son sonar actif en avait repéré une douzaine, en moyenne un par cent milles entre Durban et le Cap. Ils semblaient de plus se mouvoir lentement comme s'ils effectuaient du sur place et ils étaient à peu près également répartis sur la distance. Leach n'appréciait pas du tout la situation. Mais il appartenait aux cerveaux de Whitehall d'en évaluer la signification. Ils ne l'avaient toujours pas fait.

« Recommandons *Splendid* examiner soigneusement environs *Esso Atlantic* avant faire surface pour inspection. Priorité rapporter activités sous-marins soviétiques. Capitaine *Esso Atlantic* attend contact. Rapporter au plus tôt heure prévue pour rendez-vous. »

« Montez à soixante-quinze pieds. »

Il monterait à profondeur de périscope et lèverait son mât de radar pour être en mesure d'émettre.

« Pilote, donnez-moi votre estimation du temps qu'il nous faudra d'ici à 14°10'15" est et 34°8'2". Soustrayez une heure à seize noeuds vers le sud dans vos calculs. »

Il tenait ainsi compte de ce que le *Esso Atlantic* filerait à seize noeuds vers le sud où se trouvait le *Splendid* durant une heure.

« À vos ordres, sir. »

L'officier des communications attendait que le capitaine lui remette son message. Sans quitter des yeux sa table de travail, le pilote fournit rapidement la réponse attendue.

« Cinquante-deux minutes, sir. Le rendez-vous aura lieu à 9h 32, heure Zoulou.

— Bien ! »

Puis il s'adressa à l'officier des communications :

« Envoyez ce message à l'officier amiral. Message de *Esso Atlantic* reçu. Wilco. Rendez-vous 9h 32 Zoulou. C'est tout. »

L'officier des communications disparut aussitôt de la salle des commandes.

« Soixante-quinze pieds, sir.

— Levez le périscope d'observation. Pilote, quel est le cap vers l'endroit que je vous ai indiqué ?

— Trois degrés sur bâbord devraient nous y mener, sir.

— Bien. Alors trois degrés sur bâbord.

— Trois degrés sur bâbord. »

Le navire vira imperceptiblement vers sa gauche et changea de cap.

« Sonar, attention au contact. Vous devriez l'apercevoir bientôt sur votre écran, droit devant nous. Prévenez-moi aussitôt. »

Leach s'aperçut qu'il s'agissait là d'un ordre inutile. Les hommes de quart au sonar le préviendraient une fraction de seconde à peine après son apparition à l'écran sans qu'il soit besoin de le leur demander.

« Smith, dit Leach au messager de quart, faites venir le Chef au plus vite. »

Il revenait à l'officier technique de préparer les plongeurs et de trier, lorsque ce message-là arriverait, les éléments qui serviraient à la manipulation des mines.

Les poignées du périscope entre les mains, il scruta intensément l'horizon dans la clarté du matin. Toujours rien. Un examen de l'horizon entier donna le même résultat.

Lorsque le Chef arriva dans la salle des commandes, le capitaine abandonna le périscope et lui montra le message.

« Nous avons deux plongeurs à bord, n'est-ce pas ?

— Oui, sir, Parkin et James, mais il y en a une demi-douzaine d'autres qui savent se servir de notre équipement : ceux qui ont tranché les câbles.

— Combien avez-vous d'équipements de plongée, de bouteilles d'oxygène ?

— Six, sir, et au moins six hommes.

— D'accord. Demandez des volontaires. Dites-leur ce qu'on attendra d'eux. Et dites-leur que ce sera très risqué. »

Le télégraphiste arriva alors avec le message technique de l'officier amiral qui décrivait la façon de neutraliser les mines et l'instrument dont il faudrait se servir à cette fin.

« C'est simple, affirma le Chef. Il s'agit d'une tige de métal d'un quart de pouce carré et de neuf pouces de longueur. Je peux en fabriquer une douzaine en dix minutes.

— Bien, dit Leach en donnant une claque sur l'épaule du Chef. Maintenant, au travail. Nous n'avons pas grand temps. Trouvez vos volontaires. Donnez-leur vos instructions. Faites-les revêtir leur équipement en moins d'une demi-heure. D'après nos estimations, nous rencontrerons le pétrolier à 9h 32 Zoulou, mais je tournerai peut-être une heure autour de lui et je longerai sa coque avant de faire surface. »

Le capitaine saisit alors le microphone du bord et expliqua ce qui se passait à l'équipage. Il croyait que comme membres de son équipe les hommes devaient savoir tout ce qu'il savait. Du moins presque tout. Son discours à l'équipage fut interrompu par l'homme de quart du sonar :

« Contact droit devant. À quarante-cinq milles. »

L'homme du sonar n'avait pas entendu le capitaine parler dans le système de communications parce que ses oreilles étaient cachées sous ses écouteurs. Ainsi ne savait-il pas que sa cible était, avec ses 1334 pieds, l'un des plus grands super-pétroliers du monde, le *Esso Atlantic*.

« Bon Dieu, sir, c'est énorme. Je n'ai jamais rien vu d'aussi gros sur l'écran ! »

Leach rit sous cape. Puis il ordonna d'activer le sonar. Il voulait savoir si quelque sous-marin soviétique ne voguait pas dans les environs, attendant en silence pour ne pas qu'un sonar passif le décèle. L'activation du sonar le découvrirait mais révélerait en même temps la présence du sous-marin britannique. Il chronométra trois minutes. Puis, saisissant le microphone du système de communication tactique, il demanda à l'équipe chargée du sonar de faire rapport.

La réponse de l'homme de quart arriva aussitôt :

« J'écoute partout, sir. Aucun contact. »

La réponse satisfaisait le capitaine, du moins pour le moment.

« Arrêtez le sonar actif.

— Sonar actif arrêté, sir. »

Ayant fait signe au second et à l'officier de quart de le suivre, Leach se rendit à la table des cartes et se plaça à la droite du pilote, assis, qui travaillait. Lorsque les deux autres hommes se furent placés de façon à voir, il définit ses tactiques en pointant du doigt les cartes.

« Voici la position du *Esso Atlantic* et la nôtre. J'ai l'intention de demeurer à profondeur de périscope et de le contourner par l'ouest jusqu'à ce que nous le dépassions d'une dizaine de milles. Puis nous remonterons vers le nord et nous nous glisserons derrière lui, avant de voguer en parallèle et en formation à la poupe du *Esso Atlantic*, là où ses puissants moteurs et son hélice génèrent le plus de bruit.

« Nous allons rester à profondeur de périscope. Je ferai lever le périscope d'attaque mais pas au-dessus de la surface. Je m'en servirai pour maintenir notre position par rapport au pétrolier. Durant cette partie de notre manoeuvre, nous le flanquerons une heure, peut-être une heure et demie.

— À quoi jouons-nous, sir ? osa demander le second. Si jamais un sous-marin soviétique s'apprête à attaquer le *Esso Atlantic*, il ne le fera certainement pas si nous sommes à la surface ou s'il nous voit. Est-ce que nous ne devrions pas être à la surface ?

— Nous avons reçu l'ordre de tenter de découvrir, si l'occasion se présente, si les Soviétiques sont responsables des naufrages de l'Atlantique, expliqua Leach. Le problème est qu'ils n'attaqueront pas s'ils nous voient. S'ils ne nous voient pas, nous saurons bien assez tôt s'ils attaquent ou pas.

— Et si nous sommes dans le chemin, sir ?

— Pas de problèmes : nous allons freiner. »

Les officiers rirent et Leach avec eux. Mais il était pourtant terriblement sérieux. Sans compter qu'il était impossible d'imaginer que les Russes prendraient le risque de déclencher la Troisième Guerre mondiale en coulant des pétroliers. Ils ne feraient jamais une chose pareille. Et pourtant...

« Je veux être absolument certain lorsque nous ferons surface et que nous nous serons arrêtés, lorsque nous nous retrouverons tout à fait vulnérables, le *Esso Atlantic* et nous, tout à fait immobiles... Je veux m'assurer que nous ne nous retrouverons pas dans une région où stationne un sous-marin soviétique.

— Mais même dans ce cas, sir, objecta le pilote, il n'y sera que pour nous surveiller et contrôler ce que nous faisons. »

Le capitaine regarda le jeune visage empreint de naïveté.

« Bien sûr qu'il ne fera rien d'autre, pilote. Mais n'oubliez pas qu'il se trame quelque chose par ici. Il y a cinq jours, quinze pétroliers sont disparus sans laisser de traces dans ces eaux mêmes. Comme tout un chacun, je suis à peu près certain que la responsabilité en incombe à l'OLP. Mais en ce moment, au train où vont les choses... Aujourd'hui, c'est le premier mai, le jour le plus important aux yeux des Russes. Dans six jours, les Américains commenceront à débarquer au Pakistan, que cela plaise ou non aux Russes... En fait, je dois pouvoir dire sans crainte de me tromper que les six prochains jours constitueront le point le plus critique des rapports entre les Américains et les Russes depuis la Deuxième Guerre mondiale.

« De nos jours, pilote, je ne prends rien pour acquis et surtout pas un de ces damnés capitaines de sous-marins russes. S'il s'en cache un dans les environs, il agira soit quand nous contournerons de loin le pétrolier, soit quand nous voguerons en formation avec lui. »

Leach s'aperçut d'un défaut de sa tactique.

« À bien y penser, je crois que plutôt que de voguer à bâbord, ce qui diminuerait la capacité de notre sonar de voir à tribord du pétrolier, nous devrions le suivre d'aussi près que possible. De cette façon, notre sonar pourra voir dans toutes les directions sauf droit devant et peut-être dans un angle de trente degrés de chaque côté.

« Allez me chercher le lieutenant Pritchard », lança-t-il au messager de quart.

Lorsque Pritchard, l'officier responsable du sonar, entra dans la salle des commandes, le capitaine lui expliqua où il voulait que le sous-marin vogue par rapport au pétrolier. Cela nuirait-il au fonctionnement du sonar passif du *Splendid* ? Non. Pas plus que cela ne nuirait au fonctionnement du sonar actif.

« À compter de maintenant, je n'ai pas l'intention d'utiliser le sonar actif. Il révélerait notre présence et notre position. Une dernière chose, vieux. Quand nous serons en position derrière le pétrolier, bien collé à ses fesses, si nous établissons le contact avec un sous-marin soviétique disons à bâbord, nous nous placerons immédiatement à bâbord du pétrolier dans la position dont j'ai tout d'abord parlé, vis-à-vis des moteurs et de l'hélice, à environ cent cinquante verges. Et nous ferons le contraire si nous établissons le contact à tribord. De cette façon, nous serons doublement certains que les Russes ne décèleront pas notre présence. Avez-vous des questions ? »

Il n'y en avait pas.

« Bien. Que chacun se rende immédiatement à son poste de plongée. Premier lieutenant, mettez l'équipe d'attaque sur un pied d'alerte au plus vite. Rendez les tubes opérationnels. Allons, messieurs ! »

En peu de temps, le H.M.S. *Splendid* fut prêt à l'attaque et à la contre-attaque. Le capitaine se trouvait à son poste dans la salle des commandes. Il disposait, à portée de voix, de tous les appareils de communications du vaisseau grâce auxquels il obtiendrait des réponses rapides du sonar, des tubes ou de tout autre endroit où il s'adresserait.

« Quel est notre cap, pilote ? demanda Leach.

— Trente-trois, sir. Le pétrolier suit le cap correspondant.

— Sonar, où se trouve le pétrolier ?

— À un peu plus de vingt milles, sir.

— Bien. Nous allons bifurquer de cinquante degrés sur bâbord et amorcer notre grand détour. La barre à 290.

— La barre à 290, sir. »

Le *Splendid* s'inclina doucement sur la gauche et le sonar commença tel que prévu à fouiller les eaux à l'ouest du *Esso Atlantic*.

À 9h 32, l'heure prévue pour le rendez-vous, le *Splendid* filait par le travers du *Esso Atlantic* à dix milles à bâbord. Leach se rendit jeter un autre coup d'oeil au sonar. Il était encore émerveillé par la forme de lumière blanche que produisait l'énorme pétrolier sur l'écran.

« Une merveille ! » murmura-t-il.

De retour dans la salle des commandes, veillant d'un oeil anxieux sur tout ce qui se passait, il dit à Tait :

« Le pauvre capitaine du pétrolier va se demander ce qui nous arrive. Quand nous allons faire surface...

— Dans environ deux heures ?

— Oui. Il aura perdu tout espoir. Quelle pitié. »

Une heure plus tard, le *Splendid* avait fini d'examiner au sonar les eaux situées à l'ouest et au nord du *Esso Atlantic*. Aucun contact n'avait été rapporté. Leach commença à se rapprocher de l'arrière du pétrolier.

Pour qu'aucune distorsion ne survienne au moment où il s'apprêtait à entreprendre une manoeuvre de position des plus délicates et des plus précises, Leach avait levé son périscope d'attaque, muni d'une lentille non grossissante. Son oeil baignait à deux pieds au-dessus de la tour. Il estimait qu'il serait ainsi en mesure d'évaluer correctement où le haut et, plus important encore, le nez de son vaisseau se trouverait par rapport au *Esso Atlantic*.

Leach aperçut les premiers signes de la turbulence causée par l'hélice du pétrolier lorsque le *Splendid* fut à environ 800 verges derrière le *Esso Atlantic*. Lorsqu'il se fut approché à 400 verges, en filant de deux noeuds plus vite que les seize noeuds du pétrolier, le capitaine s'aperçut que l'écume blanche produite par l'hélice du gigantesque navire l'aveuglait. Il lui faudrait glisser le nez du *Splendid* sous la coque de façon à ce que l'oeil de son périscope se retrouve à dix pieds sous et derrière le gouvernail, hors de l'aveuglante turbulence. Il était certain que dans cette position le bruit de cavitation de son propre navire se perdrait dans le bruit des turbines de 45 000 chevaux-vapeur et de l'énorme hélice du *Esso Atlantic*. Ainsi le *Splendid* serait-il à l'abri des yeux fureteurs de sonar de n'importe quel sous-marin soviétique.

Emmenant son vaisseau sous le sillage du pétrolier, il s'en rapprocha peu à peu. Le sonar lança alors pour la première fois l'appareillage de la poupe du *Esso Atlantic*. Il fut impressionné par l'échelle de ce qu'il voyait. Son gouvernail avait la hauteur d'un édifice de six étages. Derrière celui-ci, il apercevait son hélice de cinq pales de trente pieds de diamètre. Elle tournait si lentement, avec ses quatre-vingts révolutions à la minute, qu'il pouvait voir clairement chacune de ses pales luisantes.

L'équipage du *Splendid* entendait le bruit de l'hélice et des moteurs du pétrolier massif depuis le début de l'approche.

Mais maintenant, alors que le sous-marin glissait son nez sous la poupe du gros navire, son périscope exactement là où le voulait Leach, à dix pieds sous et légèrement à l'arrière du gouvernail, le rugissement était assourdissant. Leach, qui ne pouvait ne serait-ce qu'une seconde quitter des yeux son périscope, devait hurler ses instructions. Son second se trouvait à ses côtés de façon à les entendre et à les transmettre. Pendant qu'ils approchaient de la poupe du pétrolier, Tait s'aperçut que le bruit détruirait sans doute les communications verbales à bord du vaisseau et il avait sorti le porte-voix. Lorsque Leach hurlait ses ordres, le second pouvait ainsi les transmettre grâce au porte-voix malgré l'omniprésence des machines et de l'hélice du *Esso Atlantic*.

Lorsque le *Splendid* fut à l'endroit même que le voulait Leach, sous le *Esso Atlantic*, il demanda en criant qu'on lui apporte un tabouret. On le lui glissa sous les fesses pendant qu'il s'informait du sonar.

Son second lui cria dans les oreilles qu'il allait vérifier.

Tait se rendit rapidement à la salle du sonar où il discuta en hurlant avec Pritchard, puis il retourna à son poste auprès du capitaine.

« Le sonar fonctionne bien, sir. Pritchard me préviendra dès qu'il établira un contact.

— Bien. »

Durant près d'une heure, le *Esso Atlantic* et le *Splendid* voguèrent en formation serrée comme une énorme baleine grise et son baleineau caché sous son ventre.

« Dans trente secondes, nous y serons depuis une heure, sir », beugla Tait à l'oreille du capitaine.

Leach commença à donner les ordres qui permettraient au *Splendid* de s'enfoncer de cinquante pieds puis de faire surface à bâbord du pétrolier.

« Cent-vingt-cinq pieds. »

Il hurla l'ordre de descendre. Le second ne transmit cependant pas son ordre par le porte-voix. Leach perçut par contre des mots que l'on criait. Puis Tait lui parla à l'oreille.

« Contact, sir. Un autre Vainqueur à quarante milles. Relèvement vert cent dix. Il se rapproche à trente-cinq noeuds. Cap 110 degrés. Il vient droit sur nous. »

Il n'y avait pas le moindre doute, il s'apprêtait à une interception. Leach calcula que le Vainqueur occuperait une position d'attaque idéale à une distance, disons, de trois milles dans environ quarante minutes. Il était temps de déménager.

Il emmena le *Splendid* à une profondeur de 150 pieds, en le dégageant bien de la quille gargantuesque du pétrolier. Puis il l'emmena à tribord, à environ cinquante verges par le travers de l'hélice et du moteur, à la poupe du gros navire. Puis il le fit remonter à profondeur de périscope en maintenant l'oeil de son périscope d'attaque au sommet de la tour. Il ne lèverait ni l'un ni l'autre de ses périscopes jusqu'à la surface. Le moment venu, il ne lèverait que le mât du radar.

L'hélice et le moteur du *Splendid* se trouvaient exactement là où le voulait Leach, à cinquante verges des moteurs et de l'hélice tonitruants du *Esso Atlantic* et en ligne droite entre ces puissants générateurs de bruit et le Vainqueur qui se rapprochait. À mesure que la position du sous-marin soviétique changerait, il manoeuvrait de façon à maintenir cette ligne.

À sa nouvelle position, le volume du bruit généré par le pétrolier dans la coque du *Splendid* diminua considérablement, suffisamment du moins pour permettre à Leach de donner ses ordres directement à son équipe de la salle des commandes. Il abandonna le périscope à son second et saisit le microphone de bord.

« À tout l'équipage, ici le capitaine. Un sous-marin de type Vainqueur se rapproche par tribord. Il se trouve à 95 degrés d'où nous nous dirigeons et à environ trente-cinq milles sur une trajectoire d'interception. Nous voguons à côté du *Esso Atlantic* comme vous pouvez l'entendre. Nous sommes à environ cinquante verges par le travers de son hélice et de sa salle des commandes, en ligne droite entre celui-ci et le sous-marin soviétique. Le bruit du pétrolier couvrira notre bruit de sorte que le Vainqueur ignorera notre présence. Je m'attends à ce qu'il soit dans une position d'attaque idéale dans une heure, à 11 h 40. »

Il informa son équipage de son plan d'action, selon ce que ferait le sous-marin soviétique. Il ne s'agissait plus maintenant que d'attendre et de veiller. À 11h 30, le Vainqueur, qui ne se trouvait guère à plus de trois milles, bifurqua de sa trajectoire d'interception pour voguer parallèlement au *Esso Atlantic* et le dépassa jusqu'à se trouver par le travers du pétrolier. Il était là, clignotant constamment sur l'écran du sonar. À 11h 34, l'homme de quart au radar rapporta :

« Un périscope, sir. Vert 85. À 3 milles. »

Le capitaine soviétique s'apprêtait à entrer en contact visuel avec le superpétrolier.

À 11h 55, le sous-marin russe reprit une trajectoire d'interception.

Dans la salle de contrôle du *Splendid*, Marcus Leach reçut le rapport qu'il attendait :

« Tous les tubes sont opérationnels, sir. Les systèmes de guidage sont sous le contrôle de l'ordinateur, sir. »

Leach hocha la tête.

« Levez le mât du radar.

— Mât du radar levé, sir.

— Centre de communications.

— Centre de communications. Je vous écoute, sir.

— Apprêtez-vous à émettre en clair un compte rendu détaillé de tout ce que vous entendrez si le Vainqueur attaque. Mais n'émettez pas à moins que je ne vous l'ordonne.

— À vos ordres, sir. »

Le capitaine provoqua, d'un bout à l'autre du *Splendid*, une tension chez chaque membre de son équipage en ajoutant :

« Préparez-vous à déclencher l'attaque et les chronomètres. »

Les ordinateurs complexes du *Splendid*, de même que son équipement électronique et ses instruments, avaient été fixés sur le sous-marin qui se rapprochait par l'équipe chargée de l'attaque et les informations qui venaient du sonar, telles que la profondeur du Vainqueur, sa vitesse, sa distance et son cap alimentaient le système. Ces informations alimentaient directement les commandes des torpilles. S'il décidait finalement d'attaquer et donnait l'ordre de lancer les torpilles, les chronomètres permettraient de calculer le temps prévu pour que celles-ci atteignent leur cible.

Les cinq clignotants rouges indiquant que les torpilles étaient prêtes s'allumèrent enfin sur l'ordinateur de contrôle de la mise à feu.

Le *Splendid* attendait. Si Leach devait tirer, les torpilles quitteraient leurs tubes à la proue du vaisseau puis se dirigeraient grâce à leurs propres ordinateurs. Leurs sonars et leurs senseurs calorifiques les entraîneraient vers leurs cibles. Au cas où quelque chose tournerait mal et qu'une torpille se retournerait contre le *Splendid* ou le *Esso Atlantic*, les ogives des torpilles ne seraient armées qu'après plusieurs centaines de verges.

Midi, heure Zoulou, approchait. Leach regarda la trotteuse filer à l'horloge de la salle des commandes.

Dans la salle des commandes du sous-marin atomique 501, le capitaine Boris Chernavine visait l'endroit même du pont du *Esso Atlantic* où il voulait frapper, pénétrer et détruire grâce à sa fusée sol-sol SS-N-7 immergée. Il regardait avidement la scène qui s'offrait à ses yeux clairs par le truchement du périscope tout en écoutant son second qui lui donnait le compte à rebours des secondes jusqu'à midi. À l'heure exacte, il ordonna :

« Feu ! »

Un grondement se fit aussitôt entendre à l'avant. La surface de la mer, juste devant le périscope, se transforma en une pluie d'écume et de fumée tandis que la fusée, éjectée de son tube à air comprimé, mettait à feu son propulseur. Ses ailerons se déplièrent et elle se dirigea horizontalement vers le pétrolier. Elle traînait derrière elle un fil qui la rattachait optiquement et électroniquement au mécanisme de visée du périscope que contrôlait des yeux et des mains le capitaine.

À 12h Zoulou, à bord du *Splendid*, l'homme de quart au radar cria :

« Une fusée, sir. Il a lancé une fusée ! »

Leach ne pouvait le croire. Mais il le fallait.

« Toute la barre à tribord ! »

Si des torpilles devaient être lancées contre le *Esso Atlantic* après la fusée, il devait s'enlever de leur trajectoire.

« Arrêtez les moteurs ! Levez le périscope d'attaque. »

Leach devait suivre la fusée à la trace.

« Paul, prenez le périscope. Dites-moi ce qu'il advient de la fusée ! »

Le brusque virage sur tribord et l'arrêt rapide des moteurs placèrent le *Splendid* derrière le pétrolier. Mais serait-ce suffisant ?

Au moment même où la fusée atteignait sa cible, Chernavine ordonna de lancer toutes ses torpilles. Il sentit son sous-marin vibrer en vomissant ses huit torpilles meurtrières préprogrammées contre le pétrolier impuissant. La superstructure de sa poupe avait été complètement dévastée par l'explosion de la puissante fusée. Personne ne pouvait survivre à un tel choc. Comme prévu, le centre de communications du *Esso Atlantic* avait été détruit sans sommation.

Le *Splendid* avait déjà à motié terminé le virage qui lui permettrait de faire face au Vainqueur lorsque Leach entendit le rapport du sonar :

« Torpille HE, 40 degrés, dit Pratt d'une voix où perçait l'anxiété. Il y en a huit, sir. Elles sont à trois milles ! »

C'était donc ça. La fusée et maintenant les torpilles. C'étaient les Russes qui avaient coulé les quinze pétroliers le 26 avril !

« Centre des communications, commencez à émettre !

— À vos ordres, sir. »

Au même moment, le bruit d'une explosion ébranla la coque du *Splendid*. Le second cria aussitôt :

« Christ ! elle a touché juste sous la cheminée. Elle a emporté la passerelle et son centre de communications devait être là. »

La tactique russe était claire : frapper d'abord le centre de communications. Ceci expliquait pourquoi les quinze pétroliers avaient disparu sans un mot six jours plus tôt.

Leach regarda les clignotants lumineux qui indiquaient que les torpilles étaient prêtes. Ils s'étaient éteints pour que l'équipe d'attaque intègre de nouvelles données. Puis ils se rallumèrent.

« Ça va, sir...

— Feu ! »

L'impact causé par les cinq torpilles en quittant la proue du *Splendid* acheva de les ralentir.

« Les torpilles sont lancées, sir.

— Combien de temps ?

— De deux minutes cinquante-deux secondes à trois minutes, sir. »

Moins de dix secondes après que les torpilles du Vainqueur eurent été lancées, toutes les huit se dirigeant avec une précision meurtrière vers la coque du pétrolier, la voix de l'homme de quart du sonar lança sur le système de communications des mots qui, dans l'air fétide et chaud de la salle des commandes, firent tressaillir le capitaine.

Il y avait un contact juste derrière le pétrolier. Selon l'ordinateur, il s'agissait d'un sous-marin britannique de type Swiftsure. Il devait voguer bord à bord avec le pétrolier. Le sous-marin se laissait rapidement distancer par le pétrolier. Sa poupe se tournait contre le 501. L'homme de quart poursuivit d'une voix de plus en plus hystérique à mesure qu'il prenait conscience de ce qui se passait. La torpille de bâbord, originellement programmée pour toucher la poupe, la salle des machines, le gouvernail et l'hélice du *Esso Atlantic*, s'était détournée vers le sous-marin britannique et filait directement sur lui.

Puis arriva le choc terrifiant lorsque la voix de l'homme de quart au sonar cria d'une voix paniquée que le sous-marin britannique avait lancé cinq torpilles contre le 501.

Le capitaine de deuxième classe Boris Chernavine réagit rapidement. Il ordonna au timonier de virer sur la gauche. Cette manoeuvre placerait le 501 face aux torpilles auxquelles il offrirait ainsi une cible plus petite. Il ajouta d'un même souffle :

« En avant, plein régime ! Plongez ! Plongez ! »

Puis le capitaine se dit à lui-même : Ça ne peut pas t'arriver, Chernavine !

Il ne pouvait rien faire d'autre que d'attendre.

À bord du *Splendid,* la voix de Pratt était de nouveau empreinte d'un début de panique :

« Ici le sonar, sir. Les torpilles sont à mi-chemin du pétrolier. Sept d'entre elles se dirigent vers le pétrolier et la huitième vers nous ! »

La réaction de Leach fut instantanée :

« Plongez ! Plongez ! Plein régime ! »

Les torpilles russes devaient atteindre leurs cibles deux minutes plus tard, le *Splendid* ne pouvait que plonger pour leur échapper. La lourde masse de l'énorme sous-marin commença à avancer dans une lenteur angoissante. Le timonier avait poussé le plus loin possible les contrôles des barres de plongée tandis que les valves des réservoirs de lest étaient ouvertes à leur maximum de façon à les noyer de toute urgence dans une tentative désespérée d'éviter la torpille qui s'en venait.

En deux pas, Leach se rendit à la salle du sonar et fixa les yeux sur l'écran dont les lumières clignotantes lui révélèrent sur-le-champ ce qui se passait. La torpille était là, à deux milles, et se dirigeait rapidement vers le *Splendid* avec la précision d'une flèche. Ses propres torpilles avaient terminé leur virage vers le Vainqueur et avaient franchi plus du quart de leur trajectoire. Sept points rapides et parallèles se dirigeaient vers le *Esso Atlantic* qui se trouvait déjà à un demi-mille du sous-marin arrêté. Ils toucheraient le pétrolier de la proue à la poupe à intervalles réguliers.

L'officier des communications écoutait dans le centre des communications les voix qui lui parvenaient de la salle des commandes. Il savait exactement ce qui se passait et le relayait au monde entier.

Le commandant Marcus Leach de la Marine royale, capitaine du H.M.S. *Splendid,* les yeux rivés à l'image de la torpille meurtrière qui se précipitait dans les eaux vers son vaisseau, pensa un instant à prévenir ses hommes. Mais pourquoi leur faire peur ? S'ils devaient mourir, ils mourraient.

Pendant qu'il regardait l'éclat de lumière blanc franchir sur l'écran du sonar le dernier pouce qui le séparait du point brillant qui représentait le *Splendid*, les pensées du commandant Marcus Leach se bousculaient.

« Elle va nous rater. Elle va sûrement nous rater. Après tout, ce n'est qu'une torpille russe. Un objet primitif. Probablement un ratage. Ça ne peut pas t'arriver, Leach. Impossible. »

29

1er mai, 17h 40
Moscou

Dans le bureau du président Romanov, la scène ressemblait à ce qu'elle avait été cinq jours plus tôt. Les participants étaient les mêmes : le président, derrière sa table de travail, qui semblait sombre dans son complet foncé ; son interprète à ses côtés ; le technicien en communications ; et, de l'autre côté de la table, le maréchal Oustinov, splendide dans son uniforme ; Gromyko, aussi suave que d'habitude, et le général Andropov, agité, nerveux.

C'était le premier mai, le glorieux premier mai, le jour où l'Union soviétique célébrait la victoire de la révolution, le jour où des milliers d'hommes de l'armée, de la marine et de l'aviation défilaient fièrement sur la Place Rouge avec leurs tanks, leurs fusils, leurs fusées et leurs instruments de guerre modernes tandis que des escadres de leurs chasseurs et de leurs bombardiers les plus récents déchiraient le ciel au-dessus de leurs têtes. C'était un spectacle que, grâce à la magie de la télévision, le monde entier pouvait voir en s'étonnant de la puissance montante des forces armées soviétiques.

Ce jour-là, la parade avait duré trois heures durant lesquelles elle était passée devant la tribune où se tenaient Romanov et ses collègues dans leurs manteaux sombres et informes, coiffés de leurs *fédoras* à larges bords sauf Oustinov qui portait son uniforme. Les spectateurs et la presse mondiale s'étaient rapidement aperçus que dix seulement des quatorze membres du Politburo saluaient derrière la balustrade blanche. Il s'agissait du premier indice de l'émergence de la dureté de Romanov. Le 28 avril, quatre membres du Politburo, Pelshe, Kirilenko, Souslov et Kossyguine, tous approchant les quatre-vingts ans, des vieillards même selon les normes de Romanov, avaient demandé à être reçus par le président, ce qui leur fut promptement accordé. Romanov fut horrifié en apprenant qu'ils voulaient faire avorter le Plan Andropov même s'ils l'avaient préalablement approuvé et malgré le succès triomphal de la première phase de son exécution. Les vieillards avaient été secoués par l'hécatombe survenue lors du naufrage des superpétroliers américains le 26 avril, première étape du Plan. Ils étaient maintenant convaincus que les conséquences de la deuxième phase du Plan seraient suicidaires pour la population de la patrie et allaient à l'encontre de l'idéologie marxiste-léniniste selon laquelle les peuples socialistes atteindraient la domination mondiale grâce à des poussées infimes, soigneusement planifiées et menées à terme, plutôt que par le pas gigantesque qu'impliquait le Plan Andropov.

Incapable de dissuader le petit groupe de patriarches, Romanov décida qu'il ne pouvait tout simplement pas se permettre de garder au Politburo une couvée de vieillards aux genoux tremblants qui s'opposaient à toute modification du statu quo. De tels hommes réduiraient en charpie le succès du Plan Andropov. Il avait besoin d'hommes d'une volonté et d'une détermination de fer, prêts à accepter l'éventualité d'une guerre thermonucléaire et convaincus que l'Union soviétique en sortirait victorieuse, que sa société survivrait et que l'ennemi serait anéanti. Il avait besoin d'hommes qui, en même temps, faisaient absolument confiance au Plan Andropov et croyaient que celui-ci permettrait à l'Union soviétique de remporter une glorieuse victoire sur les impérialistes capitalistes des États-Unis et leurs favoris de l'OTAN et le monde occidental. Il remplacerait ces vieux fous par de tels hommes. Il le leur dit. Le quatuor, bouleversé, avait quitté son bureau sans espoir de retour. Le lendemain matin, comme en avait décidé Romanov, sa proposition de mettre un terme à leur statut de membres fut discutée au cours d'une plénière du Politburo. La décision fut prise à l'unanimité, les victimes n'ayant pas le loisir de décider de leur propre sort. Le premier mai, toutefois, Romanov n'avait toujours pas décidé qui, des membres non votants du Politburo ou, en fait, de ses fidèles amis et supporteurs de l'extérieur, il nommerait en remplacement des quatre victimes de la purge.

Dix membres seulement du Politburo recevaient donc, ce premier mai, le salut de défilé des forces armées. Durant la parade, Romanov se tenait au centre de la brochette de membres du Politburo, conscient maintenant que ceux-ci savaient à quel point leur président était dépourvu de scrupules. Le président des États-Unis découvrirait bientôt à son tour cette qualité.

La deuxième phase du Plan Andropov devait se dérouler à quinze heures, heure de Moscou, et à midi, heure de Greenwich. Romanov avait en conséquence demandé à s'entretenir sur la ligne rouge avec le président Hansen trois heures plus tard, à dix-huit heures, heure de Moscou, et à neuf heures, heure de Washington. Les trois heures de délai lui permettraient de recevoir la confirmation que la deuxième phase avait effectivement été accomplie. Ainsi que ses collègues, il pourrait se reposer après les heures épuisantes consacrées à passer en revue le défilé et mettre la touche finale au message qu'il entendait transmettre au président. De son point de vue, il s'agirait probablement de la part d'un chef d'État à un autre de l'énoncé le plus important de l'histoire de l'humanité.

Le président travaillait seul dans son bureau à la révision de son texte quand, à 17h 35, son secrétaire principal entra en coup de vent et lui dit que Hansen désirait s'entretenir avec lui sur-le-champ. C'était de la plus haute importance et il ne souffrirait pas d'attendre l'heure prévue, c'est-à-dire six heures. Romanov accepta.

« Demandez aux Américains d'attendre cinq minutes. »

Il indiqua d'un geste les appareils qui se trouvaient à l'extrémité de la table.

« Tout est prêt. Allez me chercher mes collègues. »

À 17h 42, lorsque le contact fut établi et que le visage de chaque chef d'État parut sur son écran, le trio de Romanov, composé de Gromyko, Andropov et Oustinov, était en face de lui, témoins de la confrontation qui s'annonçait.

Cette fois, Hansen ne perdit pas de temps en préambules.

« Monsieur le Président, j'ai entre les mains, dit-il en tendant vers la caméra une feuille de papier que tenait son énorme main droite, la preuve concluante et irréfutable qu'il y a quarante minutes un de vos sous-marins de type Vainqueur a non seulement coulé un sous-marin britannique mais aussi, en se servant d'une fusée et de torpilles, coulé sans sommation le *Esso Atlantic*, propriété américaine. Ma preuve consiste en une émission du sous-marin avant de couler. J'ai aussi la preuve que vingt autres superpétroliers viennent de disparaître dans l'Atlantique Sud. Ils ont été coulés par vos sous-marins comme les quinze d'il y a cinq jours. »

Sa voix puissante et accusatrice s'éleva d'un cran.

« Vous m'avez menti, Romanov, vous m'avez menti, comme Khrouchtchev a menti à Kennedy, quand vous m'avez assuré que l'Union soviétique n'avait rien à voir dans ces naufrages. Vous avez commis un acte de guerre contre les États-Unis d'Amérique et la Grande-Bretagne et n'essayez pas de me raconter l'histoire de pavillons de circonstance ou d'eaux internationales ! »

Romanov fut tenté de lui lancer une flèche en lui demandant « Que pouvez-vous y faire ? » mais se priva de ce plaisir. Après tout, il avait en main les atouts. Il répondit plutôt d'un ton passif, froid.

« Vous devez comprendre, Hansen, dit-il en rendant au président la politesse de ne l'appeler que par son nom, que s'il s'agit des intérêts du pays que je dirige, je suis aussi prêt que n'importe quel de mes prédécesseurs à dire des vérités qui n'en sont pas et même de mourir pour notre patrie. »

Romanov voulait faire perdre au président bouleversé l'initiative.

« Les États-Unis, vous-même, Hansen, s'apprêtent à commettre un acte d'agression contre l'Union soviétique en débarquant au Pakistan. Vous refusez de faire marche arrière. Nous vous avons donné toutes les chances de le faire. Les Nations unies ont censuré votre action. Cent dix pays ont voté contre vous alors que seulement cent quatre nous ont condamnés lorsque nous sommes entrés en Afghanistan pour protéger nos propres intérêts à notre propre frontière. Nous vous avons donné toutes les chances de mettre un terme à cette folie militaire qui consiste à débarquer une centaine de milliers d'hommes au Pakistan, en Asie, aussi bien dire à deux pas d'ici. »

Il consulta des notes et commença à en suivre le fil, regardant de temps en temps l'écran de télévision où le président Hansen apparaissait hagard. Hansen voulut intervenir, mais Romanov l'en empêcha en disant :

« Il serait préférable que vous m'écoutiez d'abord. Écoutez-moi bien et vous aurez toute latitude pour répondre. »

Hansen ne répondit pas et Romanov poursuivit :

« À cause de l'acte d'agression que vous vous apprêtez à perpétrer au Pakistan, ainsi que pour d'autres raisons que je vous exposerai, l'Union soviétique a décidé d'entreprendre une action qui puisse à la fois sauvegarder sa propre sécurité et la paix dans le monde et lui permettre d'avoir accès de façon permanente à une ressource essentielle pour son économie de même que pour celle de ses alliés d'Europe de l'Est.

« Cette ressource, c'est le pétrole brut. Dès octobre 1979, les analystes économiques de votre Central Intelligence Agency — et nous avons la plus haute estime à l'égard de la CIA, monsieur le Président, elle est presque aussi efficace que notre KGB — ces analystes, dis-je, ont témoigné devant un comité du Congrès de ce que l'industrie pétrolière soviétique, qui exportait alors un million de barils net par jour vers l'Europe de l'Est et l'Europe de l'Ouest, avait atteint l'apogée de sa production et que les réserves commençaient à diminuer. D'après le témoignage de ces analystes, compte tenu de la demande croissante et des ressources soviétiques, Moscou serait obligé d'importer, dès 1982, 700 000 barils de brut par jour et ne pourrait le faire que d'un seul endroit, le Proche-Orient. Il y a eu dans votre pays toute une polémique à propos de la validité et de la justesse de l'estimation de la CIA, mais je puis vous assurer, monsieur le Président, qu'on se trompait. Notre pénurie n'est pas de 700 000 barils par jour, mais de 1 200 000, et ce chiffre sans cesse croissant nous mène, nos alliés européens et nous, droit à une crise économique. Par contre, les analystes de la CIA avaient aussi raison. L'Union soviétique n'a effectué récemment aucune découverte importante et l'avenir s'annonce mal. En conséquence, le seul endroit où il nous soit possible d'obtenir le brut dont nous avons besoin, c'est, dans les mots de la CIA, au Proche-Orient.

« Il est donc clair que l'assurance d'un débouché au Proche-Orient constitue en ce moment aux yeux de l'Union soviétique une priorité de la plus haute importance comme l'est sans doute l'accès continu à cette source aux yeux des États-Unis et de l'Europe de l'Ouest, qui importe quatre-vingt-treize pour cent de son brut des producteurs de l'OPEP, dont soixante pour cent du golfe Persique. Il est évident que si les approvisionnements en brut des pays de l'OPEP prenaient fin, l'Europe de l'Ouest devrait faire face à l'anéantissement complet de son assise industrielle et économique et, en fait, de sa civilisation telle qu'elle existe de nos jours. À un degré à peine moindre, les conséquences sur l'Europe de l'Ouest de l'arrêt des approvisionnements en provenance du golfe Persique seraient tout aussi catastrophiques. Chez vous, aux États-Unis, les résultats d'une coupure des neuf millions de barils que vous importez pour les vingt millions que vous consommez chaque jour ne seraient pas moins catastrophiques. Même l'arrêt de vos approvisionnements en provenance du seul golfe Persique constituerait une catastrophe majeure.

« Je ne veux cependant pas parler d'un arrêt de vos importations en provenance du seul golfe Persique mais de l'arrêt de toutes les importations en brut que vous ou l'Europe de l'Ouest vous procurez par pétroliers de n'importe quelle source, du Venezuela, du Mexique, de la Malaisie ou encore de l'Alaska, dans votre propre pays, où vous avez pris la décision stupide de transporter cette production, 1 200 000 barils par jour, l'équivalent de notre pénurie en ce moment, par pétrolier le long de la côte ouest du Canada plutôt que par un oléoduc terrestre sûr. »

Hansen s'était enfoncé dans sa chaise, tout à fait absorbé par ce qu'il entendait. Il y aurait une surprise. Il en était certain.

Romanov poursuivit :

« J'ai en ce moment 381 sous-marins de tous genres en mer, la totalité de ma flotte en état de servir. En ce moment même, 256 d'entre eux sont rivés à leurs pétroliers cibles sur la route maritime du cap de Bonne-Espérance qui mène du golfe Persique à l'Atlantique Sud. »

Romanov fut heureux de constater l'étonnement de Hansen à l'annonce de ces chiffres. Le président se redressa aussitôt, regardant hors caméra comme s'il cherchait auprès de ses gens un démenti ou une confirmation. Il ne reçut apparemment aucune réponse. Sans répit, Romanov poussa son avantage.

« J'ai aussi trente-cinq sous-marins dans l'ombre de leurs cibles entre le Venezuela et les États-Unis, de même qu'entre le Mexique et les États-Unis. J'en ai trente autres dans le Pacifique entre la Malaisie et les États-Unis. Des 4200 navires de la flotte mondiale des pétroliers, le nombre de superpétroliers de plus de 200 000 tonneaux, qui transportent la plus grande part du brut sur les grandes routes maritimes vers votre pays et l'Europe de l'Ouest ne s'élève pas à plus de 700. Au cours des cinq derniers jours, en faisant abstraction des dix pétroliers que l'OLP a coulés dans l'océan Indien, mes sous-marins en ont envoyé trente-cinq par le fond. Cela s'est fait rapidement et ils sont disparus sous la surface une minute ou deux après avoir été touchés. »

Romanov ne levait plus les yeux vers l'appareil. Il repoussa ses lunettes à monture dorée sur son nez et poursuivit :

« Pourquoi ces naufrages ? Pour démontrer clairement au gouvernement des États-Unis et aux pays de l'OTAN que la Marine rouge a la capacité de détruire en peu de temps la totalité de la flotte de superpétroliers dont dépendent l'économie et le futur du monde capitaliste. Monsieur le Président, ni vous ni vos alliés de l'OTAN n'avez le pouvoir de nous en empêcher. La quantité de navires de surface et de sous-marins dont vous disposez est insuffisante. Même si vous aviez le nombre, les restrictions de l'OTAN à cause du tropique du Cancer vous en empêcheraient. En fait, il n'existe aucune défense contre notre capacité de détruire le cordon ombilical qui relie le monde occidental aux pays de l'OPEP. »

Romanov bougea et se redressa puis se pencha de nouveau sur son texte :

« Monsieur le Président, les États-Unis nous ont placé dans une situation telle que nous devons agir à la fois pour défendre notre patrie et pour assurer notre position au Proche-Orient de façon à accéder à coup sûr à ses vastes approvisionnements de brut. En conséquence, je suis autorisé par le Soviet suprême à vous informer de ce qui suit :

« À 12h, heure de Greenwich, demain, le 2 mai, c'est-à-dire à 8h, heure avancée de l'Est aux États-Unis, les forces armées soviétiques envahiront en force l'Iran depuis l'Union soviétique et l'Afghanistan, et le Pakistan depuis l'Afghanistan. Les forces ont reçu l'ordre de s'emparer de ces pays et de poursuivre vers l'Iraq, le Koweït, l'Arabie saoudite, le Yémen, Oman, les Émirats arabes unis, le Qatar et Bahrain. En d'autres termes, de s'emparer de tout le golfe Persique. »

Romanov fit une pause pour laisser son énoncé pénétrer de toute sa puissance l'esprit vacillant du président inexpérimenté.

« Vous devez savoir que l'autorisation du Politburo est irrévocable. Dans l'intérêt de la sécurité de l'Union soviétique et dans l'intérêt de la source d'énergie dont elle a un besoin pressant, nous déclencherons notre action militaire précisément à l'heure annoncée, à midi, heure de Greenwich, demain.

« Vous avez quelques solutions, monsieur le Président, laissez-moi vous les énumérer. Vous pouvez d'abord déclencher une guerre thermonucléaire d'ici là. Vous pouvez ordonner d'appuyer sur le bouton qui fera pleuvoir des ogives nucléaires sur nos villes, nos installations militaires et nos ports, tout en sachant qu'au même instant nos missiles s'élanceront. Des millions et des millions de nos gens, les vôtres et les miens mourront. C'est votre première solution.

« La deuxième, c'est de tenter de nous arrêter au Proche-Orient par le moyen d'une guerre conventionnelle. Je m'arrête pour ajouter que tout usage d'un armement nucléaire tactique équivaudrait à nos yeux à l'utilisation de missiles nucléaires intercontinentaux et générerait la même réponse de notre part. Vous pouvez toujours tenter de faire débarquer vos forces d'intervention au Pakistan le 7 mai. Vous pouvez toujours tenter d'y ajouter la 82e Division aéroportée dès que vous le pourrez.

« Votre dernière solution c'est de ne pas intervenir dans nos opérations et de rappeler vos troupes qui se dirigent vers le Pakistan. »

Les mains de Romanov bougèrent tandis qu'il passait à la page suivante.

« Je vous recommande à vous et à vos conseillers d'évaluer avec la plus grande attention votre riposte, monsieur le Président. Si vous intervenez dans le golfe Persique avec des forces armées quelles qu'elles soient, par air, par mer ou par terre, je coulerai aussitôt chacun des 700 superpétroliers qui se trouvent en haute mer et suffisamment de navires d'autres tonnages pour m'assurer que les approvisionnements en brut à destination de votre pays et de l'Europe de l'Ouest soient interrompus jusque dans un futur prévisible. N'oubliez pas non plus, monsieur le Président, que si je détruis ces pétroliers, ni vous, ni l'Europe de l'Ouest ni le Japon n'auront la capacité industrielle de même commencer à reconstruire cette flotte au cours des dix prochaines années.

« Comme vous le voyez, vous pouvez choisir le nucléaire, la guerre conventionnelle ou vous abstenir. Si vous décidez de vous abstenir, si vous nous laissez agir à notre guise dans le golfe Persique, je vous offrirai quelque chose en retour.

« Je puis vous garantir, premièrement, que ma marine ne coulera pas d'autres pétroliers ; deuxièmement, que l'Union soviétique assurera aux États-Unis, au Canada, à l'Europe de l'Ouest et au Japon des approvisionnements ininterrompus de brut en provenance du golfe Persique en quantités équivalentes à celles qui leur sont fournies maintenant, moins une quantité équivalente au manque entre la production domestique de l'Union soviétique et ce dont elle a besoin, y compris le manque de ses alliés du bloc de l'Est, le tout calculé annuellement. Le prix sera établi sur le prix moyen des pays de l'OPEP, plus un montant équivalent au taux moyen de l'inflation aux États-Unis, au Royaume-Uni et en Allemagne de l'Ouest, calculé tous les six mois. »

Il avait terminé. Le futur du monde civilisé reposait maintenant entre les mains de John Hansen, président des États-Unis d'Amérique. La vie de dizaines de millions de personnes, sans qu'elles en aient conscience, dépendait de sa décision.

Romanov enleva ses lunettes, regarda l'écran de télévision et la caméra qui y était intégrée et demanda d'un ton arrogant et condescendant :

« Avez-vous des questions, Hansen ? »

Le géant de Washington était secoué jusqu'en son tréfonds. Il était assis droit dans sa chaise.

« Vous m'avez menti une fois, Romanov. Comment puis-je croire votre promesse de ne pas couler les pétroliers et de fournir un approvisionnement continu de brut ? »

Romanov haussa les épaules.

« Vous devrez en décider vous-même. Peu importe la conclusion à laquelle vous parviendrez, les forces armées de l'Union soviétique s'élanceront vers le golfe Persique à midi demain. »

Romanov ordonna au technicien en communications de débrancher l'appareil lorsque le président Hansen, d'humeur belliqueuse, se pencha vers lui en criant :

« Romanov, vous êtes un menteur, un homme sans principes, un barbare, un homme absolument dépourvu de scrupules... »

Tandis que l'écran s'éteignait, le président ne put qu'être d'accord avec la dureté de la description que le président faisait de lui, sauf qu'il ne se considérait pas comme un barbare. Au contraire.

30

1er mai, 10h 28
La Maison Blanche
Washington, D.C.

Le président, à l'instar de ceux qui se trouvaient dans le Bureau Ovale — le vice-président James, Levy, Kruger et Crane — continua à regarder l'écran de télévision longtemps après que l'image de Romanov en fut disparue. Les cinq hommes, réduits au silence, étaient stupéfaits par ce qu'ils venaient d'entendre. C'était incroyable.

Lentement, le président se tourna vers les hommes qui avaient pris place de l'autre côté de sa table de travail.

« Messieurs, nous devons prendre certaines décisions et les prendre rapidement. Il ne fait aucun doute dans mon esprit que Romanov ne bluffe pas. »

Son esprit se tournait déjà vers ce qu'il faudrait faire.

« Convoquez-moi une réunion dans une demi-heure dans la salle de conférence du cabinet, dit-il à Crane. Je veux y voir Cootes, le directeur de la CIA. Nous n'avons pas le temps d'obtenir l'autorisation du Congrès, mais je veux y voir les leaders de la majorité et de la minorité du Sénat et du Congrès, de même que l'orateur de la Chambre et vous tous.

— Et le général Young ? » demanda le secrétaire à la Défense. Il s'agissait là d'une suggestion.

Crane lui répondit aussitôt :

« Il se trouve à Colorado Springs, le quartier général de l'armée de l'air de l'Amérique du Nord, avec les trois chefs. Je l'ai vérifié auprès de sa secrétaire ce matin. Il s'agit d'une quelconque réunion avec leurs principaux généraux et amiraux. »

Le président leva la main :

« Peu importe. Retrouvez-le tout de suite. Dites-lui de quoi il s'agit. Je veux que lui et ses gens restent collés à un appareil téléphonique et que la ligne reste libre pour que nous puissions lui parler en tout temps. Et demandez à Peterson d'obtenir du temps d'antenne auprès des chaînes de télévision. Disons à dix-huit heures. Une quinzaine de minutes. La population américaine a le droit de savoir de quoi il retourne. Quand nous aurons terminé, je devrai peut-être lui dire d'évacuer les villes.

— Vous ne croyez quand même pas que nous pousserons jusque-là, protesta John Eaton.

— Vous avez entendu ce qu'il a dit », répondit le président en pointant du doigt l'écran noir.

Le secrétaire d'État n'avait pas d'autres commentaires.

Hansen manipula le commutateur de sa secrétaire sur le système d'intercommunication à l'extrémité de sa table de travail :

« Margaret, appelez-moi en conférence le premier ministre Thrasher et le chancelier d'Allemagne de l'Ouest. C'est urgent ; en priorité absolue. Nous allons parler en clair.

— Et le Canada ? D'une façon ou d'une autre il sera impliqué, dit Eaton qui savait à quel point les Canadiens étaient chatouilleux.

— D'accord. Ajoutez le premier ministre canadien. Vous feriez mieux de vous dépêcher, Jim. »

Tandis que le chef de son état-major quittait le Bureau Ovale, le président dit à ses collègues :

« Autrefois, il y avait un écriteau sur cette table où l'on pouvait lire « le bélier s'arrête ici ». En ce moment, j'aimerais que ce bon vieux Harry Truman veille par-dessus mon épaule. »

Une demi-heure plus tard, lorsque le président entra dans la salle de conférence pour la réunion d'urgence, il fut soulagé de s'apercevoir que tous ceux qu'il avait convoqués étaient présents. Debout, ils attendaient son arrivée. Il n'y eut pas de salutations amènes. Hansen se rendit directement à son fauteuil, au centre de la table, et y assit son grand corps. En même temps, il se tourna vers Crane qui se trouvait derrière

lui et lui demanda, en pointant du doigt l'appareil téléphonique sur la table vers sa droite :

« Avez-vous rejoint le général Young ?

— Oui, monsieur, il est là avec les trois chefs. Ils peuvent entendre les discussions et nous parler sans toucher à
l'appareil. »

Hansen commença par exposer la situation et décrire par
le menu l'ultimatum que Romanov lui avait lancé.

« Je dois décider comment lui répondre. Et quand je dis
« je », je dis très exactement « je ». Nous avons jusqu'à 12h,
heure de Greenwich, 8h à notre heure, demain. Il est tout à
fait impossible que j'obtienne l'approbation du Congrès
pour quelque forme d'action que ce soit que je puisse vouloir
entreprendre. Nous n'avons tout simplement pas le temps. Je
suis donc très reconnaissant aux leaders du Congrès, mes
anciens collègues, de leur présence ici et j'espère qu'ils
appuieront ma décision. »

Dan O'Brien, le vieux et corpulent orateur de la Chambre des Représentants, prit la parole au nom de ses collègues :

« Nous sommes heureux de ce que vous nous ayez
demandé de nous joindre à vous, monsieur le Président. Il me
semble que les paroles du président Romanov, que l'ultimatum constitue en fait une déclaration de guerre contre les
États-Unis. Êtes-vous d'accord, monsieur le Président ?

— Pas tout à fait, répondit Hansen en hochant la tête. À
mes yeux, il s'agit d'une déclaration d'intention signifiant que
la guerre sera déclarée ou provoquée si certaines choses sont
ou ne sont pas faites. Techniquement, je considère que le
naufrage des quinze navires appartenant à des Américains
constitue un acte de guerre contre le Liberia et Panama mais
non pas contre les États-Unis. Contre les Britanniques, il
s'agissait d'un réel acte de guerre. Quelles que soient les tech-
nicalités légales, Dan, il n'en reste pas moins que les Russes
vont envahir l'Iran et les pays du golfe Persique demain
matin. Ils n'attaqueront pas les États-Unis, mais ils vont attaquer les pays du golfe Persique.

— Mais il est certain que couler la flotte mondiale de
pétroliers, s'exclama le secrétaire Eaton, couler des navires

américains battant pavillon américain, constituerait un acte de guerre contre les États-Unis.

— En effet. Et un acte de guerre contre tout autre pays dont les navires seraient coulés, qu'il s'agisse du Royaume-Uni, de l'Allemagne de l'Ouest ou de la France. Il y a un point que j'aimerais éclaircir. »

Il pointa du doigt l'appareil téléphonique en demandant à Crane :

« Jim, est-ce que je peux parler à l'amiral Taylor sur cet appareil ? »

L'amiral Crozier Taylor, le chef des opérations navales, se trouvait au quartier général de NORAD, à Colorado Springs, avec le général Young.

« Oui, monsieur le Président. Parlez vers l'appareil. Demandez-lui de vous répondre.

— Amiral Taylor, ici le président. M'entendez-vous ?

— Oui, monsieur le Président. »

La voix de l'amiral sortait clairement du haut-parleur fixé à l'appareil.

« Bien. Vous avez donc entendu mon exposé de la situation. Nous savons que les Soviétiques ont 381 sous-marins en mer en ce moment. Romanov affirme qu'il peut couler la flotte mondiale des pétroliers. À votre avis, amiral, est-il en mesure de le faire ?

— Il n'y a pas le moindre doute à ce sujet, monsieur, répondit Taylor sans hésiter. Nous croyons que près de 300 de ses sous-marins ont leurs cibles à l'oeil en ce moment même. Il pourrait liquider du premier coup la moitié de la flotte mondiale de 700 navires. Je dirais qu'en moins d'une semaine, les Russes pourraient détruire de quatre-vingt à quatre-vingt-dix pour cent de tous les superpétroliers et peut-être trente pour cent des plus petits, ce qui signifie de huit à neuf cents de ceux-ci. Voyez-vous, monsieur le Président, aucun des pétroliers qui sillonnent les mers, et il y en a des centaines, n'est protégé de quelque façon que ce soit. Grâce à leurs satellites, les Russes connaissent exactement leur position. Chaque sous-marin transporte de douze à vingt et une torpilles, soit en moyenne, disons, quinze torpilles par sous-marin. Si 300 d'entre eux ont pour tâche de couler les pétroliers, vous avez 4500 torpilles. En moins de deux semaines, il est probable qu'il ne reste plus un seul superpétrolier et il est probable que les trois quarts des plus petits navires seraient disparus.

— Est-ce que nous ne pouvons pas les arrêter ?

— Pas le moins du monde, monsieur le Président, répondit Taylor de nouveau sans hésiter. En une semaine ou dix jours, nous serions peut-être capables d'éliminer 80 des 381 sous-marins qu'ils ont en mer. Nous disposons de 148 sous-marins. Seulement 76 d'entre eux sont équipés pour la lutte antisubmersibles. Sans compter que les sous-marins soviétiques sont en ce moment stationnés et prêts à tirer. Nos sous-marins antisubmersibles sont à des milliers de milles de distance. Je crois que 30 d'entre eux sont en mer en ce moment et qu'ils se trouvent tous dans l'Atlantique Nord.

— Vous n'en avez aucun dans l'Atlantique Sud ? demanda le président en hochant la tête de frustration.

— Non, monsieur, mais j'en ai six qui manoeuvrent avec la Cinquième Flotte dans la mer d'Arabie.

— Et les Britanniques ? Ils sont impliqués comme nous. Le naufrage aujourd'hui de leur sous-marin par les Russes y a contribué. Au moins, ils ont coulé le sous-marin russe par la même occasion.

— Les Britanniques possèdent quelques sous-marins antisubmersibles. Ils ont une marine de surface assez puissante mais, comme la nôtre, elle n'est pas déployée. Leurs navires en mer se trouvent dans l'Atlantique Nord et une flottille manoeuvre avec la Cinquième Flotte. Le problème, monsieur le Président, c'est que les Soviétiques nous ont pris par surprise. Si seulement nous avions su qu'ils mettaient en mer la totalité de leur flotte de sous-marins...

— Ils nous ont passé un os, amiral, avec leur damné brouillage de sonar et leurs faux sous-marins qui ont trompé les caméras de nos satellites. Ils nous ont passé un os. Merci, amiral. Nous reviendrons à vous si nous avons d'autres questions. »

Plus tôt, ses experts avaient expliqué au président les conséquences de la destruction de la flotte mondiale de pétroliers par la Marine rouge. Ce qu'il avait appris l'avait renversé. Il en résuma les principaux points devant les hommes qui s'étaient réunis ce matin-là :

« Les États-Unis importent neuf millions de barils par jour et en consomment vingt. La fin des importations de brut provoquerait, en six mois, la fermeture d'au moins cinquante pour cent des industries qui dépendent des produits pétroliers pour leurs opérations et leur entretien ou des produits dérivés comme matériaux de base. La gazoline sera rationnée plus rigoureusement encore et ne permettrait plus que la consommation de cinq gallons par semaine par automobile ; des mesures sévères devraient être prises dans l'industrie du transport et de l'agriculture. La production agricole diminuerait de plus de la moitié.

« L'industrie automobile, le coeur de l'industrie américaine, serait forcée de fermer ses portes à cause de l'impossibilité où se trouveraient les fournisseurs de fabriquer les pièces, qu'elles soient de métal ou de plastique, et parce que le marché des voitures neuves disparaîtrait complètement. Les exportations de produits finis diminueraient de quatre-vingt-cinq à quatre-vingt-dix pour cent à cause de l'effondrement complet de l'économie du Japon et de l'Europe de l'Ouest, à l'exception de la Grande-Bretagne, autosuffisante en brut. La Norvège, avec ses réserves de la mer du Nord, est elle aussi virtuellement autosuffisante. Le chômage atteindrait cinquante pour cent à travers les États-Unis et le taux d'inflation annuel se situerait entre trente et quarante pour cent.

« L'Europe de l'Ouest importe quatre-vingt-treize pour cent de son brut. La fin des approvisionnements signifierait un effondrement complet de l'économie de chacun de ces pays sauf la Norvège et le Royaume-Uni. Le chômage affecterait quatre-vingt pour cent des travailleurs. Aucune automobile ne roulerait. Tout le pétrole disponible servirait à faire fonctionner les utilités de base et à transporter les personnes et les biens. L'exportation et l'importation des produits finis cesseraient à cause de l'incapacité de fabriquer sur place des produits manufacturés et du manque d'argent imposé aux consommateurs par le niveau de chômage. Au Japon, qui dépend complètement de ses importations de brut, les effets d'une coupure seraient encore plus catastrophiques qu'en

Europe de l'Ouest. Toutes les usines fermeraient, y compris celles où l'on construit des pétroliers et des navires de toutes catégories.

« La fermeture des chantiers navals, non seulement au Japon mais ailleurs dans le monde occidental, empêcherait durant plusieurs années la reconstruction de la flotte mondiale de pétroliers. La quille du premier navire de remplacement pourrait être construite quelque part, peut-être aux États-Unis, moins d'un an après la destruction de la flotte mondiale, mais il faudrait environ vingt ans pour atteindre une capacité équivalente à celle qui serait détruite.

« Les envolées domestiques aux États-Unis seraient réduites de quatre-vingt pour cent et les passagers devraient obtenir des permis de voyage en spécifiant leurs raisons, qu'elles soient d'affaires ou personnelles. Au Japon, il n'y aurait plus d'envolées, ni domestiques ni internationales. Une situation identique prévaudrait en Europe de l'Ouest sauf pour les lignes aériennes qui pourraient faire le plein au Royaume-Uni ou en Norvège, dans un rayon d'action sécuritaire. »

Le président enleva ses lunettes et frotta l'arête de son nez entre le pouce et l'index de sa main droite.

« Si la flotte mondiale de pétroliers était détruite, donc, l'économie de l'Europe de l'Ouest et du Japon s'effondrerait complètement. L'ampleur de cette catastrophe serait telle qu'elle signifierait pour ces parties du monde la fin de la civilisation et du mode de vie actuels. Elle signifierait pauvreté, famine, révolution, violence. Elle signifierait certainement, pour ce qui est de l'Europe de l'Ouest, que le communisme, fondé sur la pauvreté et le désordre, prévaudrait en peu de temps. Les forces militaires de nos alliés de l'OTAN, de même que les nôtres, dressées devant les forces soviétiques massives de l'autre côté du rideau de fer, seraient rapidement immobilisées. Une armée ou une aviation ne peuvent agir sans carburant.

« À mon avis, le naufrage de la flotte mondiale de pétroliers, et la fin des approvisionnements en brut vers l'Europe de l'Ouest et le Japon qui en résulterait, constitueraient une calamité, un désastre de premier ordre, dont les conséquences seraient presque aussi importantes que l'une de ces guerres thermonucléaires totales...

— Sauf, l'interrompit Eaton, que des dizaines de millions de gens ne mourraient pas.

— Mais la vie serait un véritable enfer pour des millions d'autres », reprit Hansen.

Le vice-président Mark James, qui ne parlait habituellement presque pas au cours de telles réunions, décida de prendre la parole :

« Je me demande s'il ne serait pas utile de jeter un coup d'oeil aux solutions qui s'offrent à nous. Nous savons, d'abord, que Romanov s'apprête à agir demain matin. Prenons cela pour acquis. Il affirme que, peu importe notre réaction, il envahira l'Iran, l'Iraq, l'Arabie saoudite et le restant des pays du Golfe. Si nous n'intervenons pas, il continuera à nous approvisionner en brut, mais selon une échelle descendante dans la mesure où nos besoins propres augmenteront. À vrai dire, monsieur le Président, je trouve cette option sans la moindre valeur. Cet homme-là ment comme il respire. Il vous a menti le 26 quand il vous a affirmé que les Russes n'étaient pas impliqués dans le naufrage des pétroliers. Quand il aura le golfe Persique sous sa botte, il pourra faire chanter au monde occidental la chanson qu'il voudra. Il n'est donc pas question à mes yeux de nous entendre avec cet enfant de chienne, absolument pas question. »

Contrairement à son habitude, il rabattit le poing sur la table pour souligner son opinion.

Il s'éclaircit la gorge et poursuivit :

«Dans ce cas, nous n'avons pas d'autre solution que de faire front !

— Je suis d'accord, reprit aussitôt le secrétaire de la Défense. Mais si nous faisons une guerre conventionnelle, nous nous retrouverons dans l'eau chaude. Nous avons les mains liées et Romanov le sait. Nous avons réussi de peine et de misère, en allant jusqu'à la limite du tolérable, à rassembler une force d'intervention de 120 000 hommes. Où se trouve-t-elle ? À bord de navires dans l'océan Indien, à 2500 milles au sud du Pakistan. Elle se dirige vers l'endroit où la flotte soviétique de l'océan Indien a participé aux manoeuvres d'OKEAN. Tout ce que je pourrais lancer d'autre, c'est la 82e Division aéroportée et deux bataillons de marine. Nous devrions les envoyer Dieu sait où. Les Iraniens eux-mêmes nous laisseraient peut-être débarquer s'ils connaissaient l'intention des Soviétiques d'attaquer, ce que, j'en suis à peu près sûr, ils n'ignorent plus...

— Les collaborateurs du secrétaire Eaton, dit le président en indiquant celui-ci de la tête, ont prévenu les ambassades de tous les pays du Proche-Orient dès que la ligne rouge a été coupée.

— La 82e est sur un pied d'alerte, poursuivit le secrétaire Levy, mais il faut quand même deux jours pour la mener à destination et les Russes lanceront leur attaque demain midi, à l'heure de Greenwich. Les avions de la Cinquième Flotte n'ont pas un rayon d'action suffisant pour atteindre la frontière soviéto-iranienne ou, encore, pour pénétrer en Afghanistan. »

Levy visait le vice-président James par ses remarques. Puis il se tourna et fixa l'homme qui prendrait la décision.

« Ce que je dis, monsieur le Président, c'est ceci. Si nous employons la force contre la force, la solution conventionnelle est sans espoir. Nous ne pouvons rien faire pour les arrêter. Même si nous parvenions au Pakistan le 6, nous ne pourrions jamais débarquer puisque les Soviétiques occuperaient déjà la totalité du pays. »

Le président, levant la main, réclama le silence. Parlant vers l'appareil téléphonique dont le récepteur et l'émetteur permettaient sans qu'on y touche d'entretenir une conversation dans les deux sens, il demanda :

« Général Young, avez-vous pu entendre ce dont nous avons parlé ?

— Oui, monsieur, répondit aussitôt le général de sa voix tranchante.

— Êtes-vous d'accord avec le secrétaire Levy ?

— Oui, monsieur le Président, de même que mes collègues. »

Le président regarda Levy de l'autre côté de la table.

« Si je comprends bien, vous me dites que le thermonucléaire est notre seule option. C'est bien ça ? »

Le silence était total dans la salle de réunion. Aucun des hommes qui se trouvaient dans la pièce n'avait jamais cru qu'il entendrait de son vivant le président des États-Unis d'Amérique soulever la question thermonucléaire. Le thermonucléaire ? Absolument impensable — jusqu'à ce moment — la réponse ne pouvait certainement pas être affirmative.

Le silence dura tandis que Levy, face à cette horrible question, décidait de la façon d'y répondre. Puis il parla :

« Avant de répondre à cette question par l'affirmative ou la négative, monsieur le Président, je voudrais mettre sur la table quelques chiffres qui m'aideraient à vous répondre de façon compétente. Les chiffres ont trait aux villes et à la population. »

C'était au tour de Levy de mettre ses lunettes. Il extirpa de la pile de documents qu'il avait emportée les notes dont il avait besoin et les lut :

« L'Union soviétique pourrait survivre à une guerre nucléaire totale ; les États-Unis ne le pourraient pas. La population soviétique est beaucoup moins concentrée que la nôtre. Près de la moitié de notre population vit près des grandes villes. Si nous détruisons leurs neuf villes de plus d'un million d'habitants, les Soviétiques ne perdraient que huit et demi pour cent de leur population. Ils en ont perdu douze pour cent au cours de la Deuxième Guerre mondiale et ils ont survécu. Sans compter qu'ils ont davantage que nous l'habitude de voir disparaître du monde à cause de toutes les famines, des purges et des guerres qu'ils ont vécues.

« Il m'est difficile, monsieur le Président, de me faire à l'idée que cent millions d'Américains puissent disparaître en un instant. »

Le sombre président ne sourit pas quand il répondit.

« Vous n'avez pas le monopole de cette difficulté, Bob. »

Levy s'apprêtait à donner son opinion :

« Mais ma réponse à votre question est affirmative, monsieur le Président. Si nous devons utiliser la force, les fusées intercontinentales et les missiles balistiques lancés à partir de sous-marins sont notre seule option. Je crois cependant que nous devrions nous confiner à des objectifs militaires. Dans ce cas, nos missiles ne sont dirigés que contre des bases de l'armée, les aéroports et les installations navales. Les cibles militaires rattachées à des villes, tel qu'il en existe à Leningrad et à Mourmansk, ne sont pas comprises. Nous visons donc loin des villes. Mais cette option comprend les plus grands centres de production de brut et les champs pétrolifères de Pechora, sans oublier l'immense champ de Samotlor, dans l'ouest de la Sibérie. »

Le vice-président James sentait qu'il y avait là un problème :

« Si vous détruisez leurs principaux champs pétrolifères, les Russes ne seront-ils pas tentés de se venger sur ceux du golfe Persique ?

— C'est exactement où je voulais en venir, admit Levy. Si vous choisissez l'option militaire, monsieur le Président, je propose que vous évitiez d'attaquer les champs pétrolifères.

— Est-ce que nous ne pourrions pas choisir des cibles ponctuelles, se demanda Hansen à voix haute ; les divisions soviétiques le long de la frontière iranienne et les flottes soviétiques des océans Atlantique, Indien et Pacifique ?

— Pas de problème, monsieur le Président, l'assura Levy. Mais nous devons oublier l'océan Indien. En ce moment, il y a trop de circulation dans la mer d'Arabie. Notre force d'intervention au Pakistan se trouve dans cette région de même que notre Cinquième Flotte et la flottille britannique. »

Le président voulait poser une dernière question :

« Si je décide en faveur du thermonucléaire et de l'option militaire limitée, quand devrions-nous agir ou devrais-je tenter de menacer Romanov, d'exercer sur lui une pression qui le force à abandonner l'invasion du golfe Persique ? Sur cette question, laissez-moi d'abord vous donner mon point de vue sur le moment d'agir et nous verrons si quiconque a quelque commentaire à faire à ce sujet. Je puis vous dire, messieurs, que je n'ai toujours pas pris de décision tout en sachant que nous n'avons que deux solutions : nous pouvons laisser les Soviétiques envahir le golfe Persique sans les combattre ; en retour, ils s'abstiendront de couler la flotte mondiale de pétroliers et permettraient au monde occidental un accès continuel aux sources d'approvisionnement en brut de la région, en se basant sur l'échelle ascendante de leurs propres besoins. Ou nous pouvons choisir l'autre solution, l'option militaire limitée, c'est-à-dire le thermonucléaire. »

Les autres approuvèrent sombrement.

« L'heure cruciale est huit heures demain matin, poursuivit le président. Si nous choisissons le thermonucléaire, nous devons commencer immédiatement à évacuer les villes au cas où les Soviétiques répondraient par une guerre totale contre nous. J'ai déjà demandé du temps d'antenne pour dix-huit heures ce soir.

— Sauf votre respect, monsieur le Président, dit Mark James, quelle que soit votre décision, je crois que la population américaine devrait être prévenue immédiatement. Elle devrait être prévenue que les Russes ont lancé un ultimatum ; que la possibilité d'une guerre thermonucléaire totale est très réelle ; qu'elle n'a aucune raison de paniquer mais qu'elle devrait avoir quitté les villes avant six heures demain matin.

— L'heure limite pour l'évacuation devrait être la même que celle où les missiles seront lancés, proposa Eaton, et cette heure devrait être à mes yeux aussi tardive que possible. Si les ICBM mettent à peu près vingt minutes pour atteindre leurs cibles, il faut laisser le temps à Romanov de réfléchir et de retenir ses troupes. Je crois que sept heures devrait être l'heure de lancement, monsieur le Président, et l'heure limite absolue pour l'évacuation complète des villes. La population devrait être assez consciente pour se tenir loin des installations militaires. »

Tom Jackman, sénateur du Texas et leader de la majorité, prit la parole d'une voix aussi mince et grêle que son corps :

« Je suis d'accord avec le vice-président. Il est midi moins quart. Attendre à ce soir pour prévenir la population signifie que des milliers de personnes, qui se seraient autrement déjà mises en route, auront perdu six heures précieuses. Je suis certain que les chaînes vous donneront l'antenne n'importe quand, monsieur le Président, n'importe quand.

— Vous avez raison, Tom, reconnut Hansen. Demandez à Peterson, ajouta-t-il en se tournant vers Crane, de prévenir les chaînes que je veux avoir l'antenne dans trois quarts d'heure, à 12h 30. »

Crane se rendit presque en courant à la porte.

« Devons-nous négocier avec ce bâtard de Romanov ? Si je décide en faveur du nucléaire, dois-je le menacer d'abord ou simplement tirer ? »

Le vieux Dan O'Brien, qui avait la réputation d'être le meilleur joueur de poker du Capitole, bondit de son fauteuil à l'extrémité de la table.

« De mon point de vue, monsieur le Président, vous et Romanov jouez une partie dont l'enjeu est le plus important que le monde ait connu. Lui, il est certain que les États-Unis n'ont pas assez de couilles pour lancer une attaque nucléaire, thermonucléaire ou peu importe comment vous l'appelez. Il en est absolument certain. Il sera donc l'enfant de chienne le plus surpris du monde si son radar et ses écrans de repérage lui annoncent à sept heures demain matin ou à quelque moment que ce soit que cent ou deux cents ICBM sont en route. Vous le prendrez par surprise, c'est-à-dire avec l'arme la plus importante qui soit. Accrochez-le à la ligne rouge deux minutes avant la mise à feu. Dès que vos gros oiseaux voleront vers lui, laissez-le-lui savoir et dites-lui qu'il s'agit d'une action restreinte mais que vous êtes prêts à attaquer massivement s'il réplique. Et dites-lui que vous avez trois exigences. Premièrement, aucune réplique nucléaire ; deuxièmement, aucune attaque des sous-marins contre les pétroliers ; troisièmement, pas d'invasion du golfe Persique.

— Votre scénario a du sens, Dan. »

Le secrétaire à la Défense appréciait ce qu'il venait d'entendre. Cela débouchait sur une autre possibilité.

« Si vous avez raison, le président aurait un meilleur pouvoir de négociation lors de cette phase critique s'il pouvait dire à Romanov qu'ayant même été en mesure de s'en prendre sur-le-champ aux troupes soviétiques massées le long de la frontière d'Iran, il s'était retenu. Le président pourrait dire à Romanov que s'il ne se pliait pas immédiatement à ses conditions, il lancerait suffisamment d'ICBM pour anéantir les forces armées qui se trouvent dans cette région. »

Le président, qui s'était entièrement concentré sur les interventions, le corps tendu, l'esprit fonctionnant à plein rendement, décida qu'il en avait assez entendu.

« Messieurs, j'aimerais discuter de tout ceci une dizaine de minutes avec le vice-président. Si vous voulez m'attendre ici... »

Sur ces mots, le président, de même que tous les autres, se leva. Flanqué de son vice-président, il quitta la pièce et se retira dans le sanctuaire provisoire du Bureau Ovale. Agité, Crane l'y informa que d'après la CIA les Russes avaient entrepris d'évacuer leurs villes.

Sur le coup de midi, les deux hommes revinrent à la salle de réunion. La décision était prise.

Une fois installé dans son fauteuil, le président parla en direction de l'appareil téléphonique dans le but de s'assurer que le chef de l'état-major interarmées et les trois chefs d'état-major étaient en ligne et écoutaient.

Le président expliqua tout d'abord sa ligne de pensée. Puis il exposa sa décision :

« Pour ces motifs, j'ai décidé qu'à 7h, heure de Washington, demain, je n'avais pas d'autre solution que de déclencher une attaque d'ICBM contre des objectifs militaires limités en URSS. Au cours de la première vague, les ICBM destinés à la frontière soviéto-iranienne seront retenus, mais seront immédiatement lancés si les négociations avec le président échouent. Les négociations commenceront sur la ligne rouge aussitôt la première vague lancée. J'exigerai alors de Romanov qu'il n'y ait aucune riposte nucléaire, qu'aucune action militaire ne soit entreprise par les Soviétiques contre l'Iran ou le golfe Persique, que toutes les troupes massées le long de la frontière soviéto-iranienne et en Afghanistan soient retirées, que ses sous-marins cessent d'attaquer la flotte mondiale des pétroliers, et que nous nous rencontrions, Romanov et moi, au plus tôt. S'il accepte, je désarmerai les missiles avant l'impact.

— Espérons que vous le pourrez », murmura quelqu'un.

Le président des États-Unis pouvait à peine croire les mots qu'il prononçait. C'était un véritable cauchemar.

« Général Young ?

— Oui, monsieur.

— Vous avez entendu ma décision ?

— Oui, monsieur.

— J'aimerais vous voir à mon bureau à vingt et une heures ce soir avec une liste des cibles militaires que vous me recommandez ainsi que des cartes qui en montrent la localisation. À moins de recevoir un contrordre de ma propre voix, vous déclencherez l'attaque d'ICBM demain matin à sept heures précises. »

Le président attendit la réponse du général. N'en recevant pas, il demanda :

« Général, avez-vous entendu ce que je viens de dire ?

Lorsque la voix du général se fit entendre, elle était chargée de mépris. Il ne pouvait cacher ses sentiments à l'endroit des politiciens maladroits et ineptes qu'il venait d'écouter.

« Oui, monsieur le Président, je vous ai entendu. Tous les quatre, nous vous avons entendu. Pendant les dix minutes que vous avez passées avec le vice-président pour décider de ce que *vous* alliez faire, nous avons discuté de notre côté pour savoir ce que *nous* allions/faire. À notre avis, monsieur le Président, vous avez été mal conseillé par des gens qui n'ont pas la moindre idée de ce dont ils parlent. Si nous déclenchons une attaque d'ICBM sur des objectifs militaires limités, les Soviétiques feront disparaître les États-Unis de la surface du globe. Que nous soyons en mesure de les désarmer au dernier instant n'y changerait rien. Les Soviétiques riposteraient dès qu'ils apercevraient les nôtres. Vous ne savez pas ce que vous faites, monsieur le Président !

« Je vous dis que les chefs de l'état-major des États-Unis ont décidé de *ne pas* lancer d'ICBM ou quelque autre fusée contre l'Union soviétique demain matin à huit heures ou en aucun temps tant que nous ne serons pas convaincus d'agir dans l'intérêt de la population des États-Unis en appuyant sur le bouton. En d'autres termes, tant que nous ne serons pas mauditement prêts ! »

Le président ne pouvait en croire ses oreilles.

« Vous voulez dire que vous refusez d'obéir à mon ordre ? C'est de la trahison, général, de la trahison pure et simple contre le gouvernement des États-Unis. »

La voix rauque du général emplit la pièce. Ses mots stupéfièrent son auditoire.

« Pas s'il s'agit d'un gouvernement militaire, monsieur Hansen. Pas si *nous* — mes collègues et moi — prenons le pouvoir. »

FIN

Chez le même éditeur

L'AFFAIRE COFFIN
Jacques Hébert — **272 pages**
Après un quart de siècle, l'Affaire Coffin est encore la cause la plus célèbre de nos annales judiciaires. *J'accuse les assassins de Coffin* reste sans contredit un des pamphlets les plus célèbres des lettres québécoises. Il convenait donc de republier ce *pamphlet* en ajoutant dans la première partie l'opinion de Jacques Hébert, *Une petite autopsie de l'Affaire* et en dernière, l'épilogue de ce pamphlet, *Trois jours en prison.* **$12.95**

JULIA
Peter Straub — **288 pages**
Une petite fille morte tragiquement, une
femme hantée par la responsabilité de cette
mort, une grande maison londonienne où se
sont déroulés des drames terrifiants... L'atmosphère de Julia, que vient enrichir une
foule de détails plus précis les uns que les
autres, est envoûtante. Une angoisse croissante
envahit le lecteur. **$9.95**

Lee Weston

Les rythmes de votre corps

Domino collection *bio*

LES RYTHMES DE VOTRE CORPS
Lee Weston — **192 pages**
Ce livre nous explique comment les variations
quotidiennes de nos rythmes biologiques personnels, c'est-à-dire de notre température
interne et de nos sécrétions hormonales, affec-
tent notre comportement et notre rendement.
Une voie nouvelle pour contrer le stress phy-
siologique et les maladies.   **$9.95**

L'ÉTRANGE CAS DE CRISTA SPALDING
William Katz — **320 pages**
Mené de main de maître, le roman de William
Katz jette un jour nouveau sur la fragile frontière entre la vie et la mort, et pose de façon
originale le problème de la présence — rêve,
intuition, télépathie? — des disparus parmi
nous. Sa réponse à la fin du livre, inattendue
et troublante, retentira longtemps dans la
mémoire du lecteur. **$10.95**

CALL-GIRL
Cécile — **212 pages**
Une histoire composée à partir d'éléments
véridiques. D'un chic bordel de Westmount
aux quartiers richissimes de Floride, Cléo
cherche avidement des paroxysmes sensuels.
Drogue, dollars, sexe constituent, pour le
milieu « bien » où elle évolue, un art de
vivre. **$8.95**